Individuele rehabilitatie, behandeling en herstel

Individuele rehabilitatie, behandeling en herstel

van mensen met psychiatrische problematiek

Redactie:

Dr. Jos Dröes

uitgeverij
SWP

Het Passage Cahier beoogt een reeks te zijn waarin korte verhandelingen omtrent rehabilitatie en daarmee verwante onderwerpen thematisch bijeen worden gebracht. Het
betreft voornamelijk artikelen die eerder zijn gepubliceerd in het tijdschrift *Passage*. Het
Cahier heeft, anders dan het tijdschrift, een educatief karakter.

Individuele rehabilitatie, behandeling en herstel
van mensen met psychiatrische problematiek
Onder redactie van Dr. Jos Dröes

ISBN 90 6665 614 X
NUR 875

Inhoudsopgave

Inleiding

Individuele rehabilitatie, behandeling en herstel: de contouren van een nieuw tijdperk in de geestelijke gezondheidszorg
Jos Dröes

In 2000 waren Marius Nuy en ik de redacteurs van *De Individuele Rehabilitatie Benadering. Inleiding tot gedachtegoed, techniek en randvoorwaarden*. Die bundel was en is de beste verzameling artikelen om kennis te maken met de Individuele Rehabilitatie Benadering. Het boek dat u zojuist heeft opengeslagen dient een ander doel. Centraal in deze bundel staan de verbindingen van de individuele rehabilitatiebenadering met de begrippen 'behandeling' en 'herstel'. De verbinding met 'behandeling' is belangrijk omdat rehabilitatie in de huidige herstructurering van de GGz een plaats dient te krijgen in de sfeer van de psychiatrische behandeling. Het revaliderende deel van de behandeling, de aanzet tot maatschappelijk herstel van mensen met psychiatrische problemen, mag niet buiten het gezichtsveld van de gezondheidszorg geraken. Daarvoor zijn de medische en de maatschappelijke aspecten van de herstelprocessen van onze patiënten of cliënten te zeer met elkaar verweven.
In dit boek worden de natuurlijke verbindingen tussen rehabilitatie en behandeling door vrijwel alle bijdragen geïllustreerd.
Voor de goede orde zij hier opgemerkt dat een aantal belangrijke aspecten van rehabilitatie in dit boek niet aan de orde komen. Minstens even belangrijk als de verhouding tot behandeling is het dat rehabilitatie in het nieuwe bestel een gelegitimeerde plaats krijgt in het dienstenaanbod dat via de Wet Maatschappelijke Ondersteuning geregeld gaat worden. Een bundel over dat onderwerp zou wellicht 'Individuele rehabilitatie: gemeentelijke zorg en persoonlijke integratie' kunnen heten. Eveneens belangrijk is het dat uitgangspunten van rehabilitatie ook in de toekomst aanwezig blijven in de verschillende vormen van 'asiel' die onder de AWBZ zullen blijven ressorteren.

Dit boek besteedt ook aandacht aan de verbinding tussen individuele rehabilitatie en 'herstel'. Tien jaar rehabilitatie heeft eraan bijgedragen dat cliënten en patiënten hun eigen herstelproces definiëren als hun eigen onvervreemdbare eigendom. Rehabilitatie kan tot herstel leiden en kan herstel ondersteunen, maar het is iets anders dan herstel. Dit eigen geluid van cliënten krijgt de nodige bijval, maar het levert ook de nodige vragen op. Welke hulp kan de herstellende gebruiken? Wat is de plaats van rehabilitatie in die hulp? Die vragen zijn nog niet zo gemakkelijk te beantwoorden. Ze vormen het begin van een dialoog over de verhoudingen tussen rehabilitatie en herstel. In dit boek is een bescheiden begin van deze dialoog zichtbaar. Ik verwacht dat dit in de komende jaren een belangrijk onderwerp in de wereld van de rehabilitatie wordt.

Naar mijn overtuiging levert het verbinden van individuele rehabilitatie, behandeling en herstel de contouren op van een gemoderniseerde geestelijke gezondheidszorg. De GGz wordt in snel tempo een zorg van velen: van behandelaars en institutionele zorgaanbieders, van cliënten en familie, van gemeenten en verzekeraars. In het nieuwe tijdperk zijn behandeling, rehabilitatie en herstel de kernactiviteiten die zorgcompartimenten verbinden, financieringsstromen kanaliseren en belangengroeperingen tot elkaar brengen. Die stelling wordt in deze inleiding verder uitgewerkt.

Behandeling

In de gemoderniseerde GGz is behandeling meer dan ooit gericht op de oude kernactiviteit, namelijk het bestrijden van ziekte en lijden, inclusief preventie en rouwverwerking. Dit gebeurt met biologische middelen en met psychotherapeutische en sociaal-psychiatrische technieken, eventueel aangeboden via assertieve ambulante teams (Assertive Communit Treatment - ACT). De verwachting is dat het terugdringen van symptomen, het ondersteunen in de verwerking van de ziekte en het voorkomen van recidieven en heropnames steeds succesvoller zullen verlopen. Er is langzamerhand veel wetenschappelijk onderzoek beschikbaar over de werkzaamheid en effectiviteit van de interventies. De prijs die voor deze vooruitgang wordt betaald, is dat het uitgangspunt van een op het individu gerichte zorg meer en meer onder druk komt te staan. Het gaat om evidence based effectief en kosteneffectief bestrijden van psychosen, depressies en gedragsstoornissen. Deze effectiviteit heeft weinig te maken met de persoonlijke relatie van patiënt en behandelaar. Het gaat om het aanpakken van de ziekte door een proces van objectivering; de persoon van de patiënt en de relatie tussen patiënt en behandelaar zijn uiteindelijk niet meer of minder dan faciliterende of belemmerende factoren in dit proces. Deze trend wordt nog versterkt doordat de vraag naar de zin van behandeling (en van allerlei andere vormen van inspanning) in de 'gezondheidszorg van velen', op steeds meer manieren wordt gesteld. Een of twee duidelijke antwoorden zijn dringend gewenst. Wat *is* dus de zin van behandeling, van het bestrijden van ziekte en lijden? Twee antwoorden dringen zich op. Behandeling leidt voor patiënten of cliënten en hun omgeving tot minder lijden en tot meer kansen op een gewoon leven.

Rehabilitatie

In de nieuwe verhoudingen is rehabilitatie de belichaming van persoonlijke en maatschappelijke solidariteit met de cliënt. Rehabilitatie is gericht op de integratie van mensen met hun gebreken in de samenleving. Rehabilitatie gaat altijd over cliënten en hun omgevingen. Rehabilitatie gaat over huisvesting, werk, dagbesteding, opleiding en sociaal leven van een bepaalde persoon in een bepaalde omgeving. Het gaat nooit alleen over de cliënt, maar altijd ook over de omstanders. In de gemoderniseerde GGz zijn verzekeraars, gemeenten, woningbouwverenigingen, ROC's en sportverenigingen even belangrijke actoren als de klassieke aanbieders van professionele zorg. In een individueel rehabilitatietraject zijn een partner, huisgenoten, vrienden en collega's even belangrijk, misschien zelfs belangrijker, dan de professionele hulpverlener.

Dit gegeven stelt aan cliënten en hun hulpverleners nieuwe eisen. Het vraagt om manieren van behandelen en begeleiden die aan al die andere actoren en aan de cliënt zelf duidelijk maken wat er precies nodig is voor een geslaagd herstel van rollen en een betere maatschappelijke participatie. Welke rollen ambieert de cliënt? Welke activiteiten geven hem nieuwe zin en energie? Welke aanpassingen van huis, baan en opleiding zijn nodig om deze voor cliënten bereikbaar te maken? Enerzijds is er behoefte aan betere technieken om cliënten te helpen bij doelverheldering, probleemanalyse en verbetering van persoonlijk functioneren. Anderzijds is er behoefte aan de ontwikkeling van aangepaste accommodaties. Bij dit alles is een grote interpersoonlijke solidariteit nodig om deze nieuwe vragen beantwoord te krijgen door cliënten en hun hulpverleners tezamen.

Ook de rehabilitatie zal zich in de nieuwe verhoudingen moeten verantwoorden. Wat is de zin van rehabilitatie? Twee antwoorden dringen zich op. Rehabilitatie leidt naar interpersoonlijke solidariteit en betere levensomstandigheden voor de cliënt en voor personen in zijn omgeving.

Herstel

Behandeling werkt met objectiverende methoden en rehabilitatie met interpersoonlijke solidariteit. In de drieslag rehabilitatie-behandeling-herstel vertegenwoordigt herstel het subjectieve element.

Herstel is het persoonlijke proces van vallen en opstaan dat iemand doormaakt bij het zich ontworstelen aan de gevolgen van een psychische ziekte. Iedereen weet dat herstelprocessen grillig en onvoorspelbaar, onbetrouwbaar en hard zijn. Herstel is grillig en onvoorspelbaar: echt over de gevolgen van een ziekte heen groeien gebeurt dikwijls langs onvoorziene paden, op onvoorziene momenten, soms pas na lange tijd, na onverwachte aanleidingen. Herstel is onbetrouwbaar en hard: de herstellende is in de eerste plaats op zoek naar wat hem of haar kan helpen om erbovenop te komen. Herstel grijpt aan wat het kan gebruiken, wat niet voldoet wordt terzijde geschoven. Behandeling en rehabilitatie moeten daarom goed voor de dag komen om in een herstelproces als waardevolle bijdragen te worden herkend. Behandelaars en rehabilitatiewerkers kunnen gelijk hebben met hun plan van aanpak, maar minstens zo belangrijk is dat ze ook gelijk *krijgen* van hun cliënten. Het gaat erom of de klinisch effectieve interventie ook in de persoonlijke belevingswereld van de cliënt als een helpende ingreep wordt ervaren, desnoods achteraf. Herstel is voor de persoon die het betreft een proces van groei van eigen kracht en individualiteit. De herstellende wil daarom dikwijls niet alleen en liefst ook niet te veel professionele hulpverlening. Wanneer hij of zij het zelf kan, of samen met lotgenoten, vrienden en familie, verdient dat de voorkeur. Dat laatste brengt ons naar een andere zijde van het herstelbegrip.

Herstel is bij uitstek een proces dat de herstellende niet alleen doormaakt. Naast familieleden, vrienden en collega's kunnen professionele hulpverleners een belangrijk aandeel hebben, bijvoorbeeld door het bieden van goede behandeling en rehabilitatie.

Wat is de zin van herstel? Herstel houdt de hoop op een betere kwaliteit van leven overeind. Het herwinnen van greep op het eigen leven, ondanks ziekte of beperking, geeft perspectief voor de toekomst. Een herstelproces is een inspiratiebron die (uiteindelijk) zin geeft aan behandeling en rehabilitatie van mensen met psychiatrische problemen.

Contouren van een nieuwe GGz

We vatten het voorafgaande kort samen.

Behandeling leidt voor patiënten of cliënten en hun omgeving tot minder lijden en meer kansen op een gewoon leven.

Rehabilitatie leidt naar interpersoonlijke solidariteit en betere levensomstandigheden voor cliënten en personen in hun omgeving.

Herstelprocessen vormen een inspiratiebron voor cliënten die uiteindelijk zin geeft aan behandelings- en rehabilitatie-inspanningen.

Een nieuw arrangement voor mensen met psychiatrische problemen zal zich laten inspireren door hun mogelijkheden en hun mogelijkheden tot herstel. Dit herstel heeft drie fundamenten. Het eerste fundament is de herstelkracht van de betrokkenen zelf, van hun familie en hun sociale netwerk. Het tweede is een effectieve vermindering van ziektesymptomen en lijden. Het derde is de solidariteit van maatschappelijke instellingen, een solidariteit die bij de hulpverlening begint en die zich voortzet in de maatschappelijke omgeving van de cliënt.

Dit boek

Dit boek bestaat uit bijdragen die de samenhang tussen individuele rehabilitatie, behandeling en herstel nader toelichten. Het is bedoeld als achtergrondinformatie voor mensen met psychiatrische problemen, hun familieleden, behandelaren en rehabilitatiewerkers. Het boek is opgebouwd uit vijf delen.

In het eerste deel ('uitgangspunten') worden de basisgedachten over de samenhang tussen rehabilitatie, behandeling en herstel uitgewerkt. De artikelen van Dröes en Van Weeghel over de verschillende benaderingen in de hulpverlening, en van Anthony over herstel en hulpverlening zijn al wat oudere publicaties die aan veel van het latere werk op dit gebied ten grondslag liggen. Het gedachtegoed van Anthony over de ordening van het hulpverleningsaanbod vanuit een herstelondersteunende optiek wordt praktisch uitgewerkt in de bijdrage van Van Heugten, Roest en Henkelman.

Het tweede deel ('rehabilitatie en behandeling') begint met het klassieke artikel van McCrory over het bondgenootschap dat aan de basis ligt van elk rehabilitatieproces. Henkens en Luijten zetten de techniek van de individuele rehabilitatiebenadering uiteen en Dröes schetst een rehabilitatiegerichte kijk op psychiatrische problematiek – de zienswijze van de rehabilitatiewerker op symptomen, functiestoornissen en ziektebeelden.

Het derde deel ('behandeling en rehabilitatie') begint met het artikel van Slooff en Luijten over behandeling, revalidatie en rehabilitatie. Rehabilitatie wordt hier als onderdeel van een integrale behandeling gepresenteerd. In de twee volgende hoofdstukken werkt Dröes de verbindingen tussen behandeling en rehabilitatie nader uit. Centraal daarin staan de indicatie voor rehabilitatie door behandelaars en de manier waarop de rehabilitatiegerichte behandelaar omgaat met functiestoornissen.

Het vierde deel ('herstel en rehabilitatie: persoonlijke verhalen') bevat bijdragen over de nog lang niet uitgekristalliseerde verhoudingen tussen herstel en hulpverlening. Het eerste artikel met het persoonlijke verhaal van Boevink is inmiddels een Nederlandse klassieker op dit gebied. Ook voor de hulpverlener heeft betrokkenheid bij rehabilitatie en herstel een persoonlijk verhaal tot gevolg, zoals hier beschreven door Dröes. En uiteindelijk monden deze processen uit in een dialoog, waarvan het prille begin te lezen is in de briefwisseling van de genoemde auteurs.

In deel vijf ('rehabilitatie effectonderzoek') zijn enige bijdragen opgenomen over onderzoek naar de effectiviteit van de individuele rehabilitatiebenadering. Zoals eerder in deze inleiding opgemerkt zal het in de toekomst steeds belangrijker worden dat ook van relatief zachte concepten als rehabilitatie de werkzaamheid en effectiviteit gedegen worden gedocumenteerd. De bijdragen van Van Busschbach en Wiersma en van Swildens e.a. zijn de eerste wetenschappelijke studies naar de resultaten van het werken met de Individuele

Rehabilitatie Benadering. Rehabilitatieonderzoek biedt volgens het overzichtsartikel van Dröes bovendien de kans om cliënten op een functionele manier te betrekken bij het verbeteren en onderzoeken van zorg en dienstverlening.

In de epiloog ontvouwt Dröes ten slotte actiepunten voor de nabije toekomst. Door te onderzoeken hoe rehabilitatie, behandeling en herstel elkaar kunnen versterken – of juist hinderen – kunnen een aantal thema's worden geïdentificeerd voor verdere ontwikkeling en nader onderzoek.

Ik hoop dat deze bundel bijdraagt tot veel positieve wisselwerkingen tussen rehabilitatie, behandeling en herstel.

Rotterdam, oktober 2004

1. Perspectieven van psychiatrische rehabilitatie

Jos Dröes en Jaap van Weeghel

Psychiatrische rehabilitatie heeft een eigen plaats in de behandeling van en zorg voor mensen met psychiatrische problematiek. In dit (veelgeciteerde) artikel uit 1994 wordt die eigen plaats omschreven, met name ten opzichte van andere vormen van professionele hulpverlening: behandeling en begeleiding. Het onderscheid tussen 'cure' en 'care' werd ook toen al geduid als een "inmiddels bekritiseerde tweedeling". Binnen het domein van de psychiatrische rehabilitatie zelf worden in dit artikel verschillende Engelse en Amerikaanse stromingen beschreven naar het accent dat zij leggen op verschillende aspecten van zorg, op de karakteristieken van de rolverdeling tussen hulpverleners en cliënten en op de beoogde effecten van de zorg. De verschillende rehabilitatiestromingen zijn complementair. Uiteindelijk zijn zij gericht op het herstelproces van de cliënt.

Bij het uitwerken van de verbindingen tussen behandeling en rehabilitatie zijn de geschetste perspectieven opnieuw belangrijk geworden. De aspecten van zorg waar zij betrekking op hebben, zijn ook in de wereld van de behandeling te herkennen. Omgaan met problemen, stimuleren van ontwikkeling en voorzien in een veilig en groeizaam milieu zijn elementaire aspecten van de behandeling en rehabilitatie van mensen met psychiatrische problematiek.

Inleiding

Rehabilitatie[1] van psychiatrische patiënten staat in de jaren negentig sterk in de belangstelling (Van Weeghel en Zeelen, 1990; Van der Gaag en Van der Plas, 1991; Henkelman, 1992; Kaiser, 1992; Roosenschoon en Wilken, 1992; Dröes, 1993; Van Wel, 1994). Rehabilitatie past niet zonder meer in de veelgebruikte, maar inmiddels ook bekritiseerde, tweedeling van cure en care (zie Kortman en Tholen, 1991). Rehabilitatie vormt naast behandeling en zorg een derde benadering, waarin niet het gebrek van de cliënt of het beschermende systeem rond de cliënt centraal staat, maar de ideeën en activiteiten van de cliënt die zijn eigen leven vorm wil geven.

Het begrip rehabilitatie staat dus voor een actieve benadering van het leven met een handicap en is sterk verbonden met noties als hoop, perspectief en vooruitgang. Er ligt de veronderstelling in besloten dat de mens in zekere mate plooibaar is en dat de sociale omstandigheden waarin hij leeft tot op zekere hoogte maakbaar zijn (zie Schnabel, 1987). Het streven naar vaardiger cliënten gaat dus hand in hand met het streven naar een samenleving die cliënten niet om het enkele feit van hun handicaps negeert, discrimineert of anderszins benadeelt. Rehabilitatie als sociale beweging streeft dan ook naar lotsverbetering, ontvoogding en empowerment van mensen met een psychische handicap. Daarbij zijn geschikte technologieën nodig om deze opdracht goed uit te voeren. Zowel het ene aspect – de missie – als het andere aspect – de methode – komen goed tot uitdrukking in het Engelse woord 'rehabilitation' dat verscheidene betekenissen heeft: (eer)herstel, rehabilitatie, wederopbouw en revalidatie.

In Nederland heeft het denken over rehabilitatie extra gewicht gekregen door recente ontwikkelingen in het beleid en de praktijk van de GGz. Als uitvloeisel van extramuralisering, deconcentratie en zorgvernieuwing kon serieuze aandacht voor het sociaal functioneren van cliënten, en daarmee voor rehabilitatiebenaderingen, niet uitblijven (Ministerie van WVC, 1993; Wolf en Van Weeghel, 1993). De benadering is vooral zichtbaar in projecten op de grens van psychiatrie en samenleving, zoals beschermende woonvormen, begeleid-wonenprojecten, dagactiviteitencentra en leer/werkprojecten. Maar ook in de meer gevestigde GGz-instellingen groeit de aandacht voor rehabilitatie, bijvoorbeeld in de vorm van cognitieve en sociale vaardigheidstrainingen (Van der Gaag, 1992; Slooff e.a., 1992) en van bijscholingsprogramma's op het gebied van de psychiatrische rehabilitatie (Dröes, 1992).

In deze bijdrage proberen we de plaats van rehabilitatie in het geheel van de professionele geestelijke gezondheidszorg te bepalen. Dat is niet eenvoudig, te meer omdat er verscheidene rehabilitatiebenaderingen naast elkaar bestaan. Vervolgens geven we aan langs welke weg rehabilitatie zich volgens ons het best kan ontwikkelen.

Rehabilitatie: de mainstream in meerstromenland

De huidige rehabilitatiebenaderingen zijn langs verschillende wegen tot stand gekomen. Heel oud zijn de pogingen om de sociale integratie en het persoonlijk functioneren van psychiatrische patiënten door geregelde arbeid te bevorderen. Dit werd bijvoorbeeld geprobeerd in de negentiende-eeuwse Moral Treatment en in de actieve therapie van Simon en Van der Scheer in de jaren dertig van de vorige eeuw (Van Weeghel en Zeelen, 1990). In recentere benaderingen heeft men, behalve voor werk en activiteit, ook belangstelling voor de integratie van de cliënt in andere sociale verbanden, zoals de familie (Birly en Hudson, 1991) en de woonomgeving (Parry, 1991). Ook van recentere datum zijn pogingen om de cliënt vanuit medische en leertheoretische inzichten te leren zelf met bepaalde problemen om te gaan. Psycho-educatieve technieken en vaardigheidstrainingen spelen daarin een belangrijke rol (Liberman, 1990).

Tegenwoordig gaan onder de noemer psychiatrische rehabilitatie verscheidene benaderingen schuil, die op uiteenlopende punten van elkaar verschillen. Vooral in de Amerikaanse literatuur treffen we artikelen aan waarin auteurs juist op zoek gaan naar de mainstream in dit meerstromenland. Zo concludeert Bachrach (1992) na een literatuurstudie dat de verschillende rehabilitatiebenaderingen veel kenmerken gemeen hebben. Alle benaderingen proberen de cliënt nieuwe hoop op een gunstige toekomst te geven. Daartoe probeert men zowel zijn individuele capaciteiten optimaal te benutten als de omgevingscondities zodanig aan te passen dat hij naar vermogen kan functioneren. De verschillende benaderingen onderstrepen niet alleen het belang van werk of een zinvolle dagbesteding, maar richten zich evenzeer op andere levensgebieden. Verder is er volgens Bachrach consensus over de actieve rol van de cliënt in zijn rehabilitatieproces en over het langdurige karakter van een rehabilitatieaanpak, die zich dan ook over de grenzen van meerdere instellingen moet kunnen uitstrekken. Cnaan e.a. (1990, 1992) vonden, na raadpleging van een groot aantal rehabilitatiedeskundigen, praktijkwerkers en cliënten, gelijksoortige overeenkomsten.

Naast deze overeenkomsten zijn er evenwel ook belangrijke verschillen. We maken deze verschillen zichtbaar door na te gaan hoe vertegenwoordigers van de verschillende stromingen hun rehabilitatiebenadering plaatsen ten opzichte van 'de zorg' voor, respectievelijk 'de behandeling' van mensen met psychische beperkingen.

Zorg en rehabilitatie

De noties van hoop en vooruitgang die in het rehabilitatieconcept besloten liggen, lijken strijdig met de idee dat chronisch psychiatrische patiënten ernstige functionele beperkingen hebben die we moeten accepteren en zo nodig met zorg moeten compenseren. Alle auteurs die over rehabilitatie schrijven, proberen dan ook het streven naar activering en vooruitgang te verzoenen met noties over afhankelijkheid en acceptatie. Meestal houdt dit in dat men al te hooggespannen verwachtingen probeert te temperen. Zo spreken velen van 'het optimaal benutten van de restcapaciteiten'. Sommigen houden de mogelijkheid open dat rehabilitatie zich ook kan richten op een zo klein mogelijke achteruitgang in het functioneren (zie Van Wel, 1994). Anderen waarschuwen dat we vooral bij oudere cliënten niet al te zeer op vooruitgang gefixeerd moeten zijn (Henkelman, 1993). De Engelse psychiater Bennett wijst er met anderen op dat we de fout van 'defaitisme' moeten vermijden, maar ook niet in 'bovenmatig optimisme' moeten vervallen: volledig herstel zou voor de meeste chronisch psychiatrische patiënten niet zijn weggelegd (Bennett, 1991; Watts en Bennett, 1991).

De Nederlandse pioniers op het gebied van rehabilitatie oriënteren zich zowel op Engelse als op Amerikaanse benaderingen. Deze benaderingen zijn echter niet zomaar op één lijn te stellen. De publicaties uit de Verenigde Staten hebben veelal een optimistischer grondtoon en leggen, vanuit diepgewortelde Amerikaanse waarden, sterk de nadruk op individuele ontwikkelingsmogelijkheden. Ook de Engelse psychiater Shepherd meent dat men in de Verenigde Staten van oudsher meer nadruk legt op het aanleren van vaardigheden, opdat cliënten zo onafhankelijk mogelijk, dus met een minimum aan ondersteuning, kunnen functioneren. Men heeft er volgens Shepherd minder oog voor de vraag hoe cliënten ondanks hun beperkingen toch een bevredigend leven kunnen leiden. De kracht van de Engelse rehabilitatietraditie ligt vooral in het creëren van de juiste verzorgingsarrangementen. Men streeft er primair naar hoogwaardige zorg en naar het vormgeven van meer of minder aangepaste leefomgevingen voor cliënten. Het aanleren van vaardigheden komt binnen die traditie op de tweede plaats (Shepherd, 1991).

Natuurlijk is deze tegenstelling tussen de Amerikaanse en de Engelse traditie te schematisch. Zo hebben Engelse auteurs, bijvoorbeeld Birchwoord en Tarrier (1992) en Shepherd zelf (1990), baanbrekend werk op het gebied van vaardigheidstrainingen en psycho-educatie verricht. Omgekeerd lijken Amerikaanse auteurs als Lamb (1982), en in mindere mate Bachrach (1992), veel pessimistischer over de individuele ontwikkelingsmogelijkheden van cliënten dan velen van hun landgenoten. Vanuit hun bezorgdheid over de schaduwzijden van de deïnstitutionalisering in de Verenigde Staten, pleiten zij voor continue, omvattende zorg en voor het serieus nemen van de asielfunctie van de geestelijke gezondheidszorg. Op die manier sluit hun verhaal meer aan bij de Engelse traditie die Shepherd schetst.

Behandeling en rehabilitatie

De vraag in hoeverre rehabilitatie nu iets anders is dan psychiatrische behandeling, wordt in de literatuur uiteenlopend beantwoord. Hoewel Bachrach zelf meer overeenkomsten dan verschillen ziet, spreekt zij van een 'uneasy alliance' tussen de twee disciplines. Enerzijds constateert zij dat in sommige instellingen elementen van behandeling en van rehabilitatie vruchtbaar worden samengevoegd, anderzijds is er volgens haar ook sprake van veel wantrouwen tussen de vertegenwoordigers van beide disciplines (Bachrach, 1992).

In de discussie over de verhouding tussen behandeling en rehabilitatie lijken vooral Anthony en Liberman tegenovergestelde posities in te nemen: Liberman (1992) kiest voor een geïntegreerde aanpak, Anthony staat een complementaire behandeling voor. Ook Shepherd is geneigd om behandeling en rehabilitatie als twee activiteiten te beschouwen die fundamenteel van elkaar verschillen. De domeinen van psychiatrische behandeling en van rehabilitatie omschrijven Anthony en Shepherd successievelijk kortweg als het domein van 'de symptomen' en het domein van 'het functioneren'. Anthony e.a. (1990) beschouwen psychiatrische behandeling niet als schadelijk of overbodig, maar stellen een taakverdeling tussen behandeling en rehabilitatie voor, waarbij beide disciplines elkaar aanvullen. Behandeling, zo vat Anthony de taakverdeling samen, gaat over het minimaliseren van ziekte, terwijl rehabilitatie probeert de gezondheid van een cliënt te maximaliseren (zie ook Farkas, 1993).

De voorstanders van een heldere taakverdeling tussen psychiatrische behandeling en rehabilitatie legitimeren hun standpunt aan de hand van de vele onderzoeken die uitwijzen dat symptomatologie en sociaal functioneren relatief onafhankelijke uitkomstvariabelen zijn. Met andere woorden: verlichting van symptomen leidt niet automatisch tot een verbeterd functioneren en omgekeerd brengt een verbeterd functioneren niet onmiddellijk verlichting van symptomen teweeg (zie onder andere Strauss en Carpenter, 1974; De Jong, 1991). Shepherd (1991) wijst erop dat deze inzichten nog te weinig zijn doorgedrongen in de wereld van de psychiatrische behandeling, terwijl ze juist een fundamenteel onderdeel van het gedachtegoed van de rehabilitatie vormen.

De Amerikaanse psychiater Liberman, die evenals Anthony met zijn rehabilitatieprogramma's school heeft gemaakt, betrekt een andere positie in deze discussie. Met instemming van Bachrach (1992) hecht hij veel minder belang aan het onderscheid tussen enerzijds psychiatrische behandeling en anderzijds rehabilitatie. Farmacotherapie, cognitieve therapieën, het leren herkennen en omgaan met psychiatrische symptomen, het trainen van vaardigheden die nodig zijn voor het vervullen van uiteenlopende sociale rollen, psycho-educatie voor familieleden en het mobiliseren van sociale steun: al deze activiteiten vormen integrale bestanddelen van zijn behandel/rehabilitatieprogramma (Liberman, 1992). Een Nederlandse pendant van deze benadering zien we in de ontwikkeling van rehabilitatietrainingen in psychiatrisch ziekenhuis Licht en Kracht te Assen(Appelo en Slooff, 1993). In tegenstelling tot Anthony c.s. richt Liberman zich specifiek op causale relaties tussen 'symptomen' en 'functioneren'. Ook hij rechtvaardigt zijn keuze met recente onderzoeksbevindingen. Zo vond zijn onderzoeksgroep een sterk verband tussen de ernst van psychiatrische symptomen en het niveau van functioneren in een project voor arbeidstraining (Massel e.a., 1990).

Een genuanceerde kijk op het onderscheid tussen behandeling en rehabilitatie is terug te vinden bij Strauss (1986). Deze auteur besteedt speciale aandacht aan de intersectie van behandeling en rehabilitatie, oftewel het gebied waar 'symptomen' en 'functioneren' elkaar als het ware ontmoeten. In dat gebied proberen cliënten betekenis te geven aan hun psychiatrische ervaringen, die zij niet zonder meer tot het zieke deel van hun persoonlijkheid rekenen. Daar leren zij ook de copingvaardigheden waarmee zij hun symptomen de baas kunnen blijven (zie Van den Bosch, 1993). Overigens is het beheersen van hinderlijke symptomen vaak geen doel op zichzelf: de motivatie om copingvaardigheden te leren vloeit veelal voort uit de wens om op bepaalde levensgebieden, zoals werk of intieme relaties, beter te kunnen functioneren.

Een typologie en de drie aspecten van hulpverlening

We vatten de positie van de drie rehabilitatiebenaderingen in de discussie over rehabilitatie, zorg en behandeling nog eens samen. Volgens Liberman is er geen fundamenteel onderscheid tussen behandeling en rehabilitatie. Hij vertrekt vanuit de problemen van de cliënt en benadrukt het belang van copingvaardigheden. In de Engelse benadering van Bennett en Shepherd lopen zorg en rehabilitatie sterk in elkaar over. Zij leggen het primaat bij de, meer of minder prothetische, omgeving waarin de cliënt ondanks zijn handicaps tot zijn recht kan komen. Volgens Anthony en de zijnen heeft rehabilitatie wél een zelfstandige plaats naast zorg en behandeling. Anthony legt vooral nadruk op het functioneren van de cliënt in relatie tot zelfgestelde doelen en zelfgekozen omgevingen.

Wij zijn van mening dat Liberman, Bennett en Anthony met hun rehabilitatiebenaderingen aansluiten bij verschillende aspecten van hulpverlening die te herkennen zijn in de professionele GGz en ook in andere vormen van integrale hulpverlening. Deze aspecten zijn probleemoplossing, ontwikkeling en participatie. De benaderingen die daarmee corresponderen, zijn de probleemgerichte, ontwikkelingsgerichte en milieugerichte benaderingen (Dröes, 1992). De drie benaderingen zijn samengevat in de volgende figuur.

Tabel 1. De drie soorten benaderingen in de zorg: probleemgericht, ontwikkelingsgericht en milieugericht.

	Probleemgericht	Ontwikkelingsgericht	Milieugericht
Gericht op:	Probleem, klacht	Wens/behoefte	Plaats, tijd, personen
Gegevens uit:	Verleden (anamnese)	Toekomst (doel)	Heden (omgeving)
Diagnostiek:	Probleemdiagnose	Functionele diagnostiek, hulpbronnendiagnostiek	Analyse rollen
Interventies:	Behandeling	Leren	Interacties
Resultaat:	Probleem opgelost / verminderd	Iets erbij geleerd	Integratie
Relatie:	Stopt als probleem opgelost is	Verandert door leren	Rollen duidelijker
Rol cliënt:	Patiënt	Leerling	Groepslid
Disciplines:	Arts, verpleegkundige	Leraar, werkbegeleider	Groepswerker, team

De probleemgerichte benadering

In de probleemgerichte benadering staat de klacht of het probleem centraal. Bij voorkeur gaat het om de klacht of het probleem van de cliënt, maar het kan ook gaan om beslisproblemen van de behandelaar of om problemen die personen in de omgeving met de cliënt hebben. Aan de hand van een anamnese en van een beschrijving of onderzoek van de huidige situatie wordt een probleemdiagnose geformuleerd. Dit gebeurt het liefst met de cliënt samen, maar indien nodig alleen door de deskundige. Zorgplannen en interventies hebben in de probleemgerichte werkwijze ten doel het probleem op te lossen. Psycho-educatie, het voorkomen van terugval en preventie zijn direct van probleemgericht werken afgeleid.

De rol van de cliënt bij probleemgericht werken is die van patiënt. Professionals die hebben geleerd vooral probleemgericht te werken, zijn artsen en verpleegkundigen. Maar ook in allerlei andere opleidingen zijn 'het maken van een probleemanalyse' of 'het hanteren van conflicten' belangrijke thema's.
We beschouwen de meeste vormen van 'behandeling' als probleemgericht werken.

De ontwikkelingsgerichte benadering

In de ontwikkelingsgerichte benadering is een wens of een behoefte van de cliënt het uitgangspunt. Groeien en leren zijn hier de kernbegrippen. Bij ontwikkelingsgericht werken is het doel waarnaar men streeft, extra belangrijk. Zonder doel krijgt een ontwikkeling geen richting. Bij ontwikkelingsgericht werken wordt dus allereerst nagegaan wat de cliënt in zijn of haar toekomst wil.

Natuurlijk kunnen veel mensen niet meteen hun doelen en hun prioriteiten aangeven. Het formuleren van iemands doelstellingen is daarom behalve een beginpunt feitelijk ook een belangrijke procesmatige interventie. Als het doel eenmaal is geformuleerd, moeten de cliënt en diens helper uitzoeken welke vaardigheden of ondersteuning de cliënt nodig heeft om het doel ook werkelijk te bereiken. Ontwikkelingsgerichte interventies helpen dus de cliënt om zelfgestelde doelen te bereiken door het verwerven van de vaardigheden of hulpbronnen die hij daarbij nodig heeft.

De rol van de cliënt is bij ontwikkelingsgericht werk te karakteriseren als deelnemer in een leerproces. Disciplines die veel met ontwikkelingsgerichte methodieken werken, zijn bijvoorbeeld pedagogen, andragogen, psychologen, arbeidsdeskundigen, revalidatiewerkers.

Wij beschouwen 'rehabilitatie' als een vorm van ontwikkelingsgericht werken.

De milieubenadering

De milieubenadering is gericht op integratie van de cliënt in een (sociale) omgeving. Vanuit de hulpverlener gezien gaat het vooral om de vormgeving van de fysieke en sociale omgeving waarin het probleemgerichte of ontwikkelingsgerichte werk zich afspeelt. Vanuit het perspectief van de cliënt gaat het om de plaats, de tijd en de personen met wie hij te maken heeft bij het nastreven van zijn doelen of het verhelpen van zijn problemen.

In de milieubenadering gaat de diagnostiek over de rollen, relaties en interacties van de cliënt en de anderen. Plannen worden in de milieubenadering gemaakt in afdelings- of huisvergaderingen, in werkoverleg en teamvergaderingen. De cliënt participeert hierin vanuit de rollen die hij in de omgeving vervult. Interventies zijn er in de milieubenadering op gericht de cliënt in een milieu geïntegreerd te krijgen of te houden. In de milieubenadering is de cliënt dan ook bij voorkeur groepslid: huisgenoot, collega, burger. Professionals die milieugericht werken zijn bijvoorbeeld groepswerkers, sociotherapeuten en groepstherapeuten.

Een veelgebruikt begrip voor milieugericht werken is 'begeleiding'.

Rehabilitatie en de positie van de cliënt

We willen benadrukken dat de terreinen waarmee de drie denkmodellen zich bezighouden, alle drie in het leven van elk individu voorkomen. Er bestaat geen ontwikkeling zonder problemen, er zijn geen levenssituaties waarin men niet iets kan leren en een mens zonder omgeving bestaat niet. Voor het denken over rehabilitatie vinden we het van belang om uitvoeriger aandacht te besteden aan de positie van de cliënt in deze drie aspecten van de hulpverlening.

Zoals gezegd is de cliënt in de probleemgerichte benadering vooral patiënt. De patiëntenrol sluit een zekere mondigheid niet uit, maar gaat toch uit van een belangrijke inbreng van de deskundige behandelaar bij het formuleren van behandeldoelen en -methoden. Het is zelfs mogelijk dat een probleem geheel en al door deskundigen gedefinieerd en behandeld wordt (denk aan dwangbehandeling of de behandeling van comateuze patiënten). In de ontwikkelingsgerichte benadering is de cliënt een leerling. Leerling worden is – anders dan patiënt worden – altijd een eigen beslissing. Pas als men besluit iets te gaan leren, is men een leerling. In de milieugerichte benadering is de cliënt participant. Enerzijds heeft hij daar zelf invloed op, anderzijds definiëren andere leden van het milieu mede zijn rol.

We kenschetsen de positie van de cliënt in de rehabilitatiebenaderingen van Liberman, Bennett en Anthony als successievelijk een mondige patiënt, een participerende gebruiker van voorzieningen en een zelfbewuste leerling.

De verschillende rehabilitatiebenaderingen sluiten dus volgens ons aan bij de drie aspecten van een integrale hulpverlening, en dat betekent tevens dat we deze benaderingen als complementair ten opzichte van elkaar zien. De vraag is wel of we, bij het gebruik van de methodieken die ten behoeve van de verschillende benaderingen zijn ontworpen, enige hiërarchie zouden moeten aanbrengen. Wij vinden van wel en in de volgende paragraaf leveren we daarvoor argumenten.

Herstel en rehabilitatie

Het is van belang om ons eerst af te vragen hoe rehabilitatieprogramma's zich tot het 'echte leven' van cliënten verhouden. Professionele hulpverleners hebben nogal eens de neiging om hun invloed op het leven van de cliënt te overschatten. Positieve veranderingen bij cliënten worden al gauw gezien als effecten van een succesvolle therapie of als resultaat van deelname aan een rehabilitatieprogramma. Het belang van rehabilitatieprogramma's in het leven van cliënten moet echter worden gerelativeerd. Die conclusie trok ook Kanter uit een aantal gevalsbeschrijvingen: "The cases (...) offer strong evidence that rehabilitative processes frequently occur in the absence of formalized, systematic rehabilitation strategies" (Kanter, 1985: 66). Deze cliënten leerden dus het meest van het leven zelf. Algemener gesteld lijkt de algehele biografie van een cliënt altijd belangrijker dan zijn ziekte- of hulpverleningsgeschiedenis (zie ook Petri, 1993).

Deze notie wordt ondersteund door bevindingen uit longitudinale onderzoeken, waarin de levens van mensen met langdurige psychiatrische problemen gedurende twintig tot dertig jaar in kaart werden gebracht (Bleuler, 1978; Tsuang e.a., 1979; Harding e.a., 1987; McGlashan, 1988). Die onderzoeken tonen onveranderlijk aan dat mensen met schizofrenie of met een andere ernstige psychiatrische aandoening de meest uiteenlopende levens- en ziektegeschiedenissen hebben. Velen leiden ook enkele decennia na hun eerste ziekenhuisopname een beperkt, sociaal geïsoleerd bestaan, hetzij in de samenleving, hetzij in een psychiatrisch ziekenhuis. Daarentegen verlopen de levens van vele anderen niet volgens zo'n zwart scenario. Ruim de helft van de onderzochte personen herstelt geheel of gedeeltelijk van de stoornis, waarbij sommigen nog veel en anderen nauwelijks meer last hebben van primaire symptomen. Zij zijn in staat om een sociaal geïntegreerd leven te leiden; velen zijn zelfs in het arbeidsproces teruggekeerd. Doorgaans zet het herstelproces pas in nadat men eerst vele turbulente jaren met perioden van ernstig ziek zijn en opnamen heeft meegemaakt.

Voor een dergelijke wending ten goede worden in de literatuur verschillende verklaringen aangereikt. Zo spreekt McGlashan (1988) onder meer van medisch-biologische processen, zien Strauss e.a. (1985) er de effecten van algemeen menselijke leerprocessen in en maken Bleuler (1978), Kanter (1985) en Strauss e.a. (1985) melding van ingrijpende levensgebeurtenissen die onverwachte krachten bij de cliënt losmaken.
De conclusie van deze auteurs is niet dat speciale rehabilitatieprogramma's overbodig zijn, maar wel dat rehabilitatieprogramma's de natuurlijke tendensen tot verbetering moeten versterken. Dit inzicht slaat een brug naar noties die in de kring van cliënten al langer leven. Zoals Deegan, een ervaringsdeskundige, het verwoordde: "In essence, disabled persons must be active and courageous participants in their own rehabilitation project or that project will fail" (Deegan, 1988:12).

Wij beschouwen het als de verdienste van Anthony (1993) dat hij uit deze inzichten de consequenties voor zijn rehabilitatiebenadering heeft getrokken. Het was hem opgevallen dat zowel in egodocumenten van (ex-)cliënten als in longitudinale studies frequent het woord 'herstel'[2] opduikt. Kennelijk is 'herstellen' een goede benaming voor het proces van geleidelijke verbetering. Overigens benadrukken zowel Deegan als Anthony dat cliënten ook kunnen herstellen zonder dat ze volledig van hun aandoening zijn genezen. Het begrip herstellen verdraagt zich dus met het accepteren van blijvende beperkingen. Maar herstellen veronderstelt volgens hen wel een actieve vorm van accepteren: juist niet berusten in een veronderstelde totale invaliditeit (zie ook Pols, 1988), maar uitgaan van de mogelijkheden die zich alsnog kunnen aandienen. Deze noties zijn voor Anthony aanleiding om in het vervolg het primaat bij het herstelproces te leggen: herstellen is wat mensen met een beperking zelf doen, rehabilitatie is wat hulpverleners doen om dat herstelproces te bevorderen.
Anthony merkt zelf al op dat de aard van het herstelproces nog lang niet duidelijk is. Wij zouden daaraan willen toevoegen dat cliënten ook geregeld andere woorden gebruiken

om hun herstel-, groei- of leerprocessen retrospectief te beschrijven. Bijvoorbeeld: 'sterker worden', 'een persoonlijk groeiproces doormaken', 'er bovenop komen' of 'weer mijn eigen gang gaan' (zie Michon en Van Weeghel, 1993). Vooralsnog is niet duidelijk of al deze woorden onderdelen van een zelfde proces aanduiden of niet. Misschien is dat op dit moment ook niet zo belangrijk. Belangrijker is de notie dat het gebruik van woorden die verwijzen naar de persoonlijke beleving van cliënten, aanduidt dat hún proces centraal dient te staan, wat de naam van dit proces ook moge zijn.

We onderschrijven deze stellingname van Anthony van harte, en constateren tevens dat hij daarmee zijn benadering nog scherper profileert ten opzichte van de andere hier besproken rehabilitatiebenaderingen. Naar onze mening leidt het centraal stellen van de herstel, groei- en leerprocessen die de cliënt zelf ervaart en draagt, tot een ontwikkelingsgerichte benadering. Die benadering houdt in dat de hulpverlening steeds op zoek moet zijn naar ideeën die de cliënt over zijn eigen ontwikkeling formuleert (zie ook Munich en Lang, 1993).

Dat neemt niet weg dat er soms, voor het zover is, eerst plannen van anderen moeten worden uitgevoerd. Dat kunnen de plannen van een behandelaar zijn, die de symptomen van de cliënt wil behandelen. Dat kunnen ook de plannen van personen uit de omgeving van de cliënt zijn, die de cliënt in een beschut woonmilieu willen integreren. Dat kan eveneens de inzet van allerhande trainingen betekenen, waarmee men het tekort aan vaardigheden bij de cliënt beoogt op te heffen. Dergelijke plannen van anderen zijn vooral aan de orde als de beperkingen van de cliënt ernstig zijn en zich op vele levensterreinen manifesteren. Dat kan het geval zijn bij cliënten van psychiatrische ziekenhuizen, maar eveneens bij vele ambulante cliënten (zie Wolf, 1990; Henselmans, 1993).

We willen echter benadrukken dat het behandelen van symptomen, het inpassen in een bepaalde leefomgeving of het werken aan tekorten in vaardigheden, van zeer beperkte betekenis blijft als dergelijke bemoeienissen niet stroken met de eigen toekomstplannen van de cliënt of als de cliënt nog geen eigen toekomstplannen heeft. Naar onze mening zijn de plannen van anderen in de grond van de zaak ondergeschikt aan het plan van de cliënt. Het zijn plannen die er uiteindelijk toe dienen de cliënt in staat te stellen om vanuit zijn heden en verleden weer een persoonlijk levensontwerp te maken, om zijn lot weer in eigen handen te nemen. Dat lijkt ons de diepste kern van het rehabilitatiebegrip.

Consequenties voor een rehabilitatiebenadering

Wat betekent het voor de inhoud en de vorm van rehabilitatieprogramma's als daarin de ervaringen en de betrokkenheid van de cliënt centraal moeten staan? We proberen te verhelderen hoe men in de programmering het best op individuele herstelprocessen kan aansluiten.

Rehabilitatieprogramma's moeten om te beginnen de cliënt attenderen op zijn of haar eigen herstelmogelijkheden. Daartoe moeten deze programma's verbonden zijn met het gewone leven, met de wensen en verwachtingen die cliënten koesteren, en met de personen en omstandigheden die daarbij van belang zijn. Herstel betekent dat dat gewone leven (weer) in de plaats komt van de ziekte, de symptomen, het patiënt zijn. Rehabilitatieprogramma's moeten tegelijkertijd aansluiten op de aard van het herstelproces, dat een individueel verschillend, persoonlijk, langdurig en discontinu verloop kent. Bij deze termen willen we even stilstaan.

- Individueel verschillend wil zeggen dat vooroordelen over de uitkomsten van behandeling en rehabilitatie misplaatst zijn; voor het individuele geval zijn op langere termijn nauwelijks uitkomsten te voorspellen (Shepherd, 1993). Dat herstelprocessen individueel verschillen betekent ook dat een rehabilitatieprogramma nooit een standaardpakket kan zijn. Geen twee mensen hebben bijvoorbeeld precies dezelfde combinatie van vaardigheden en ondersteuning nodig.

- Dat elk herstel een persoonlijk karakter heeft, betekent dat de houding, waarden, doelen, vaardigheden en rollen van de cliënt erin zullen veranderen. Een indrukwekkende beschrijving van een herstelproces is te vinden bij Deegan (1988). Omdat het een zeer persoonlijk proces is, moet het ook persoonlijk begeleid worden; de hulpverlener kan de cliënt alleen effectief helpen door diens persoonlijke ontwikkeling goed te leren kennen. Continuïteit in de hulpverleningsrelatie is dus belangrijk. Het persoonlijke van herstelprocessen geeft ook het belang van interpersoonlijke, emotionele relaties aan. Deegan heeft bijvoorbeeld opgemerkt dat "een ander in je moet blijven geloven, ook wanneer je zelf de moed hebt opgegeven". Dit geloof uit zich in de overtuiging dat verbetering mogelijk is, in positieve maar realistische verwachtingen, in een bejegening van de cliënt als handelingsbekwaam persoon.

- Langdurig betekent dat het gaat om bemoeienissen en relaties die tegen een stootje kunnen. Volgens wederom Deegan moeten programma's 'fail-proof' zijn, moeten ze elke deelnemer de garantie bieden van succeservaringen, hoe beperkt die ervaringen soms ook zijn. De langdurigheid van het herstelproces brengt ook met zich mee dat het deelnemen aan een programma maar één fase of één tussenstap is in een lang verhaal. Er zijn wel aanwijzingen dat duurzaam volgehouden inspanningen een cumulatief effect hebben (Harding e.a., 1987), maar het is vanuit de hulpverlening niet goed mogelijk om zulke langdurige processen te overzien. Hierin ligt een deel van de betekenis van het consulteren, inschakelen en ondersteunen van geïnteresseerde familieleden en belangrijke anderen bij de rehabilitatie van een cliënt (Kanter, 1985). Dikwijls zijn deze anderen langduriger bij de cliënt betrokken dan hulpverleners.

- Dat herstelprocessen discontinu verlopen heeft gedeeltelijk te maken met de emotionele verwerking van verlies en teleurstelling, en gedeeltelijk met het discontinue karakter van leerprocessen. Deegan beschrijft de fasen van haar eigen herstel als: ontkenning, wanhoop, woede, hoop en motivatie tot actie. In elk geval zijn rouw (Appelo en Slooff, 1993) en actieve acceptatie (Doherty, 1975) dikwijls een onmisbaar onderdeel van herstel. Maar Deegan noemt ook de 'dynamiek van toenadering en vermijding', waarmee ze meer lijkt aan te duiden hoe cliënten leren omgaan met hun ambivalentie over de risico's die een grotere autonomie met zich meebrengt (McCrory, 1991).

In alle gevallen is het belangrijk dat hulpverleners en cliënten de momenten leren herkennen waarop de cliënt en zijn omgeving ontvankelijk zijn voor verandering. Dit kan beschreven worden als de timing van interventies (Kanter, 1985; Strauss e.a., 1985), maar ook als de herkenning van spontane verandering. Vanuit dat laatste perspectief besteedt de school van Anthony veel aandacht aan het bevorderen van 'readiness': de fase waarin cliënt en hulpverlener werken aan de voorwaarden om doelen te kunnen stellen.

Tot slot

Alles bijeen leidt het primaat van het herstelproces ertoe dat we rehabilitatie definiëren als een manier om de cliënt te helpen bij het creëren, herkennen en benutten van kansen op gunstige verandering.

Dat helpen kan bestaan uit het aanleren van vaardigheden, maar ook uit het bieden van ondersteuning en creëren van randvoorwaarden. In een integrale zorg die uitgaat van het primaat van individueel herstel, hebben behandeling en begeleiding een ondersteunende en voorwaarden scheppende betekenis. Zoals we lieten zien richt de Engelse school van Bennett en Shepherd zich vooral op deze elementen.

In het behandelings/rehabilitatieprogramma van Liberman gaat het vooral om het leren van copingvaardigheden, zowel bij de cliënt als bij diens omgeving. In de sociaal-psychiatrische gedachtegang van Bennett en Shepherd staat het scheppen van aangepaste leefomgevingen en steunsystemen op de voorgrond. Hoe de cliënten zich de vaardigheden eigen kunnen maken die zij nodig hebben om kansen op persoonlijk herstel te creëren, te herkennen en te benutten, staat echter bij Anthony e.a. (1990) het meest centraal. In die benadering gaat het erom de cliënt zoveel als mogelijk te leren eigen doelen te stellen en na te streven.

Een belangrijke ondertoon in alle rehabilitatieliteratuur is de overtuiging dat verbetering, ook bij ernstige, chronische problematiek, mogelijk is door gebruik te maken van individuele, relationele en milieugerichte technieken. Er zijn goede redenen om hoop te hebben, zo luidt de boodschap. Maar rehabilitatie is niet alleen techniek. Terecht vermoeden Goering en Stylianos (1988) dat het succes van rehabilitatiebenaderingen vooral te danken is aan het interactie-effect van techniek en relatie. Met anderen (naast Deegan o.a. Ryan, 1988; Mosher en Burti, 1992) zijn we van mening dat een persoonlijke betrokkenheid van de hulpverlener bij de 'remoralisatie' van de cliënt onmisbaar is. Rehabilitatie is, kort samengevat, een kunde waarin hoop, techniek en persoonlijke betrokkenheid tezamen worden aangewend om het herstel van cliënten te bevorderen.

Noten

1. Een Nederlands equivalent voor het woord 'rehabilitatie' is moeilijk te vinden. Volgens Van der Veen (1986) is 'rehabilitatie' een anglicisme en is 'revalidatie' de correcte vertaling. In het begrip revalidatie ligt echter volgens sommigen te veel nadruk op het individuele en het technologische; het woord rehabilitatie zou de maatschappelijke opdracht beter tot uitdrukking brengen. Volgens meer juridisch redenerende critici wekt 'rehabilitatie' echter weer te veel de suggestie dat de cliënt in het verleden van iets verkeerds zou zijn beschuldigd waarvoor hij nu in ere hersteld zou moeten worden. Desondanks heeft 'rehabilitatie' deze discussie overleefd en kiezen we ook hier voor deze term, waarbij wij uitdrukkelijk de brede betekenis van het Engelse woord 'rehabilitation' stipuleren.
2. Herstel is de, overigens maar beperkte, vertaling van het Engelse woord 'recovery'. Het woordenboek leert ons dat 'to recover' behalve herstellen nog veel meer kan betekenen: herwinnen, terugkrijgen, heroveren, terugvinden, bevrijden, er bovenop komen, genezen, te boven komen, goedmaken, inhalen.

Literatuur

Anthony, W.A., Cohen, M. & Farkas, M. (1990). *Psychiatric rehabilitation.* Boston: Center for Psychiatric Rehabilitation, Boston University.

Anthony, W.A. (1993). Recovery from Mental Illness: The Guiding Vision of the Mental Health service system in de 1990s. *Psychosocial Rehabilitation Journal,* 16(4), 12-23.

Appelo, M.T. & Slooff, C.J. (1993). *De begeleiding van de chronisch psychiatrische patiënt.* Houten/Zaventem: Bohn Stafleu van Loghum.

Bachrach, L.L. (1992). Psychosocial rehabilitation and psychiatry in de care of long-term patients. *American Journal of Psychiatry,* 149(11), 1455-1463.

Bennett, D.H. (1991). The historical development of rehabilitation services. In F.N. Watts en D.H. Bennett (Eds.), *Theory and practice of psychiatric rehabilitation.* Chichester: John Wiley & Sons.

Birchwood, M. & Tarrier, N. (1992). *Innovations in the psychosocial management of schizofrenia.* Chichester: John Wiley & Sons.

Birly, J. & Hudson, B. (1991). The family, the social network and rehabilitation. In F.N. Watts en D.H. Bennett (Eds), *Theory and practice of psychiatric rehabilitation* (pp.171-188). Chichester: John Wiley & Sons.

Bleuler, M. (1978). *The schizofrenic disorders: long-term patient and family studies.* New Haven: Yale University Press.

Bosch, R.J. van den (1993). *Schizofrenie. Subjectieve ervaringen en cognitief onderzoek.* Houten/Zaventem: Bohn Stafleu Van Loghum.

Cnaan, R.A. e.a. (1990). Experts' assessment of psychosocial rehabilitation principles. *Psychosocial Rehabilitation Journal,*13(3), 60-73.

Cnaan, R.A., Blankertz, L.A. & Saunders, M. (1992). Perceptions of consumers, practitioners, and experts regarding psychosocial rehabilitation principles. *Psychosocial Rehabilitation Journal,*16(1),95-119.

Deegan, P.E. (1988). Recovery: The lived experience of rehabilitation. *Psychosocial Rehabilitation Journal,* 11, 11-19.

Doherty, E.G. (1975). Labeling effects in psychiatric hospitalisation: a study of diverging patterns of inpatient self-labeling processes. *Archives of General Psychiatry,* 32, 562-568.

Dröes, J. (1992). *Rehabilitatie '92 een opleidingsprogramma voor rehabilitatie bij chronisch psychiatrische problematiek.* Rotterdam: Stichting Overlegorgaan Geestelijke Gezondheidszorg.

Dröes, J. (1993). Rehabilitation programmes, treatment programmes and support programmes: Fundamental and practical questions. In J. Wolf & J. van Weeghel (Red.), *Changing Community Psychiatry.* Utrecht: Nederlands centrum Geestelijke volksgezondheid.

Farkas, M. (1993). Care innovation projects: Issues in rehabilitation. In. J. Wolf & J. van Weeghel (Red.), *Changing Community Psychiatry,* Utrecht: Nederlands centrum Geestelijke volksgezondheid.

Gaag, M. van der (1992). *The results of cognitive training in schizophrenic patients.* Delft: Eburon.

Gaag, M. van der & Plas, J. van der (1991). *Doelgericht begeleiden van psychiatrische patiënten.* Lochem: De Tijdstroom.

Goering, P.N. & Stylianos, S.K. (1988). Exploring the helping relationship between the schizophrenic cliënt and rehabilitation therapist. *American Journal of Orthopsychiatry,* 58(2), 271-280.

Harding, C.M. e.a. (1987). The Vermont Longitudinal Study of Persons with Severe Mental Illness: II. Long-term outcome of subjects who retrospectivelt met DSM-III criteria for schizophrenia. *American Journal of Psychiatry*,144, 727-735.

Henkelman, A.C.L.M. (1992). Verhuizing als zorgvernieuwing? Naar aanleiding van een longitudinaal onderzoek in de verblijfspsychiatrie. *Maandblad Geestelijke volksgezondheid*,47(6),634-646.

Henkelman, L. (1993). Rehabilitation: Helping people grow from homogenous targets to individual needs. In J. Wolf & J. van Weeghel (Red.), *Changing Community Psychiatry*, Utrecht: Nederlands centrum Geestelijke volksgezondheid.

Henselmans, H. (1993). *Bemoeizorg. Ongevraagde hulp voor psychotische patiënten.* Delft: Eburon.

Jong, P. de (1991). Psychiatrische invaliditeit. In P. van Lieshout & J.W. van Zuthem (Red.), *Wonen als werk. Zorgverlenen in beschermende woonvormen.* Houten/Antwerpen: Bohn Stafleu Van Loghum.

Kaiser, L.H.W.M. (1992). *Bevorderen van de motivatie tot revalidatie van langdurig opgenomen psychiatrische patiënten.* Utrecht: Proefschrift Universiteit Utrecht.

Kanter, J. (1985). The process of change in the long-term mentally ill: A naturalistic perspective. *Psychosocial Rehabilitation Journal*, 9(1), 55-69.

Kortman, F.A.M. & Tholen, A.J. (1991). Cure en care in de psychiatrie. Het toekomstscenario voor schizofrene patiënten. *Maandblad Geestelijke volksgezondheid*, 46(2), 23-133.

Lamb, H.R. (1982). *Treating the long-term mentally ill: Beyond deinstitutionalisation.* San Francisco: Jossey-Bass.

Liberman, R.P. (1990). *Psychiatric rehabilitation of chronic mental patients.* Washington: American Press Inc.

Liberman, R.P. (Red.) (1992). *Handbook of psychiatric rehabilitation.* Boston: Allyn and Bacon.

Massel, H.K. & Liberman, R.P. (1990). Evaluating the capacity to work of the mentally ill. *Psychiatry*, 53(2), 31-43.

McCrory, D.J. (1991).The rehabilitation alliance. *Journal of vocational Rehabilitation*, 1(3), 58-66.

McGlashan, T.H. (1988). A selective review of recent North American long-term follow-up studies of schizophrenia. *Schizophrenia Bulletin*,14(4), 515-542.

Michon, H. & Weeghel, J. van (1993). *De Schalm werkt. Evaluatie van een arbeidsrehabilitatieprogramma voor mensen met psychosociale en psychiatrische problemen.* Utrecht: Nederlands centrum Geestelijke volksgezondheid.

Ministerie van Welzijn, Volksgezondheid en Cultuur (1993). *Onder anderen, Geestelijke gezondheid en geestelijke gezondheidszorg in maatschappelijk perspectief.* Den Haag: SDU Uitgeverij.

Mosher, L.R. & Burti, L. (1992). Relationships in rehabilitation. When technology fails. *Psychosocial Rehabilitation Journal*,15(4),11-17.

Munich, R.L. & Lang, E. (1993). The boundaries of psychiatric rehabilitation. *Hospital and Community Psychiatry*, 44(7), 661-665.

Parry, G. (1991). Domestic roles. In F.N. Watts & D.H. Bennett (Eds.), *Theory and practice of psychiatric rehabilitation* (pp. 241-266). Chichester: John Wiley & Sons.

Petri, D. (1993). Tijd en continuïteit. Het ontdekken van de langzaamheid in de psychiatrische behandeling en rehabilitatie. *Passage*, 6,119-122.

Pols, J. (1988). De chronische patiënt als pseudo-invalide. *Maandblad Geestelijke volksgezondheid*, 43(10),1170-1171.

Roosenschoon, B.J. & Wilken, J.P. (1992). Rehabilitatie in de Verenigde Staten. *Maandblad Geestelijke Volksgezondheid*, 47(4), 428-431.

Ryan, E.W. (1988). The rehabilitation relationship: The case for personal rehabilitation. In J.A. Ciardello & M.D. Bell (Eds.), *Vocational rehabilitation of persons with prolonged psychiatric disorders*. Baltimore: The John Hopkins University Press.

Schnabel, P. (1987). Maakbaar en plooibaar. *Maandblad Geestelijke Volksgezondheid*, 42(4), 490-491.

Shepherd, G. (1990). A criterion-oriented approach to skills training. *Psychosocial Rehabilitation Journal*, 13,11-13.

Shepherd, G. (1991). Foreword: psychiatric rehabilitation for the 1990s. In F.N. Watts & D.H. Bennett (Red.), *Theory and practice of psychiatric rehabilitation*. Chichester: John Wiley & Sons.

Shepherd, G. (1993). Differentiation of care for the long-term mentally ill. In J. Wolf & J. van Weeghel (Red.), *Changing Community Psychiatry*. Utrecht: Nederlands centrum Geestelijke volksgezondheid.

Slooff, C.J. e.a. (1992). Behandelen, Revalidatie en Beschut Wonen-begeleiding, een overzicht van zorgkenmerken. In C.J. Slooff & W.M.A. Verhoeven (Red.), *Ontwikkelingen in en rond de verblijfspsychiatrie*. Leiderdorp: Reed Healthcare Communications.

Strauss, J.S. & Carpenter, W.T. (1974).The prediction of outcome in schizophrenia: II. Relationships between predictor and outcome variables. *Archives of General Psychiatry*, 31, 37-42.

Strauss, J.S. (1986). Discussion: what does rehabilitation accomplish? *Schizophrenia Bulletin*, 12(4), 720-723.

Strauss, J.S., Hafez, H., Lieberman, P. & Harding, C.M. (1985). The course of psychiatric disorder, III: longitudinal principles. *American Journal of Psychiatry*, 142(3) 289-296.

Tsuang, M.T., Woolsen, R.F.& Fleming, J.A. (1979). Long-term outcome of major psychosis:I. Schizophrenia and affective disorders compared with psychiatrically symptom-free surgical conditions. *Archives of General Psychiatry*, 39, 1295-1301.

Veen, H. van der (1986). Rehabilitatie of Revalidatie? *Maandblad Geestelijke volksgezondheid*, 41(12),1266-1267.

Watts, F.N. & Bennett, D.H. (Red.) (1991). *Theory and practice of psychiatric rehabilitation*. Chichester: John Wiley & Sons.

Weeghel, J. van & Zeelen, J. (1990). *Arbeidsrehabilitatie in een vernieuwende geestelijke gezondheidszorg*. Utrecht: Lemma.

Wel, T.F. van (1994). Chronisch psychiatrische patiënten en rehabilitatie. *Tijdschrift voor Psychiatrie*, 36, 64-69.

Wolf, J. (1990). *Oude bekenden van de psychiatrie. Een onderzoek naar een sociaal-psychiatrische hulpverleningspraktijk*. Utrecht: Stichting Welzijns Publicaties.

Wolf, J. & van Weeghel, J. (Red.) (1993). *Changing Community Psychiatry. Care innovation for persons with long-term mental illness in the Netherlands*. Utrecht: Nederlands centrum Geestelijke volksgezondheid.

2. Herstel van psychiatrische aandoeningen
De richtinggevende visie voor de geestelijke gezondheidszorg in de jaren negentig
William A. Anthony
Vertaling: Cees Witsenburg

"Met de deïnstitutionalisering in de zestiger en zeventiger jaren en de opkomst van maatschappelijke steunsystemen en psychiatrische rehabilitatie in de jaren tachtig, werd de basis gelegd voor een moderne visie op de dienstverlening aan mensen met psychiatrische aandoeningen. De visie die de geestelijke gezondheidszorg in de negentiger jaren richting zal geven is die van herstel van psychiatrische aandoeningen. In dit artikel wordt ingegaan op de wezenlijke vooronderstellingen en diensten van een geestelijke gezondheidszorg gericht op herstel. Naarmate er meer inzicht in wordt verworven, kan het begrip herstel een voornamere rol spelen bij het vormgeven van de geestelijke gezondheidszorg in de toekomst."

Bovenstaande samenvatting van Anthony zelf bij het oorspronkelijke artikel uit 1993 is met uitzondering van de verwijzing naar de jaren negentig nog steeds actueel. Het artikel is in deze bundel opgenomen omdat het in de rehabilitatieliteratuur een van de eerste systematische beschouwingen is over het begrip 'herstel' en het belang van herstel voor het organiseren van samenhangende zorg.

In de nasleep van het tijdperk van de deïnstitutionalisering werd de basis gelegd voor de herstelvisie. Problemen bij het uitvoeren van die de-institutionalisering leidden tot het inzicht dat iemand met een ernstige psychiatrische aandoening meer verlangt en nodig heeft dan het verminderen van symptomen. Mensen met zulke aandoeningen hebben een veelheid aan wensen en behoeften betreffende wonen, werken, leren en het onderhouden van sociale contacten. Na de de-institutionalisering moest de dienstverlening op een geheel nieuwe manier hierop inspelen. Het psychiatrisch ziekenhuis (in Amerika: *State Hospital*; CW) was niet langer de aangewezen instantie voor zulke hulpvragen en zorgbehoeften. Sinds de de-institutionalisering zijn vele en uiteenlopende vervangende voorzieningen opgezet. Deze verscheidenheid maakte het noodzakelijk na te denken over de wijze waarop de dienstverlening voor mensen met ernstige psychiatrische aandoeningen georganiseerd en aangeboden zou moeten worden, alsmede over wat de wensen en behoeften van de cliënten precies zijn. De hieruit voortkomende gedachten over diensten en hun ontvangers legde de basis voor het geleidelijk opkomen van de herstelvisie in de jaren negentig.

Voorafgaande aan de bespreking van de herstelvisie geef ik in dit artikel een korte beschrijving van het concept 'maatschappelijk steunsysteem' (In het Engels: *Community Support System*; CW). Ik ga daarbij ook in op de essentiële diensten die van een dergelijk omvattend systeem deel uitmaken. Vervolgens besteed ik in het kort aandacht aan het diepere begrip van de gevolgen van psychiatrische aandoeningen zoals dat wordt aangereikt door het rehabilitatiemodel.

Tegen de historische en conceptuele achtergrond van respectievelijk het dienstenschema van het maatschappelijke steunsysteem en het rehabilitatiemodel stel ik vervolgens het herstelconcept aan de orde, zoals het tegenwoordig wordt begrepen.

Het maatschappelijke steunsysteem

Halverwege de jaren zeventig kwam tijdens een aantal bijeenkomsten in het *National Institute of Mental Health* de gedachte van een maatschappelijk steunsysteem (MSS) tot leven. Het kwam neer op een blauwdruk voor een dienstverlening die mensen met langdurige psychiatrische beperkingen echt helpt (Turner en TenHoor, 1978). In de wetenschap dat het met de dienstverlening na de de-institutionalisering droevig gesteld was, werd in het MSS een scala aan diensten beschreven dat deel zou moeten uitmaken van de geestelijke gezondheidszorg voor mensen met ernstige psychiatrische beperkingen (Stroul, 1989). Het MSS moest voorzien in de lacune die na de de-institutionalisering was ontstaan (Test, 1984). Het MSS werd gedefinieerd als "een netwerk van betrokken en verantwoordelijke mensen die zich willen inzetten om een groep kwetsbare mensen te helpen in hun behoeften te voorzien en hun talenten tot ontwikkeling te laten komen, zonder dat ze onnodig geïsoleerd raken in de gemeenschap of worden uitgestoten" (Turner & Schifren, 1979, p.2). Een MSS bestaat uit die diensten en steun die in de samenleving voor mensen met een psychiatrische problematiek niet mogen ontbreken.

Vanaf het ontstaan van het begrip 'maatschappelijk steunsysteem', zijn de wezenlijke elementen van een MSS beschreven en geëvalueerd. Nadat zij een aantal systemen bestudeerd had, stelde Test (1984) vast dat systemen die meer diensten aanbieden ook meer effect hebben dan systemen met minder diensten. Er waren minder heropnamen en in bepaalde gevallen was er een verbeterde sociale aanpassing. Recenter deden Anthony en Blanch (1989) literatuuronderzoek naar MSS. Volgens hen bleek in de jaren tachtig uit onderzoek dat er behoefte was aan de veelheid van diensten en ondersteuning zoals ze zijn ondergebracht in het oorspronkelijke MSS-concept. Het lijkt er op dat de vraag naar de onderdelen van een MSS zowel gebaseerd is op concrete ervaringen als op logisch denken. Het MSS-concept ligt in de jaren tachtig aan de basis van de meeste grootschalige innovatiepogingen in de geestelijke gezondheidszorg (National Institute of Mental Health, 1987).

Het *Center for Psychiatric Rehabilitation* heeft - gebaseerd op het ontwerp van het MSS - een verfijning geformuleerd van de belangrijkste diensten die op de wensen en behoeften van mensen met langdurige geestelijke aandoeningen inspelen. In tabel 1 op de volgende pagina worden deze diensten opgesomd.

Tabel 1: Essentiële diensten voor cliënten in een zorgzaam GGz-systeem

Soort dienst	Beschrijving	Resultaat voor cliënt
Behandeling	Verlichten van ziektesymptomen en lijden	Minder symptomen
Crisisinterventie	Het beheersen en oplossen van kritieke of gevaarlijke situaties	Veiligheid
Casemanagement	Verkrijgen van diensten die de cliënt wenst en nodig heeft	Toegang tot diensten
Rehabilitatie	Cliënt helpen bij het ontwikkelen van vaardigheden. Cliënt steunen teneinde doelen te realiseren	Functioneren in gewenste rollen
Levensverrijking	Cliënten betrekken bij zingevende en voldoening gevende activiteiten	Zelfontplooiing
Rechtsbescherming	Pleitbezorging om de rechten van een cliënt te beschermen	Gelijke kansen
Basale zorg	Voorzien in de mensen, plaatsen en dingen die nodig zijn om te overleven	Overleving
Zelfhulp	Ondersteuning van cliënten om hun stem te laten horen en hun eigen keuzen te maken	Empowerment

Aangepast overgenomen uit: Cohen e.a. (1988). Training Technology: Casemanagement. Boston, MA: Center for Psychiatric Rehabilitation.

Impact van ernstige psychiatrische aandoeningen

Deze nieuwe kijk op het belang van een omvattend systeem van maatschappelijke dienstverlening is gebaseerd op een dieper inzicht in de cliënten van dat systeem. Een beter begrip van de totale impact van het hebben van een ernstige psychiatrische aandoening werd onder meer mogelijk gemaakt door het vakgebied 'psychiatrische rehabilitatie'. Daarin staat immers het aanpakken van de gevolgen van de ziekte centraal in plaats van de ziekte zelf. De begrippen waarop psychiatrische rehabilitatie is gebaseerd, vinden hun oorsprong in de classificatie van de gevolgen van ziekte, die de Wereldgezondheidsorganisatie (WHO) in 1980 heeft gepubliceerd (Frey, 1984).

Voorvechters van psychiatrische rehabilitatie betoogden in de jaren tachtig dat psychiatrische aandoeningen niet alleen maar geestelijke stoornissen of symptomen veroorzaken, maar ook kunnen leiden tot belangrijke storingen in het functioneren en tot beperkingen en handicaps (Anthony, 1982; Anthony & Liberman, 1986; Anthony, Cohen & Farkas, 1990; Cohen & Anthony, 1984).

Anders dan beleidsmakers op het gebied van de geestelijke gezondheidszorg had de Wereld-gezondheidsorganisatie (Wood, 1980) destijds al een ziektemodel ontwikkeld, waarin niet alleen de ziekte of stoornis een plaats had, maar ook de gevolgen van de ziekte (beperkin-gen en handicaps). De begrippen waarop psychiatrische rehabilitatie is gebaseerd worden onderscheiden in stoornis, disfunctioneren, beperking en handicap. We zien een overzicht hiervan in tabel 2. Deze kijk op de impact van ernstige psychiatrische aandoeningen is bekend geworden als het rehabilitatiemodel (Anthony, Cohen & Farkas, 1990).

De begripsontwikkeling omtrent een omvattend maatschappelijk steunsysteem en het bre-dere inzicht in de impact van ernstige psychiatrische aandoeningen dat het rehabilitatie-model biedt, vormen de fundamenten voor een nieuwe visie voor de geestelijke gezond-heidszorg in de jaren negentig. Zorgprogramma's en dienstverleningssystemen zullen, voortbouwend op inzichten uit de jaren zeventig en tachtig, zich laten leiden door deze visie op het bevorderen van herstel van psychiatrische aandoeningen (Anthony, 1991).

Tabel 2: De negatieve impact van Ernstige Psychiatrische Aandoeningen

Fasen	1. Stoornis	2. Disfunctioneren	3. Beperking	4. Handicap
Definities	Elk verlies en elke verstoring van psy-chologische, fysiolo-gische of anatomi-sche structuren en functies	Elk verminderd of geheel afwezig ver-mogen om een acti-viteit of taak uit te voeren op een min of meer normale wijze	Elk verminderd of geheel afwezig ver-mogen een rol te vervullen op een min of meer norma-le wijze	Minder kansen voor iemand die daardoor gehinderd wordt bij of weerhouden wordt van het ver-richten van een acti-viteit of het vervul-len van een rol die normaal is gezien de leeftijd, het geslacht, en de sociale en cul-turele omstandighe-den van die persoon
Voorbeelden	Hallucinaties Wanen Depressie	Gebrek aan vaardig-heden m.b.t. werk of de sociale omge-ving. Gebrek aan ADL-vaardigheden	Werkloosheid Thuisloosheid	Discriminatie Armoede

Aangepast overgenomen uit: Anthony W.A., Cohen, M.R. & Farkas, M.D. (1990). *Psychiatric Rehabilitation,* Boston: MA, Cen-ter for Psychiatric Rehabilitation

Herstel: het begrip

Tot nu toe heeft het begrip 'herstel' weinig aandacht gekregen in de dagelijkse praktijk en in onderzoek met betrekking tot mensen met ernstige en hardnekkige psychiatrische aan-doeningen (Spaniol, 1991). Het heeft wel algemeen ingang gevonden op het gebied van lichamelijke ziekten en beperkingen (Wright, 1983). In deze context betekent het begrip herstel niet dat het lijden is uitgebannen, alle symptomen zijn verdwenen of dat het functioneren volledig is genormaliseerd (Harrison, 1984). Iemand met een dwarslaesie kan bijvoorbeeld herstellen zonder dat het ruggemerg is geheeld. Zo kan ook iemand met een geesteziekte herstellen, ook al is de aandoening niet genezen. Het herstelbegrip werd in de geestelijke gezondheidszorg geïntroduceerd in publicaties van GGz-consumenten/survivors/cliënten. Zij lijken er de meeste belangstelling voor te hebben (Anonymous, 1989; Deegan, 1988; Houghton, 1982; Leete, 1989; McDermott, 1990; Unzicker, 1989), maar ook elders in de geestelijke gezondheidszorg neemt de belangstelling inmiddels toe.

Herstel wordt omschreven als een zeer persoonlijk en uniek proces waarin iemands opvattingen, waarden, gevoelens, doelen en rollen veranderen. Het leidt tot een leven met meer voldoening, waarin hoop een plaats heeft en men kan geven en nemen ondanks de beperkingen die veroorzaakt worden door de aandoening. Herstel heeft te maken met het ontstaan van een nieuwe betekenis en zin in het leven, terwijl men over de rampzalige gevolgen van een psychiatrische aandoening heen groeit.

Herstel van psychiatrische aandoeningen houdt veel meer in dan eenvoudigweg herstellen van de ziekte zelf. Het kan nodig zijn dat mensen herstellen van het stigma dat hun hele wezen heeft doordrenkt, van de ziekmakende effecten van behandelafdelingen, van een tekort aan mogelijkheden zelf te kiezen, van de negatieve bijeffecten van werkloosheid en van verbrijzelde dromen. Vaak is herstel een complex en langzaam proces.

Mensen met beperkingen herstellen zelf. Hulpverleners behandelen, doen aan casemanagement en aan rehabilitatie om het herstel te bevorderen (Anthony, 1991). Daarbij is het wel interessant dat hulpverleners evengoed herstelervaringen hebben. Herstel kan ook plaatsvinden buiten de gebieden van ziekte en beperking. Het ervaren van herstel is iets dat mensen met elkaar verbindt. Aangezien iedereen (inclusief hulpverleners) in de loop van het leven ingrijpende gebeurtenissen meemaakt (het overlijden van iemand van wie je houdt, echtscheiding, ziekten en handicaps) worden we allen voor de uitdaging gesteld herstelprocessen door te maken. Een geslaagd herstel van een ingrijpende gebeurtenis doet niets af aan het feit dat die heeft plaatsgevonden, dat de gevolgen ervan nog steeds aanwezig zijn en dat het leven voor altijd veranderd is. Een geslaagd herstel betekent wél dat iemand veranderd is en dat daarom de betekenis van deze gegevens voor hem of haar veranderd is. De ingrijpende gebeurtenis en haar gevolgen staan niet langer in het brandpunt van het leven. Iemand die hersteld is gaat zich meer richten op andere interesses en activiteiten.

Herstel: de uitkomst

Wellicht lijkt herstel een vluchtig begrip. Er is nog weinig bekend over de wijze waarop mensen met ernstige psychiatrische aandoeningen dit proces ervaren. Toch zijn recentelijk in veel onderzoeken naar interventies elementen van herstel gemeten - al werd die term niet expliciet genoemd. Het begrip herstel heeft meerdere dimensies. Er is niet één enkele uitkomstmaat, maar een veelheid van maten die een indruk geven van de verschillende aspecten van herstel. De herstelvisie verbreedt ons begrip van de uitkomstmaten van diensten, zodat ook aspecten als zelfwaardering, je aanpassen aan beperkingen, empowerment en zelfbeschikking een rol gaan spelen. Toch is het het totaalbegrip herstel en niet de uitkomsten van de verschillende aspecten ervan, dat de onderscheiden onderdelen van het werkveld met elkaar verbindt in één visie. De visie van herstel van psychiatrische aandoeningen is voor aanbieders van diensten wat de visie van genezing en preventie van zulke aandoeningen is voor onderzoekers. Herstel is een eenvoudige maar krachtige visie (Anthony, 1991)

Een op herstel gerichte geestelijke gezondheidszorg

Het rehabilitatiemodel beschrijft de impact van ernstige psychiatrische aandoeningen. Die beschrijving legt de basis waarop een maatschappelijk steunsysteem kan worden gebouwd. Dat systeem vormt een geheel van GGz-diensten en laat zich leiden door een herstelvisie. In een herstelgerichte GGz wordt elke dienst beoordeeld op haar vermogen om verbeteringen te bewerkstelligen in iemands stoornis, disfunctioneren, beperkingen en handicaps (zie tabel 3)

Tabel 3: Waar GGz-diensten op gericht zijn

Herstel: Het ontstaan van een nieuwe zin en betekenis in het leven terwijl men over de rampzalige gevolgen van een psychiatrische aandoening heen groeit.

GGz-diensten (en uitkomsten)	Stoornis (verstoring van denken, voelen en gedrag)	Disfunctioneren (verminderde uitvoering van taken)	Beperking (verminderd functioneren in rollen)	Handicaps (minder kansen)
Behandeling (minder symptomen)	X			
Crisisinterventie (veiligheid)	X			
Casemanagement (toegang tot diensten)	X	X	X	X
Rehabilitatie (functioneren in gewenste rollen)		X	X	X
Verrijking (zelfontplooiing)		X	X	X
Rechtsbescherming (gelijke kansen)				X
Basiszorg (overleving)				X
Zelfhulp (empowerment)			X	X

In tabel 3 wordt een overzicht gegeven van de belangrijkste diensten van een maatschappelijk steunsysteem en de beoogde cliëntenuitkomsten. De traditionele klinische diensten richten zich vooral op de stoornis. In een op herstel gericht systeem houden zij zich slechts met een deel van de impact van ernstige psychiatrische aandoeningen bezig, namelijk met de symptomen. Er kan ook van een wezenlijk herstel sprake zijn zonder dat alle symptomen verdwijnen. Iemand kan van tijd tot tijd last hebben van een verergering van zijn symptomen, maar toch goede vooruitgang boeken. Die vooruitgang kan betrekking hebben op het verrichten van bepaalde taken en het vervullen van rollen of iemand ruimt bijvoorbeeld belangrijke hindernissen voor zijn ontwikkeling uit de weg. Die successen hebben dan geleid tot het ontstaan van nieuwe betekenis en zin in het leven.

Beleidsmakers die zich door de herstelvisie laten inspireren vinden dat het geheel van de GGz meer is dan de som van haar delen. Zij denken dat pogingen om de impact van ernstige psychiatrische aandoeningen in positieve richting te beïnvloeden meer effect kunnen hebben dan alleen de vermindering van stoornissen, beperkingen en handicaps. De interventie kan behalve 'vermindering' ook 'vermeerdering' tot gevolg hebben: meer betekenis, meer zin, meer succes en meer tevredenheid met je leven. Deze cliëntenuitkomsten kunnen een bredere context hebben dan de specifieke uitkomsten van gebruikte diensten, zoals verminderde symptomen, verbeterd rolfunctioneren, verbeterde toegang tot diensten en het geregeld zijn van een uitkering. Deze uitkomsten zijn de primaire bestaansreden van de betreffende diensten. Ze kunnen echter op onverklaarde wijzen ook bijdragen aan het herstel van een psychiatrische aandoening. De verlener van een bepaalde dienst weet bijvoorbeeld dat symptomen niet alleen moeten worden bestreden om het lijden te verminderen, maar ook omdat symptomen herstel in de weg kunnen staat. Of dat crisissituaties niet alleen moeten worden bezworen met het oog op de veiligheid van de cliënt, maar ook omdat crises herstelkansen teniet kunnen doen. Of dat rechtsbescherming niet alleen kan leiden tot het regelen van een uitkering, maar dat een uitkering herstel kan bevorderen. Zoals eerder gesteld, kunnen uitkomsten die op herstel duiden vrij subjectief van aard zijn. Voorbeelden zijn zelfrespect, empowerment en zelfbepaling.

Wezenlijke vooronderstellingen die ten grondslag liggen aan een herstelgericht systeem van geestelijke gezondheidszorg

Er is geen onderzoek gedaan naar het herstelproces. De grilligheid van herstel maakt het tot een raadselachtig proces. Het is bovenal een subjectief proces dat erom schreeuwt onderzocht en begrepen te worden. Door de verhalen en de daden van mensen met ernstige beperkingen (waaronder psychiatrische) hebben we er een glimp van kunnen opvangen (Weisburd, 1992). Bovendien hebben we allemaal uit de eerste hand ervaren wat het is om te herstellen van ingrijpende gebeurtenissen in het leven. Op grond van het bovenstaande kan een aantal vooronderstellingen over herstel worden geformuleerd.

1. Herstel kan optreden zonder tussenkomst van hulpverleners.

Niet de hulpverlener, maar de cliënt bezit de sleutel tot herstel. Het is de taak van de hulpverlener om herstel te bevorderen en die van de cliënt om te herstellen. Herstel kan worden bevorderd door het natuurlijke steunsysteem van de cliënt. Als het per slot van rekening bij het leven hoort dat men herstelprocessen meemaakt, kan iedereen die een beetje inzicht heeft in zijn eigen herstel een ander helpen bij het zijne. Zelfhulpgroepen, familieleden en vrienden zijn hiervan de beste voorbeelden.

Het is belangrijk dat hulpverleners zich realiseren dat hun diensten niet het enige zijn dat herstel bewerkstelligt. Ook activiteiten en organisaties buiten de GGz kunnen essentieel zijn, bijvoorbeeld sportverenigingen, volwassenenonderwijs en kerkgenootschappen. Er zijn vele wegen naar herstel en één daarvan kan zijn het uit de weg gaan van de GGz.

2. Voor herstel is het belangrijk dat er mensen zijn die blijven geloven in degene die moet herstellen en dat die steeds beschikbaar zijn.
Het lijkt erop dat het bij een herstelproces van essentieel belang is dat er één of meer mensen zijn van wie men op aan kan als het moeilijk wordt. Ervaringsdeskundigen hebben het over mensen die in ze bleven geloven ook al deden ze dat zelf niet meer. Mensen die hun herstelproces aanmoedigden, maar het niet probeerden te forceren en die hun best deden te luisteren en hen te begrijpen, zelfs als alles onbegrijpelijk leek. Herstel is een diep menselijke ervaring die wordt bevorderd door de diep menselijke reactie van anderen. Herstel kan worden bevorderd door wie dan ook. Herstel kan ieders zaak zijn.

3. Een herstelvisie staat los van iemands theorie omtrent de oorzaken van psychiatrische aandoeningen.
Hulpverleners, belangenbehartigers en cliënten zijn het er vaak niet over eens of psychiatrische aandoeningen een biologische en/of een psychosociale achtergrond hebben. Wanneer men een herstelvisie heeft, betekent dat niet dat men voor een van deze zienswijzen moet kiezen. Evenmin dat men voor of tegen medische interventies dient te zijn. Of de aandoening biologisch is of niet maakt niet uit voor het optreden van herstel. Mensen met ernstige fysieke aandoeningen - zoals blindheid of verlamdheid - kunnen ook herstellen, zelfs als de lichamelijke gesteldheid niet verandert en zelfs als die verslechtert.

4. Herstel kan optreden als de symptomen erger worden.
Dat psychiatrische aandoeningen ups en downs hebben staat herstel niet in de weg. Mensen met wisselende ziektebeelden als reumatische artritis en multiple sclerose kunnen toch herstellen. Mensen die van tijd tot tijd ernstige psychiatrische symptomen hebben, kunnen dat ook.

5. Door herstel veranderen de frequentie en duur van symptomen.
Als tijdens een herstelproces symptomen weer de kop opsteken, kunnen die even sterk of zelfs sterker zijn dan voorheen. In de loop van dit proces lijken de frequentie en de duur van de symptomen echter te verminderen. Die staan het functioneren dan minder vaak en voor kortere perioden in de weg. Een groter deel van het leven is dan vrij van symptomen. Als ze toch terugkomen vormen zij een geringere bedreiging voor het herstel en men komt sneller weer op het oude niveau van functioneren.

6. Herstel wordt niet ervaren als een rechte lijn omhoog.
Herstel gaat gepaard met groei en terugval, met perioden waarin de veranderingen snel gaan en perioden waarin weinig verandert. Hoewel de richting in het algemeen vooruit is, hoeft men dat niet op elk willekeurig moment zo te ervaren. Plotseling kan men overmand worden door sterke emoties. Perioden van inzicht en groei komen onverwacht. Het herstelproces ervaart men allesbehalve als systematisch en gepland.

7. Soms is het moeilijker te herstellen van de consequenties van de aandoening dan van de aandoening zelf.
Problemen met disfunctioneren, beperkingen en handicaps zijn vaak ernstiger dan de aandoening zelf. Herstel wordt ernstig gehinderd doordat men niet in staat is belangrijke taken te verrichten en rollen te vervullen en door het hieraan verbonden verlies aan zelfrespect.

Het feit dat men in het hokje 'psychisch ziek' wordt geplaatst, kan een overweldigend obstakel vormen. De hinderpalen worden gevormd door een gebrek aan rechten en gelijke kansen en door discriminatie op het gebied van werk en huisvesting. Ook de hulpverlening kan tegenwerken als ze onvoldoende mogelijkheden biedt voor zelfbeschikking en mensen behandelt op een manier die hen klein houdt. Deze beperkingen en hindernissen tezamen kunnen iemands herstel bemoeilijken ook al zijn de symptomen grotendeels verdwenen.

8. Als men herstelt van psychiatrische aandoeningen betekent dat niet dat men nooit echt ziek was.

Soms wordt gezegd dat mensen die hersteld zijn van een ernstige psychiatrische aandoening nooit echt psychisch ziek zijn geweest. Of hun herstel wordt gezien als een uitzondering op de regel of zelfs als bedrog en niet als een voorbeeld of een hoopvol teken voor anderen die aan het begin van een herstelproces staan. Het zou hetzelfde zijn als we tegen iemand die ondanks een blijvende verlamming hersteld is, zouden zeggen dat hij nooit een echte beschadiging aan zijn ruggemerg heeft gehad. Mensen die een herstelproces doormaken zijn een waardevolle informatiebron over het herstelproces en over de rol die anderen kunnen spelen om het herstelproces te bevorderen.

Implicaties voor het opzetten van zorgsystemen

Ons inzicht in het begrip herstel is verre van volledig. Er moet nog veel onderzoek worden gedaan, zowel kwalitatief als kwantitatief. Het is van het grootste belang dat wordt geprobeerd de herstelervaring te begrijpen vanuit het perspectief van degenen die het proces doormaken. Wat dit betreft lijkt met name kwalitatief onderzoek relevant.

Toch is het niet te vroeg om reeds aanwezige kennis over herstel te gebruiken bij het vormgeven van de zorg. In de meeste verhalen van mensen die een herstel hebben ervaren, wordt bijvoorbeeld genoemd dat het van wezenlijk belang is dat er iemand is die je steunt (zie vooronderstelling 2). Een beleidsmaker kan zich daarom afvragen of dergelijke steun moet worden aangeboden door de GGz. En zo ja, hoe? Moet zoiets worden gedaan door casemanagers? Welke rol is er voor zelfhulporganisaties? Moeten dergelijke organisaties uitbreiden en deze functie vaker vervullen?

Als persoonlijke ondersteuning gebaseerd moet zijn op vertrouwen en inleving, zou er dan geen deskundigheidsbevordering moeten plaatsvinden op het gebied van de interpersoonlijke vaardigheden die een hulpverlener moet hebben om zo'n persoonlijke relatie te onderhouden? Mensen die zich bezighouden met kwaliteitsbevordering zouden inzicht moeten hebben in de tijdsinvestering die nodig is om een vertrouwensrelatie aan te gaan. Zij zouden moeten nadenken over de vraag hoe het proces van het vormen van zo'n relatie kan worden geëvalueerd en gedocumenteerd.

Voor zover we het op dit moment begrijpen, heeft herstel te maken met het ontstaan van nieuwe zin en betekenis in het leven terwijl men over de rampzalige gevolgen van de psychiatrische aandoening heen groeit. Draagt de GGz iets bij aan de zoektocht naar deze nieuwe betekenis? Streeft ze ernaar mogelijkheden aan te bieden waarin het ontwikkelen van nieuwe betekenis in gang wordt gezet? Biedt zij de dienst die hulpverleners en cliënten 'ondersteunende psychotherapie' noemen? Biedt zij de hulp van therapeuten die geleerd hebben mensen te ondersteunen bij het weer onder controle krijgen van hun leven, zelfs als ze hun aandoening niet helemaal onder controle hebben?

Een aantal factoren kan herstel bevorderen. Het voorbeeld van een andere cliënt die succesvol herstelt, is er een. Door boeken, films of groepsbijeenkomsten kan men onverwacht een enthousiasmerende ontdekking doen over mogelijkheden in het leven. Ook door onbekende plekken te bezoeken en door met verschillende mensen te praten, kan een herstelproces op gang komen. Om tot herstel te komen is het van cruciaal belang dat men zich weer gaat realiseren dat men kan kiezen uit verschillende mogelijkheden. Voor herstel is dit inzicht wellicht nog belangrijker dan de concrete mogelijkheid die in eerste instantie wordt gekozen.

Een herstelgerichte GGz moet zodanig zijn opgezet dat er voldoende *triggers* voor herstel aanwezig zijn. In ongeïnspireerde dagbehandeling en deprimerende klinische behandelprogramma's vindt men dikwijls een groot gebrek aan herstelbevordering. De GGz moet helpen bij het zaaien en tot groei brengen van herstel door creatief te zijn in het samenstellen van programma's. Er is echter een belangrijke valkuil wat betreft die hersteltriggers. Soms kan de informatie met betrekking tot mensen, plaatsen, dingen en activiteiten overweldigend zijn. Op verschillende momenten tijdens een herstelproces zijn verschillende doseringen van informatie nodig. Als de informatie overweldigend wordt, kan het goed zijn dat men zich er even voor afsluit. Informatie kan hard en vijandig als een bom aankomen, maar ook vriendelijk als een warme deken. Hulpverleners moeten begrip opbrengen voor schommelingen in de behoefte aan de informatie die ze kunnen geven. En ze zouden het niet botweg als 'disfunctioneel' moeten bestempelen als iemand zich even voor informatie afsluit.

Iets vergelijkbaars kan worden gezegd over de veelheid van gevoelens die met herstel gepaard gaan. Deze mogen niet simpelweg worden gediagnosticeerd als abnormaal of pathologisch. Iedereen die een herstelproces doormaakt - of de achtergrond ervan nu psychiatrisch is of niet - ervaart heftige en sterk wisselende gevoelens. Voorbeelden van zulke gevoelens zijn depressiviteit, schuldgevoel, gevoel van isolement, wantrouwen en boosheid. Als mensen herstellen van andere ingrijpende gebeurtenissen worden deze gevoelens gezien als iets dat bij het proces hoort. Bij een psychiatrisch herstelproces worden deze gevoelens echter te vaak gezien als behorend bij de ziekte in plaats van bij het herstel. Binnen de GGz zou ruimte moeten zijn om met begrip en zonder stigma cliënten deze gevoelens te laten ervaren. Om dat mogelijk te maken moeten hulpverleners meer inzicht hebben in het herstelproces.

Slotopmerkingen

Een herstelperspectief leidt tot tal van nieuwe vragen en aandachtspunten voor beleidsmakers. Hoewel we herstel nog lang niet begrijpen en er geen hulpverleningsprotocol bestaat om mensen ermee te helpen, is een herstelvisie buitengewoon waardevol.

Een visie trekt het veld van dienstverlening de toekomst in. Een visie weerspiegelt niet wat momenteel wordt gepresteerd, maar datgene waarop we hopen en waarvan we dromen. Visionair denken leidt niet tot onrealistische verwachtingen. Een visie geeft geen valse belofte, maar wel een passie voor waar we mee bezig zijn (Anthony, Cohen & Farkas, 1990). Eerdere visies waardoor de GGz zich liet leiden, hadden weinig te maken met de vraag van cliënten. Zij schetsten geen beeld van de uiteindelijke opbrengst voor de cliënt. De visie van de de-institutionalisering had betrekking op het gebruik van gebouwen en niet op het functioneren van cliënten. Op dezelfde manier beschreef de visie van het maatschappelijk steunsysteem wel hoe het systeem van diensten zou moeten functioneren, maar niet de ontvangers van die diensten. Een herstelvisie daarentegen zegt wel iets over het functioneren van de ontvangers van diensten, de cliënten. Vervolgens kunnen veranderingen met betrekking tot gebouwen en diensten worden beoordeeld op de mate waarin ze bijdragen aan die herstelvisie en het herstel van cliënten.

In tegenstelling tot in de dienstverlening hebben onderzoekers op biomedisch en neurowetenschappelijk gebied wél een visie. Zij hebben het beeld voor ogen van een wereld waarin ernstige psychiatrische aandoeningen zijn te genezen en te voorkomen. Dit heeft ertoe bijgedragen dat de jaren negentig tot 'de decade van de hersenen' werden verklaard. Herstel van psychiatrische aandoeningen is een visie met evenveel kracht. Zij komt voort uit de niet eerder uitgesproken en misschien wel aanstootgevende overtuiging dat ieder mens met een ernstige psychiatrische aandoening zich kan ontwikkelen voorbij de grenzen die de aandoening hem oplegt. Het herstelbegrip kan ons de ogen openen voor nieuwe mogelijkheden voor onze cliënten en voor de manier waarop we hen kunnen helpen. De jaren negentig zouden ook wel eens de decade van herstel kunnen worden.

De schrijver is erkentelijk voor de bijdrage van de medewerkers van het *Center for Psychiatric Rehabilitation* aan het schrijven van dit artikel.

Literatuur

Anonymous (1989). How I've managed chronic mental illness. *Schizophrenia Bulletin, 15,* 635-640.

Anthony, W.A. (1991). Recovery from mental illness: The new vision of services researchers. *Innovations and Research, 1(1),* 13-14.

Anthony, W.A., Cohen, M.R. & Farkas, M.D. (1990). *Psychiatric rehabilitation.* Boston: Boston University, Center for Psychiatric Rehabilitation.

Anthony, W.A. & Blanch, A.K. (1989). Research on community support services: What have we learned? *Psychosocial Rehabilitation Journal, 12(3),* 55-81.

Anthony, W.A. & Liberman, R.P. (1986). The practice of psychiatric rehabilitation: Historical, conceptual, and research base. *Schizophrenia Bulletin, 12,* 542-559.

Anthony, W.A. (1982). Explaining "Psychiatric Rehabilitation" by an analogy to "Physical Rehabilitation." *Psychosocial Rehabilitation Journal, 5(1),* 61-65.

Cohen, B.F. & Anthony, W.A. (1984). Functional assessment in psychiatric rehabilitation. In A.S. Halpern & M.J. Fuhrer (Eds.), *Functional assessment in rehabilitation* (pp. 79-100). Baltimore: Paul Brookes.

Cohen, M.R. e.a. (1988). *Psychiatric Rehabilitation training technology: Case management (trainer package).* Boston: Boston University, Center for Psychiatric Rehabilitation.

Deegan, P.E. (1988). Recovery: The lived experience of rehabilitation. *Psychosocial Rehabilitation Journal, 11(4),* 11-19.

Frey, W.D. (1984). Functional assessment in the '80s: A conceptual enigma, a technical challenge. In A.S. Halpern & M.J. Fuhrer (Eds.), *Functional assessment in rehabilitation* (pp. 11-43). Baltimore: Paul Brookes.

Harrison, V. (1984). A biologist's view of pain, suffering and marginal life. In F. Dougherty

(Ed.), *The depraved, the disabled and the fullness of life.* Delaware: Michael Glazier.

Houghton, J.F. (1982). Maintaining mental health in a turbulent world. *Schizophrenia Bulletin, 8, 548-552.*

Leete, E. (1989). How I perceive and manage my illness. *Schizophrenia Bulletin, 15, 197-200.*

McDermott, B. (1990). Transforming depression. *The Journal, 1(4), 13-14.*

National Institute of Mental Health. (1987). *Toward a model plan for a comprehensive, community-based mental health system.* Rockville, MD: Division of Education and Service Systems Liaison.

Spaniol, L. (1991). Editorial. *Psychosocial Rehabilitation Journal, 14(4), 1.*

Stroul, B. (1989). Community support systems for persons with long-term mental illness: A conceptual framework. *Psychosocial Rehabilitation Journal, 12, 9-26.*

Test, M.A. (1984). Community support programs. In A.S. Bellack (Ed.), *Schizophrenia treatment, management and rehabilitation* (pp. 347-373). Orlando, FL: Grune & Stratton.

Turner, J.E. & Shifren, I. (1979). Community support systems: How comprehensive? *New Directions for Mental Health Services, 2, 1-23.*

Turner, J.E. & TenHoor, W.J. (1978). The NIMH Community Support Program: Pilot approach to a needed social reform. *Schizophrenia Bulletin, 4, 319-348.*

Unzicker, R. (1989). On my own: A personal journey through madness & re-emergence. *Psychosocial Rehabilitation Journal, 13(1), 71-77.*

Weisburd, D. (Ed.) (1992). *The Journal, 3, 2* (entire issue).

Wood, P.H. (1980). Appreciating the consequence of disease: The classification of impairments, disability, and handicaps. *The WHO Chronicle, 34, 376-380.*

Wright, B. (1983). *Physical disability – A psychosocial approach.* New York: Harper & Row.

3. Geestelijke gezondheidszorg van een andere orde
Een pleidooi voor een indeling van zorg op basis van de 'herstelgeoriënteerde' visie van Anthony
Ton van Heugten, Remy Roest & Lourens Henkelman

In het vorige hoofdstuk beschreef Anthony zijn indeling van hulpverleningsvormen in de GGz. In dit hoofdstuk zullen we enkele praktijkillustraties beschrijven waarin Anthony's indeling van hulpverleningsvormen wordt toegepast.

Inleiding

Vanuit een visie op herstel, 'herstel' als vertaling van het Amerikaanse begrip recovery (Dröes en van Weeghel, 1994), stelt Anthony dat het hebben van een eigen keuze en het recht op zelfbeschikking van de cliënt van essentieel belang zijn. Hulpverlening moet hierbij aansluiten, en bevorderen dat de cliënt eigen doelen kan verwezenlijken. Hij herformuleert hulpvragen en zorgbehoeften van cliënten dan ook in 'beoogde resultaten' voor de cliënt: welke persoonlijke doelen bereikt de cliënt met de geleverde hulp. Van de beoogde resultaten voor de cliënt leidt hij vervolgens de hulpverleningsvormen af. Hij komt dan tot de in tabel 1 (zie ook tabel 1 van het vorige hoofdstuk) samengevatte beoogde resultaten voor de cliënt en daarvan afgeleide hulpverleningsvormen.

Tabel 1 Essentiële diensten voor cliënten in een zorgzaam GGz-systeem

Soort dienst	Beschrijving	Resultaat voor cliënt
Behandeling	Verlichten van ziektesymptomen en lijden	Minder symptomen
Crisisinterventie	Het beheersen en oplossen van kritieke of gevaarlijke situaties	Veiligheid
Casemanagement	Verkrijgen van diensten die de cliënt wenst en nodig heeft	Toegang tot diensten
Rehabilitatie	Cliënt helpen bij het ontwikkelen van vaardigheden. Cliënt steunen teneinde doelen te realiseren	Functioneren in gewenste rollen
Levensverrijking	Cliënten betrekken bij zingevende en voldoening gevende activiteiten	Zelfontplooiing
Rechtsbescherming	Pleitbezorging om de rechten van een cliënt te beschermen	Gelijke kansen
Basale zorg	Voorzien in de mensen, plaatsen en dingen die nodig zijn om te overleven	Overleving
Zelfhulp	Ondersteuning van cliënten om hun stem te laten horen en hun eigen keuzen te maken	Empowerment

Aangepast overgenomen uit: Cohen e.a. (1988). Training Technology: Casemanagement. Boston, MA: Center for Psychiatric Rehabilitation.

We willen er nogmaals op wijzen dat het 'herstelgeoriënteerde' denken en handelen betekent dat de benodigde zorg wordt vastgesteld door uit te gaan van 'het beoogde resultaat voor de cliënt'. Als de hulpverlening dat doet, is dát een GGz van een andere orde, omdat niet de instelling, niet het bestaande zorgaanbod en ook niet de aanbieder van zorg nog langer bepalen wat de cliënt aan zorg behoeft en krijgt. Niettemin blijven er vragen ter beantwoording over, ook al hanteert men de indeling van hulpverleningsvormen die hier wordt voorgesteld. In de discussie aan het einde van dit artikel komen we daarop terug.

Enkele praktijkillustraties

Casus 1. Individueel niveau

Het eerste voorbeeld illustreert de indelingswijze op het niveau cliënt-hulpverlener. De cliënt stelt vast welke resultaten hij beoogt en de hulpverlener leidt daaruit af welke hulpverleningsvormen nodig zijn.

De praktijkillustratie: een cliënt heeft gemiddeld eenmaal per jaar een psychotische episode, waarbij hij enkele weken opgenomen wordt in verband met escalerende contacten met de buren. Hij raakt daarbij doorgaans zijn woning kwijt. Hij heeft geen werk.

De resultaten die deze cliënt wil bereiken en de daaruit afgeleide hulpverleningsvormen zijn de volgende:

- Hij wil minder last hebben van angst voor de mensen in zijn woonomgeving. Dit leidt tot de hulpverleningsvorm 'behandeling'. De behandeling bestaat uit een onderhoudsdosering met antipsychotica en psycho-educatieve gesprekken met hulpverlener A (psychiater). Hierbij wordt aandacht besteed aan verliesverwerking (rouw, gebaseerd op het besef aan schizofrenie te leiden en dientengevolge verlies van levensperspectieven, communicatievaardigheden e.d.). Tevens worden de (bij)werkingen van de medicatie gecontroleerd en vindt symptoommonitoring plaats.

- Hij wil zich in veiligheid kunnen brengen als hij zich toch bedreigd voelt door oplopende spanningen in de buurt. 'Crisisinterventie' is de hierbij aansluitende hulpverleningsvorm.

  Door afspraken met de cliënt, hulpverleners A en B (SPV) en een zus van de cliënt is vastgelegd bij welke signalen van de cliënt geïntervenieerd zal worden. Er zijn twee duidelijke signalen: hij gaat met zijn luchtbuks op de ruiten van buren schieten en/of hij maakt plannen om voor de trein te springen. Als dit gedrag optreedt, meldt hij zich bij hulpverlener B en/of de opnameafdeling van het regionale psychiatrisch ziekenhuis, waar hij dan wordt opgenomen en/of medicatie krijgt.

- Hij wil de hulp die hij wenst en nodig heeft kunnen krijgen op het moment dat het nodig is. Dit impliceert de hulpverleningsvorm 'casemanagement'. Hulpverlener B draagt er zorg voor dat de cliënt daadwerkelijk toegang heeft tot de hulpverleningsvorm en in de intensiteit daarvan die hij op dát moment wil en nodig heeft. Hulpverlener B coördineert de activiteiten van alle betrokken hulpverleners en zorgt voor een crisisinterventieafspraak met de opnameafdeling.

- Hij wil in staat zijn om eigen doelen te bereiken. Hij wil zijn rolfunctioneren verbeteren om eigen doelen te verwerkelijken. Hier sluit de hulpverleningsvorm 'rehabilitatie' bij aan.

  Hulpverlener B helpt de cliënt eerst bij het ontwikkelen van doelvaardigheid (Cohen e.a. 1990, 1991, en vertaling Dröes, 1992). Daarna wordt begonnen om samen met de cliënt het rehabilitatiedoel te bepalen. De cliënt wil in een bepaalde buurt en in een bepaald huistype wonen. Als dat duidelijk is, wordt met de cliënt een plan opgesteld en uitgevoerd, waarin het ontwikkelen van de vaardigheden plaatsvindt die de cliënt in die specifieke omgeving nodig heeft. Hulpbronnen worden uitgezocht die de cliënt helpen om in die omgeving naar tevredenheid en met succes (naar tevredenheid van de omgeving) te functioneren. Vervolgens worden alle stappen gezet die nodig zijn om het doel te realiseren.

- Hij wil af en toe onder de mensen komen, iets met anderen samen doen, binnen kunnen lopen voor een kopje koffie en even buurten. Hiervan afgeleid is de hulpverleningsvorm 'levensverrijking'. Een dagactiviteitencentrum biedt aangepaste recreatieve activiteiten, educatieve bezigheden en ontmoetingsmogelijkheden, zoals museumbezoek, sport, uitstapjes en inloopmogelijkheden, waaruit de cliënt kan kiezen. Bij het eerste bezoek wordt ondersteuning door hulpverlener B geregeld.

- Hij wil niet door zijn ziekte of de gevolgen daarvan uit zijn huis gezet worden. Dit leidt tot de hulpverleningsvorm 'rechtsbescherming'. Hulpverlener B draagt er zorg voor dat

de huisbaas van cliënt de noodzaak van een (gedwongen) opname tijdig kan aankaarten.
- Hij wil een dak boven zijn hoofd en betaalbaar eten. De hulpverleningsvorm is 'basale ondersteuning'. De woningbouwvereniging verschaft nieuw onderdak. Het restaurant in het regionale psychiatrisch ziekenhuis biedt betaalbare warme maaltijden. Ook op het dagactiviteitencentrum bestaat de mogelijkheid maaltijden te nuttigen en, als cliënt dat wenst, zelf mee te helpen koken.
- Hij wil zich zekerder van zichzelf voelen, meer zelfvertrouwen hebben. De geëigende hulpverleningsvorm hierbij is 'zelfhulp'.
De mate waarin de cliënt in het gehele hulpverleningsproces zelf een duidelijke stem heeft, wordt door hem gewaardeerd en hij voelt zich daardoor ook wat zekerder. Voor zelfhulpgroepen heeft hij verder op dit moment geen belangstelling.

Niettegenstaande de terugkerende psychotische episodes bij cliënten als hierboven beschreven, is er vaak sprake van een positief werkend sneeuwbaleffect. Wanneer, zoals in dit geval, de cliënt gemotiveerd is en zich samen met zijn hulpverlener inspant om iets aan zijn situatie te verbeteren en daarom trouw zijn medicatie gebruikt, dan blijkt dat als gevolg daarvan niet alleen de symptomen verminderen maar ook de communicatie aanzienlijk verbetert. Hierdoor durft de cliënt het dagactiviteitencentrum te bezoeken en dat leidt er weer toe, dat de sociale contacten toenemen en dat het netwerk om de cliënt heen steviger wordt, zodat die omgeving sociale steun oplevert voor de cliënt. Het zelfvertrouwen neemt hierdoor toe, wat de cliënt ten goede komt bij het (opnieuw) aanleren van vaardigheden als koken, boodschappen doen en met geld omgaan, zodat het rolfunctioneren van de cliënt zich kan uitbreiden. Het gezamenlijk nuttigen van wat in de keuken van het dagactiviteitencentrum is klaargemaakt kan ook weer leiden tot meer contacten en levensverrijking. Met de nieuwe buren kan als het ware een nieuwe start gemaakt worden en daarmee functioneert de cliënt (weer) in meer rollen als burger. Zo kunnen de effecten op verschillende levensdomeinen elkaar versterken, omdat de diverse hulpverleningsvormen in een circuit op elkaar aansluiten. Daardoor nemen sociale en psychosociale problemen in toenemende mate af (vergelijk 'De wet van het Toenemend Herstel', Henkelman, 1996).

Casus 2. Individueel niveau

De indeling van hulpverleningsvormen is niet alleen van toepassing op mensen met langdurige en complexe psychiatrische hulpvragen (de 'chronische psychiatrie'), maar evenzeer op andere cliënten van de geestelijke gezondheidszorg.
Deze illustratie betreft iemand die niet tot de 'chronische psychiatrie' behoort. Mevrouw B is 51 jaar, en in de maanden nadat haar laatste thuiswonende kind zelfstandig is gaan wonen, ontwikkelt zich bij haar een depressieve stoornis (cf. DSM-IV). Haar huisarts verwijst haar naar de polikliniek van het psychiatrisch ziekenhuis, waar hulpverlener C (psychiater) een antidepressivum voorschrijft.
Enkele weken nadat de medicatie gestart is, begint de stemming van mevrouw B te verbeteren. Ondertussen is hulpverlener D (psychotherapeut) psychotherapeutische gesprekken met mevrouw B gestart, waarbinnen gaandeweg zingevingszaken naar voren komen, die van groot belang blijken te zijn bij het ontstaan van de depressie. Na enkele maanden hebben deze gesprekken een duidelijk positieve invloed op haar stemming. Na acht maanden wordt de medicatie gestopt en nog weer een half jaar later worden ook de psychotherapeutische gesprekken beëindigd. Mevrouw B heeft geen verdere hulp meer nodig.

In termen van Anthony's indeling is het enige resultaat dat mevrouw B wilde bereiken dat ze van haar depressieve stoornis verlost werd. De enige hulpverleningsvorm die mevrouw B nodig had, en ook gekregen heeft, is behandeling. Deze behandeling werd uitgevoerd door twee hulpverleners (C en D).

Casus 3. Instellingsniveau

Naar analogie van de zojuist beschreven voorbeelden op het individuele niveau van een cliënt en de hulpverlener(s), kunnen illustraties geschetst worden op het niveau van een team, een geestelijke gezondheidszorginstelling of een regio en op het niveau van de centrale overheid. Zo speelt onze derde illustratie zich af op het niveau van een afdelingsteam. Een afdeling voor psychiatrische deeltijdbehandeling wil nagaan of het aanbod voor hun behandelgroepen voldoende aansluit bij de hulpvragen van de cliënten die bij hen in zorg zijn. Het afdelingsteam start met een discussie over Anthony's visie en indelingswijze. Daarna wordt het aanbod voor de cliënten van de afdeling kritisch besproken. Het gaat daarbij vooral om vraag op welk beoogd resultaat van/voor cliënten de aangeboden zorgonderdelen mikken. Vervolgens wordt vastgesteld onder welke hulpverleningsvorm(en) elk van de onderdelen van het behandelaanbod het best gerangschikt kan worden.
Dit levert globaal het volgende beeld op:

- Behandeling: slechts een klein aantal aspecten van de bestaande onderdelen kan duidelijk als behandeling aangemerkt worden (in individuele contacten is er vaker sprake van behandeling).
- Crisisinterventie: komt niet voor binnen het aanbod (wel in individuele contacten en er bestaan goede verwijsmogelijkheden).
- Casemanagement: is nagenoeg geheel afwezig als element (komt enigszins terug in individuele contacten, is verder te weinig beschikbaar als verwijsmogelijkheid).
- Rehabilitatie: een klein aantal aspecten van -onderdelen van het bestaande aanbod kan duidelijk als rehabilitatie aangemerkt worden (ook in individuele contacten is slechts een klein gedeelte van de activiteiten als rehabilitatie aan te merken).
- Levensverrijking: de overgrote meerderheid van de activiteiten van de afdeling is hoofdzakelijk te kenmerken als levensverrijking.
- Rechtsbescherming: komt niet terug in het aanbod (wel soms in individuele contacten).
- Basale ondersteuning: maakt geen onderdeel uit van de aangeboden zorg en ook niet van individuele contacten.
- Zelfhulp: maakt geen onderdeel uit van de aanpak. Er wordt te weinig gebruik gemaakt van het regionaal beschikbare zelfhulpnetwerk.

Een nadere analyse van deze bevindingen levert het afdelingsteam een aantal belangrijke conclusies op:

- Binnen het bestaande aanbod wordt te veel energie gestoken in levensverrijking (en activiteiten die overigens tevoren als vormen van behandeling beleefd werden) en te weinig in rehabilitatie en behandeling. Nieuwe zorgonderdelen, gericht op rehabilitatie en behandeling, zullen ontwikkeld worden en ingevoerd.
- De regionale behoefte aan casemanagement is in de cliëntengroep beduidend groter dan waar het aanbod op dit moment in voorziet.
- Er zal meer voorlichting over zelfhulpactiviteiten in de regio gegeven gaan worden; ten

aanzien van crisisinterventie, rechtsbescherming en basale ondersteuning is het aanbod adequaat, aangezien de cliëntengroep daar weinig vraag naar heeft.

Discussie

De beschreven praktijkvoorbeelden illustreren de toepasbaarheid en de relevantie van Anthony's indelingswijze van hulpverleningsvormen. De manier waarop het beoogde resultaat voor de cliënt en de daaruit afgeleide hulpverleningsvormen methodisch 'uit elkaar gehaald' wordt, vermindert de kans dat essentiële behoeften van cliënten niet worden onderkend of dat er doublures in de hulpverlening optreden. Dit maakt het afstemmen van hulpvragen en hulpaanbod beter mogelijk. Het is natuurlijk niet nodig dat voor ieder beoogd resultaat voor de cliënt een aparte hulpverlener en/of discipline wordt ingeschakeld. Zoals in de voorbeelden is beschreven, kan een hulpverlener diverse 'diensten' leveren.

De hier beschreven wijze van indelen van hulpverleningsvormen geeft tevens een begrippenkader waarmee hulpverleners duidelijker intercollegiaal kunnen overleggen.

Het zal niet steeds mogelijk zijn om hulpverleningsvormen op een sluitende manier in te delen. Niet zo gemakkelijk en direct te beantwoorden vragen zijn bijvoorbeeld: vallen vormen van gedragstherapie onder behandeling of rehabilitatie; vallen andere vormen van psychotherapie onder levensverrijking of behandeling; valt 'token economy' onder behandeling (bijvoorbeeld ter bestrijding van gedragsstoornissen) of onder levensverrijking of rehabilitatie? Het is echter ook de vraag of het strikt definiëren van de functies 'behandeling' en 'rehabilitatie' een echte oplossing van praktische taakverdelings- en samenwerkingsproblemen dichterbij brengt. Ook in de sector Beschermd Wonen doen zich dergelijke grensschermutselingen voor. Is een intensief gesprek tussen woonbegeleider en cliënt behandeling of begeleiding? Hangt het antwoord af van de intensiteit van het gesprek, het besproken onderwerp, de setting waarin gesproken wordt of het belang van het onderwerp voor de cliënt? De poging om in de dialoog met diverse disciplines en de cliënten antwoorden te formuleren, levert in ieder geval op dat men zich zinvol bezint op het thema: wat is precies het beoogde resultaat voor de cliënt van een bepaalde hulpverleningsactiviteit? Alleen dat al is de moeite waard.

Nawoord

Het nawoord bij dit artikel in het Passagecahier over de Individuele Rehabilitatie Benadering (Nuy en Dröes, 2000) bevat een aantal inmiddels gedateerde opmerkingen. Het bovenstaande artikel was bovendien het laatste deel van een tweeluik. Deel 1 van dit tweeluik (Van Heugten en Roest, 1996) vatte de essentie samen van het artikel van Anthony dat hoofdstuk 2 van dit boek vormt. In het nawoord werd ook naar dit eerste deel verwezen. Uit het nawoord van 2000 hebben we daarom een aantal alinea's geselecteerd die nog steeds van belang zijn voor het thema van dit boek: individuele rehabilitatie, behandeling en herstel.

Eerder schreven we dat de begrippen 'rehabilitatie' en 'recovery' tussen de begrippen 'cure' en 'care' in liggen. Nu lijkt het ons juister om te stellen, dat 'rehabilitatie' en 'recovery' zorgprocessen aanduiden waar 'cure' en 'care' onderdeel van uitmaken. Ter illustratie: behandeling (cure) is een van de onderdelen binnen de 'recovery-benadering'.

Zoals in de twee hoofdstukken (in het genoemde Passagecahier, JD) is beschreven, kan niet altijd spijkerhard aangegeven worden wat het resultaat is van een bepaalde hulpdienst. De

'outcome' van de ene dienst kan een uitstraling hebben op de 'outcome' van een andere. Wanneer een cliënt via zorgvuldige rehabilitatie in de werksetting van zijn keuze met succes en naar tevredenheid functioneert, kan dit heel goed een gunstige invloed hebben op de psychopathologie, met bijvoorbeeld minder terugval (relapse). Rehabilitatie heeft dan indirect invloed op symptomen en heeft dus indirect ook een werking als 'behandeling' gehad. Het schema kent derhalve meer nuanceringen dan mogelijk bij eerste beschouwing lijkt. Desondanks pleiten we ervoor, dat het gebruik van relevante uitkomstindicatoren wordt bevorderd en wel zodanig, dat niet alleen van verschillende hulpdiensten maar ook van verschillende regio's (tot op landelijk niveau) uiteindelijk de uitkomsten en resultaten van de zorg- en rehabilitatieprocessen vergelijkbaar worden met normen en criteria. Op deze manier komt wezenlijke toetsing van de geleverde kwaliteit van zorg weer een stap dichterbij. We pleiten dus niet alleen warm voor het gebruik van het 'service-outcome' schema binnen de GGz voor langdurig zorgafhankelijke cliënten, maar evenzeer voor toepassing ervan op het niveau van de gezondheidsregio (en verder).
Het schema zet de essentiële hulpdiensten voor de cliënten op een rij. Het schema benadrukt het cliëntenperspectief en het bevordert dat professionals elkaar beter verstaan. En het helpt om op het niveau van de regio hulpdiensten te ordenen.

Niet alle hulpdiensten worden geleverd vanuit de GGz, alleen de kernactiviteiten. Andere hulpdiensten worden geleverd door reguliere maatschappelijke instanties. Nu, anno 2000, zouden we dit aspect meer benadrukken en uitwerken dan in 1996. Onze ervaring is, dat voor veel hulpverleners de ingrediënten van de hulpdiensten herkenbaar zijn en dat het bij velen van hen tot de conclusie leidt dat behandeling en rehabilitatie sterk complementair zijn.
We herhalen tot slot een van onze waarschuwingen: het conceptueel onderscheiden van hulpdiensten mag nooit leiden tot het scheiden ervan op cliëntniveau. Zeker een cliënt met meervoudige hulpvragen heeft – in een integraal zorgarrangement – gedurende langere tijd en in wisselende intensiteit alle genoemde hulpdiensten nodig om geholpen te worden bij zijn herstelproces.

Literatuur

American Psychiatric Association (1994). *Diagnostic and Statistical Manuel of Mental Disorders*, Fourth Edition (DSM-IV). Washinton, DC: American Psychiatric Association.

Anthony, W.A. (1993). Recovery from mental illness: The guiding vision of the mental health service system in the 1990s. *Psychosocial Rehabilitation Journal*, 16(4), 11-23.

Cohen, M. e.a. (1991). *Psychiatric rehabilitation training technology package: setting an overall rehabilitation goal*. Boston: Boston University, Center for Psychiatric Rehabilitation.

Cohen, M.R. e.a. (1990) *Psychiatric rehabilitation training technology: Case management (trainer package)*. Boston: Boston University, Center for Psychiatric Rehabilitation.

Dröes, J. (1992). Vertaling van *Psychiatric rehabilitation training technology package: setting an overall rehabilitation goal*, Cohen, M.R. e.a. (1991). Rotterdam: SOGG.

Dröes, J. & Weeghel, J. van (1994). Perspectieven van psychiatrische rehabilitatie. *Maandblad Geestelijke volksgezondheidszorg*, 49(8), 795-807.

Henkelman, A.L.C.M. (1996). Ethiek en hulpverlening bij de passage naar een derde millennium. In M.H.R. Nuy (Red.), *Op de drempel van het derde millennium. Beschouwingen en impressies aan de rand van de armoede*, pp. 88-94. Amsterdam: Uitgeverij SWP.

Heugten, A.A.Th. van & Roest, R.M.A. (1996). Geestelijke Gezondheidszorg van een andere orde 1. *Passage*, 5(3), 100-105.

4. Rehabilitatie, het bondgenootschap

Dennis J. McCrory
Vertaling: Marius Nuy

Rehabilitatie begint met een bondgenootschap tussen de cliënt en diens hulpverleners. Het bondgenootschap is een centraal gegeven in alle rehabilitatiestromingen. Onafhankelijk van de soort van methodiek en het terrein van rehabilitatie, verwijst het naar enkele fundamentele principes: wederzijds respect, vertrouwen en serieuze doelen met betrekking tot de rehabilitatieactiviteiten die men wil ondernemen. Deze beginselen vormen de ziel van de relatie tussen cliënt en hulpverlener en andere leden van het team of netwerk dat behandeling, rehabilitatie en andere vormen van ondersteuning biedt. Een subjectief zingevingsproces is vooral ook een gemeenschappelijk proces. In dit hoofdstuk wordt beschreven hoe rehabilitatie, behandeling en herstel vorm krijgen vanuit het bondgenootschap, de band tussen de cliënt en zijn of haar helpers.

Het begrip alliance

Mijn beschouwing over het bondgenootschap is gebaseerd op drie premissen. In de eerste plaats is het herstel van mensen met een somatische of psychiatrische ziekte een unieke menselijke ervaring. In de tweede plaats kan een goed gecoördineerde behandeling en/of rehabilitatiebenadering, waarin dit unieke wordt erkend, het herstel aanmerkelijk ondersteunen, in het bijzonder bij mensen met een ernstige, chronische stoornis. In de derde plaats is het succes van deze benadering afhankelijk van het engagement van een aantal mensen met een in beginsel langdurig, moeilijk en complex proces: de ontwikkeling van een bondgenootschap.

Het begrip alliance (bondgenootschap) wordt in *Webster's Dictionary* (1989) omschreven als "een samensmelting van inspanningen of belangen door individuen, families, landen of organisaties". In mijn psychiatrisch ziekenhuis raakte ik in de eerste plaats vertrouwd met het concept van een werk-bondgenootschap, oftewel de therapeutische relatie. Dit verwijst oorspronkelijk naar het rationele deel van de relatie tussen therapeut en cliënt: het respect, het vertrouwen en de objectiviteit die in het therapeutisch onderzoek onmisbaar zijn, noodzakelijk zelfs om te komen tot enige zelfontdekking. Dit concept breidde zich geleidelijk uit naar de positieve overdracht in de opbouw van een bondgenootschap: de wonderlijke verwachtingen van cliënten ten opzichte van hun behandeling, hun wens om zich erin te herkennen en de goedkeuring te verkrijgen van de door hen geïdealiseerde therapeut, hetgeen substantieel bijdraagt aan een zinvolle therapeutische verbintenis (Gutheil & Havens, 1979). Hiervan kan aan het begin natuurlijk geen sprake zijn. Daar moet weloverwogen en met geduld aan worden gewerkt (Foreman & Marmar, 1985).

Het bondgenootschapsconcept is voor mij van grote waarde gebleken, zowel in mijn werk als psychiater en adviseur, als in de rol van docent, maar zeker in de context van rehabilitatie. Daarover gaat het in dit hoofdstuk: over het bondgenootschap zoals dat vorm krijgt in het herstel en de rehabilitatie van chronisch psychiatrische patiënten, en in het bijzonder in de arbeidsrehabilitatie.

Het bondgenootschap tussen twee mensen

Rehabilitatie is gebaseerd op de behoefte van (bepaalde) mensen om te leren leven met hun stoornis of onvermogen, en om mogelijkheden te ontdekken zich te ontplooien en zichzelf te zijn ondanks hun verlies, hun pijn of lijden, en hun onzekerheid. Tegelijkertijd steunt rehabilitatie op de legitimatie vanuit de samenleving en de respons op deze behoeften door de gezondheidszorg. De basis van het bondgenootschap wordt, zoals gezegd, gevormd door respect, vertrouwen en serieuze doelen waarmee de partijen de betreffende cliënt aan zich binden in het bereiken van stabiliteit, herstel, of het vergroten van diens vaardigheden om onafhankelijker te functioneren. Zinvolle rehabilitatie vergt primair aandacht voor de ontwikkeling van deze beginselen in de hulpverlening, aangezien deze onmisbaar zijn voor het ontstaan van hoop en motivatie. Het vereist bovendien methodische deskundigheid en een zich nadrukkelijk verbinden met kansen die een dergelijk proces mogelijk maken.

Het bondgenootschap is wederzijds van belang. We dienen betrouwbaar te zijn en respectvol met onze cliënten om te gaan, vertrouwen in hen te stellen en door hen gerespecteerd te kunnen worden. We dienen elkaar op waarde te schatten en een gedeeld besef te ontwikkelen ten aanzien van wat we van elkaar kunnen verwachten, alsmede van familie, instanties en de gemeenschap waarin we leven. Indien we samen participeren in een proces dat pijn, inspanningen en onzekerheid met zich meebrengt, dan vraagt dat van beide kanten betrokkenheid, de durf om risico's te lopen en niet in de laatste plaats vraagt het om veiligheid en deskundigheid. We dienen goed te weten waaraan we beginnen, wat de risico's zijn en wat we van elkaar verwachten, zowel al bij het begin als in de loop van het proces.

De spil van het werk is goodwill: een positieve instelling naar elkaar en naar wat we nastreven, ongeacht of het nu gaat om behandelingsdoelen, werk, sociale doelen of om zo onafhankelijk mogelijk te leven. Goodwill is van cruciaal belang. Het is niet 'alles of niets'. Er bestaat immers, ook bij hulpverleners, een breed spectrum aan positieve en negatieve gevoelens, opgedaan in eerdere ontmoetingen tussen (potentiële) cliënten en zorgbieders. Het is ondenkbaar dat die nodige goodwill er altijd is, maar het is evenmin juist te veronderstellen dat negatieve gevoelens niet zijn om te zetten in positieve gevoelens wanneer er aandacht is voor elkaars ervaringen en behoeften.

De persoonlijke dimensie

Deegan (1988) stelt de sterk geïndividualiseerde aard van het herstel/rehabilitatieproces centraal. Een proces dat vaak gekenmerkt wordt door perioden van passiviteit en moedeloosheid, een proces van vallen en opstaan. Het is een uitdaging voor de cliënt en voor de hulpverlener die bij voorkeur als het ware op een rustige manier hun weg vervolgen.

Vorspan (1985) tracht dit te verduidelijken door middel van het clubhuismodel. Zowel de staf als de deelnemers dienen "de (kunstmatige) veiligheden die vastzitten aan hun rol als hulpverlener en cliënt los te laten en elkaar te zien als medemens... Dit vergt enorme moed, eerlijkheid en is niet zonder risico.... maar het dient een in beweging blijvend proces te zijn wil een clubhuis zijn bestaan en integriteit overeind houden."

Ryan (1988) benadrukt (daarom) het belang van de persoonlijke dimensie, wanneer hij het voorbeeld geeft van iemand uit zijn staf die ongelooflijk veel te stellen had met "een aan alcohol en drugs verslaafde persoon die roekeloos, gewelddadig en bij tijden ook nog eens psychotisch is." Zij bleek in staat haar eigen antwoorden in een bredere context te zien, eerlijk met de cliënt om te gaan en de lucht tussen hen te klaren. Dit is een uitdaging voor cliënten en hulpverleners die pleiten voor formele rollen en heldere regels in de omgang. Deze kwesties zijn met name belangrijk voor de praktijk van de arbeidsrehabilitatie. Verscheidene alledaagse ervaringen illustreren dit. Bijvoorbeeld: iemand met een chronisch psychische stoornis wordt verwezen voor arbeidsrehabilitatie. De man werkt graag; hij heeft een reeks van goede werkervaringen gehad. Zijn familie en het behandelend team onderkennen zijn bereidheid tot werk, bemoedigen en ondersteunen hem. In een dergelijke situatie ligt een wederzijds positieve instelling ten aanzien van het te bereiken doel eigenlijk voor de hand. Maar nu een ander voorbeeld. Een cliënt moet niets van werken hebben. Hij heeft wat dit betreft ook weinig positieve ervaringen gehad en kan evenmin rekenen op steun van zijn familie. Omdat de man nauwelijks reageert op alle inspanningen van het behandelend team, wordt hij verwezen naar het arbeidsrehabilitatieteam. Anders dan in het eerste geval, ontbréékt nu aan beide kanten de goodwill.

Met beide casussen gaan we een stap verder. We bezien weer het eerste geval. Stelt u zich voor hoe cliënt en hulpverlener het belang van de cliënt onderkennen, diens kracht en bereidwilligheid. Het begin van een bondgenootschap lijkt al gevestigd. Dan wordt ontdekt dat de cliënt geen idee heeft wat hij zou willen doen en dat zijn recente inspanningen geen succes hadden omdat hij nog niet heeft leren omgaan met zijn beperkingen. Dit leidt bijna vanzelfsprekend tot een proces met verscheidene fasen – beroepsvoorlichting, beoordeling, training, ergens een werk-oefensituatie of *supported employment*. De cliënt wil echter alleen maar dat de hulpverlener een baan voor hem vindt en de hulpverlener wil met een cliënt van doen hebben die aan werken toe is. Hier duikt onmiskenbaar het risico op van een impasse en de ontwikkeling van negatieve gevoelens. Het zou inderdaad kunnen betekenen dat deze twee mensen beter niet met elkaar verder kunnen gaan zodat hun verbond zich ook niet in negatieve zin zal ontwikkelen. Er is echter goede kans dat de impasse met onderhandeling en openhartig overleg is op te heffen, de goodwill is te herstellen en het begonnen werk kan worden voortgezet.

In het tweede geval kan praten en onderhandelen leiden tot het wederzijdse inzicht dat de cliënt niet is geïnteresseerd of er (nog) niet aan toe is zich in een arbeidsrehabilitatieproces te begeven, maar dat hij er wel over wil nadenken. Het kan ook zijn dat de cliënt en zijn hulpverlener een hobby ontdekken met beroepsmatige mogelijkheden of een interesse om productief te zijn of financieel onafhankelijk, hetgeen dan toch een basis kan leggen voor goodwill en samenwerking.

De ontwikkeling van een bondgenootschap

Eerlijke communicatie, onderhandelen, ontdekken, confronteren en het oplossen van impassen zijn activiteiten die het bondgenootschap helpen stichten, het eigenlijke *alliance work*. Het ontwikkelen van deze vaardigheden kost tijd en energie. Het vergt moed om risico's te willen nemen en men dient er tegen te kunnen dat er zich tegenvallers voordoen of dat er steeds onzekerheid opduikt. Dit geldt zowel voor de cliënt als voor de hulpverlener en het speelt zowel aan het begin wanneer het proces aanvangt als op momenten van risico waarin het bereikte op het spel komt te staan, of we de doelen nu wel of niet bereiken. Het bondgenootschap vormt zich mettertijd en doordat het wordt getest, wordt het ook sterker. Er kunnen zich herhaaldelijk conflicten voordoen. Weerstand is heel gewoon en er zal vaak sprake zijn van wederzijdse ambivalentie. Wanneer men dat niet wil inzien, dan loopt het bondgenootschap gevaar en is een doeltreffende relatie een illusie.

Een tijdige, positieve instelling tegenover elkaar en het werk is noodzakelijk, maar niet voldoende voor een bondgenootschap om verder te komen. Teneinde goodwill om te buigen naar wederzijds vertrouwen, respect en betrokkenheid, zijn een gemeenschappelijke, positieve ervaring van het (rehabilitatie)werk en de verwachting van een positief resultaat een vereiste. Cliënt en hulpverlener dienen een houvast te ontwikkelen omtrent de cliënt als persoon: zijn vroegere werkprestaties, zijn interessen, zijn zwakke kanten, zijn huidige mogelijkheden, op wie hij kan rekenen, zijn dromen. Bovendien dienen zij in de gemeenschap concrete, haalbare mogelijkheden te zien om een koers te kunnen uitzetten. Als dit een gezamenlijk proces is waarin gemeenschappelijke informatie wordt ontwikkeld en een uitvoerbare planning met haalbare tussenstappen in het oog wordt gehouden, dan is een *buy-in* het meest waarschijnlijk. Het blijft echter een zware opgave. Hoe realistischer we zijn, des te meer verantwoordelijk we ons tonen. Verder geldt dat hoe oprechter we tegenover elkaar zijn, hoe groter het vertrouwen zal zijn in het bereiken van ons doel, ongeacht de ernst van de beperking(en).

Aldus gaat de relatie via eerste ontmoetingen en goodwill naar wederzijdse beoordeling, gezamenlijke planning en een begin van vertrouwen of wantrouwen. Het kan niet vaak genoeg gezegd worden hoe moeilijk zo'n proces in de realiteit is. Dit geldt zeker voor mensen met een chronisch psychiatrische ziekte, voor wie het moeilijk is nog ergens vertrouwen in te stellen of ergens op te durven hopen. Het is bij hen niet alleen een symptoom van achterdocht of depressie, maar ook een ware les uit echte levenservaringen. Hun potentiële partners in de rehabilitatie ondervinden doorgaans vergelijkbare moeilijkheden, niet op basis van stereotypen, maar ook bij hen als ware lessen uit ervaringen. Aan beide partijen is de uitdaging om achter de feiten te kijken en te zoeken naar informatie waaruit hoop en positieve verwachtingen zijn te putten.

Een collega van mij heb ik eens aangespoord een artikel te schrijven, 'So Nice to See You: An Invitation to the Rehabilitation Process'. Hij was altijd erg enthousiast als hij zijn cliënten ontmoette en toonde serieuze belangstelling voor hun dromen en wensen. Het is dan ook niet vreemd dat door deze houding zijn cliënten zich hoopvoller en beter op hun gemak voelden, en geleidelijk weer energie staken in hun eigen leven. Dat is ook te herkennen in programma's zoals dat van het Fountain House, waar het gevierd wordt als men er aan gaat deelnemen. Mensen worden hier steeds opnieuw verwelkomd en uitgenodigd om aan het werk te gaan en ze worden aangemoedigd een 'doorstroombaan' te overwegen. Het zijn voorbeelden van goodwill welke zich ontwikkelen naar een bondgenootschap.

De traagheid van het proces

De literatuur hierover is soms verwarrend. Zo waarschuwt Beigler (1952) voor de risico's van therapeutische ambitie: wanneer men niet het geduld heeft steeds het geschiktste moment af te wachten, dan loopt men het risico van een breuk, een fiasco of van een psychotische regressie. Lamb en Mackota (1975) merken op geen knollen voor citroenen te verkopen, met andere woorden, niet ieders rehabilitatiemogelijkheden te overschatten door te doen alsof hiermee per se een hoger of beter niveau van functioneren is te bereiken. Grinspoon (1986) wijst erop, dat de meeste cliënten met psychotische symptomen behoefte hebben aan een rustig, weinig eisen stellend leven, dat hun een asiel biedt tegenover een voor hen verwarrende en overrompelende wereld.

Harding (1988) denkt er echter heel anders over. Aan het eind van haar bespreking van vijf studies met betrekking tot chronisch psychiatrische patiënten – waaruit blijkt dat zo'n vijftig procent op den duur vrijwel geheel herstelt – roept zij clinici op nog eens na te denken over hun pessimisme. Zij spoort ze aan "uit hun daden en houding te laten blijken dat herstel mogelijk is .... Herstel zou meer kans van slagen hebben als behandelingsprogramma's zo zouden worden alsof ook alle patiënten zouden kunnen herstellen." Ook een studie van het Fountain House wekt de suggestie, dat met een geduldige begeleiding, gunstige omstandigheden en kansen, voor vele deelnemers een onafhankelijke arbeidsdeelname in het verschiet ligt (Malamud & McCrory, 1988).

Deze twee visies zijn gebaseerd op ervaring; traditiegetrouw begrip versus recente ondervinding. Er is inderdaad reden om te hopen dat een rehabilitatiebenadering verandering teweeg kan brengen. Elk individueel geval vereist echter een zorgvuldige planning om tot een zo goed mogelijk resultaat te komen.

Alertheid op reacties van de cliënt

Als de doelen zijn geformuleerd en worden nagestreefd, wordt herstel bevorderd en kan er sprake zijn van groei. Soms lijkt er voor onbepaalde tijd enige stagnatie op te treden. Op het eerste gezicht is er geen aanwijsbare beweging of vooruitgang, en toch bereidt de cliënt zich voor op verandering (Strauss e.a., 1985). Zowel de cliënt als de hulpverlener dienen op zulke perioden voorbereid te zijn. Als groei en verandering onder druk staan, dienen beiden alert te zijn op waarschuwingssignalen, of op een verergering van symptomen als reactie op deze tijdelijke stress. Hun ervaring moet als het ware in een kader staan dat zegt: 'Mensen die hun situatie proberen te veranderen, vertonen reacties op deze stress waaruit blijkt dat ze iets moeten doen.' Dit is beter dan de idee dat chronische patiënten dit alles beter kunnen nalaten, dat pogingen om het ziekenhuis te verlaten, vrienden te krijgen, werk te vinden, hun alleen maar ziek maken en doen terugbelanden in het ziekenhuis. Zowel hulpverleners als cliënten weten deze valkuil, deze ziekteval, niet altijd te vermijden.

Samenwerking maakt het mogelijk hieraan te ontkomen en in te zien dat veel reacties niets met ziekte van doen hebben, maar menselijke reacties zijn, zelfs als de cliënt behoefte heeft aan extra begeleiding om beter met alle stress uit de voeten te kunnen. Het spreekt vanzelf dat dit invloed heeft op het zelfbeeld en het zelfvertrouwen. Om te voorkomen dat men opnieuw ziek wordt, leert het rehabilitatiewerk stress te vermijden, er niet aan onderworpen te zijn zodat men een aangenamer leven kan leiden. Dit kan heel versterkend zijn.

Deze verandering kan op zichzelf al veel spanning opleveren. Als iemand met een langdurige stoornis door zichzelf en zijn naasten alleen gezien wordt in een zwakke rol, kan de cliënt zich vereenzelvigen met zijn stoornis en denken 'ik ben een schizofreen' of 'ik ben een manisch-depressief persoon'. Dit biedt een zekere veiligheid, het is voorspelbaar en het is van betekenis voor zijn dagelijks leven.

Als deze opvatting door de groei van de cliënt ter discussie komt en hij inziet daarmee de kans te lopen emotionele steun te verliezen en als hij durft om te gaan met de onzekerheid van een minder beschermd leven, dan kunnen we ons een beeld vormen van de intensiteit van het conflict, de strijd, en van de mogelijke herhaling of verergering van allerlei symptomen. Hoe sterker het bondgenootschap, des te makkelijker durven cliënt en hulpverlener de uitdaging aan om gezamenlijk de strijd te aanvaarden - de rehabilitatiecrisis (McCrory e.a., 1982). De hulpverlener ondersteunt dan de cliënt als degene die beslissingen neemt om verder te gaan, een stap terug te zetten of om het rustig aan te doen als het te moeilijk wordt. Dit is de grootste uitdaging, tevens de meest pijnlijke en meest aangename tege-lijkertijd. De rehabilitatiecrisis is heel gewoon en doet zich meestal voor zonder dat men er erg in heeft. Als de cliënt en de hulpverlener zich echter niet bewust zijn van dit verschijnsel, zullen ze niet begrijpen wat er aan de hand is en eventueel met een gevoel van mislukking uit elkaar gaan.

Het rehabilitatieproces kan mensen verwarren

In onze beoordeling en planning kunnen we ervoor zorgen dit risico te verkleinen. Niettemin kan een ontoereikend begrip, een veel te ver reikend plan, een wankel bondgenootschap of een spanning uit onverwachte hoek, leiden tot een kleinere of grotere terugval, eventueel ook tot psychose of zelfmoordneigingen. Rehabilitatie kan een kwestie zijn van leven of dood. Hoe sterker het bondgenootschap, des te beter we (vermoedelijk) anticiperen, herkennen en de grootste crises weten te voorkomen. Doet zich een crisis voor, dan zal het bondgenoot-schap ons in staat stellen ermee om te gaan of ervan te leren, zodat we met meer vertrouwen verder kunnen.

Op zeker moment bereikt de relatie een eindpunt. De doelen kunnen bereikt zijn, de hulp-verlener kan van functie zijn veranderd of de instelling hebben verlaten, of de cliënt is ver-trokken. Wanneer we zo'n moment bereiken, is een behoorlijk afscheid noodzakelijk. We kunnen dan erkennen wat er is geprobeerd, wat er bereikt is, wat er nog nodig is, wat er geleerd is en wat beiden voor elkaar hebben betekend. Het is een proces op zichzelf, niet slechts een gebeurtenis. Het begint met het vooruitzien op het scheiden der wegen en gaat verder door een periode van verdriet dat zich naderhand aan beide kanten enige tijd kan voordoen. Als het rehabilitatieproces doorloopt, dan moet het werk worden overgedragen teneinde ervoor te zorgen dat de goodwill voor een nieuwe relatie bewaard blijft en het bond-genootschap voortduurt ondanks de pijn van het verlies.

Het behandelings/rehabilitatieteam

Tot dusver is het bondgenootschap in de één-op-één relatie besproken. Ons verhaal bena-drukt het belang van het bondgenootschap in individuele relaties, maar roert ook het belang hiervan aan tussen en temidden van leden van het team. Cubelli (1967) definieert rehabilita-tie als "een longitudinaal proces waarbinnen de cliënt van de ene professionele dienstverle-ning naar de andere gaat, van de ene instantie naar de andere, van het ene naar het andere niveau van functioneren .... een proces van bewust gekozen en geplande opdrachten." Men-sen met psychische beperkingen hebben gedurende lange tijd behoefte aan veelsoortige diensten en dat brengt hen in contact met een aantal hulpverleners en instanties. Soms zijn deze contacten concurrerend, op andere momenten is er sprake van een zekere (logische) volgorde. Aangezien deze diensten gepland en op elkaar afgestemd dienen te zijn, dienen ook zij die deze diensten verlenen een bondgenootschap te ontwikkelen. Dit bondgenoot-schap betreft niet alleen de cliënten, maar ook de collega's: respect, vertrouwen, vastbera-denheid, het wekken van hoop, motivatie en betrokkenheid, zowel bij de cliënt als bij de inspanning van anderen. Een rehabilitatieteam sluit op den duur ook anderen in: de gebrui-ker, de familieleden (Hatfield, 1979; Bray, 1980), de clinici, rehabilitatiespecialisten, de case-manager en de ziekenhuisstaf (Jacobs e.a., 1982). Hoe stevig of hoe los het team ook is geor-ganiseerd, goodwill, wederzijds begrip, ondersteuning en samenwerking vergroten de kans op engagement, op positieve ervaringen en een goed resultaat. Dit is van groot belang tijdens het maken en bijstellen van plannen en in situaties van verwijzing, overgang en crisis.

Een casus

Een vrouw met een psychotische stoornis is erg gebaat geweest bij haar behandeling en wil weer aan het werk. Zij werd daarom verwezen naar een arbeidsrehabilitatiehulpverlener. De cliënt leek hem weer goed in haar vel te zitten en ze wenste terug te keren naar het secretariaatswerk dat ze een aantal jaren geleden met plezier deed. Zij vertelde dat haar vaardigheden achteruit waren gegaan en dat ze bang was voor openbaar vervoer - haar enige mogelijkheid van reizen. De hulpverlener stelde een rehabilitatieplan op met als doel een baan in secretariaatswerk en met als tussenstappen: het leren met de bus te gaan zonder in paniek te raken, het volgen van een opfriscursus bij een plaatselijke secretaresseopleiding. Het plan stond de cliënte aan en zij wilde het met haar therapeut bespreken die vervolgens woedend de hulpverlener belde omdat deze wilde aansturen op een baan. De hulpverlener legde uit dat zij geloofde in die mogelijkheid, maar dat haar cliënt daarvoor een aantal fasen zou moeten doorlopen. De clinicus besloot het plan te steunen. Een half jaar later begon de cliënt aan haar nieuwe baan als secretaresse.

Hier wil ik graag de professie van de arbeidsrehabilitatiehulpverlener onder de aandacht brengen als een volwaardig lid van het team. De arbeidsrehabilitatiepraktijk is in het verleden te vaak over het hoofd gezien, achtergesteld of onderschat omdat de potentiële cliënt 'te ziek' leek om te werken of omdat de geneesheren niet vertrouwd waren met de beoordeling, de advisering, de planning en kennis van de sociale kaart. Lamb en Mackota (1975) vroegen zich daarom af of arbeidsrehabilitatie soms een tweederangs professie is. Het is duidelijk, werken is een belangrijke bron voor het zelfbeeld en een manier om zich in te voegen in de gemeenschap. Mensen met psychiatrische beperkingen willen graag productief zijn. Velen kunnen werken of kunnen het leren, als er maar gelegenheid, ondersteuning en geduld voor is (Malamud & McCrory, 1988). Dit is een standpunt dat men langzamerhand leert waarderen.
Tegengestelde verwachtingen, verkeerde inschattingen, rolverwarringen en verschillen van mening lopen overal dwars doorheen. Het bondgenootschapswerk van praten en onderhandelen is van even groot belang tussen hulpverleners onderling als tussen hulpverlener en cliënt. Dit bleek ook in de hierboven beschreven casus: de communicatie tussen de hulpverlener, de therapeut en de cliënt was onmisbaar in de confrontatie met een mogelijke impasse en om tot een plan te komen waar zij allen achter konden staan.
Een ander voorbeeld laat zien wat er kan gebeuren wanneer het bondgenootschapswerk wordt genegeerd. Een cliënt met een bipolaire stoornis heeft met succes een werktrainingsprogramma doorlopen en is pas aan een fulltime baan begonnen. Hij was lichtelijk euforisch en vertoonde slaapproblemen - voortekenen van een terugkeer van zijn manie. Hij had geleerd zijn medicatie te blijven innemen, hoewel hij het gevoel had zonder te kunnen.Hij was er zeker van dat er van grootheidswanen geen sprake was. De week daarop gebeurde er van alles. Zijn therapeut merkte een toename van zijn symptomen op en adviseerde hem te stoppen met werken voor het erger zou worden. Zijn rehabilitatiehulpverlener verzekerde hem dat er niets aan de hand was; de symptomen waren zijn natuurlijke reactie op het beginnen aan een baan. Ook zijn familie moedigde hem aan door te gaan, stiekem bang dat hij opnieuw ziek zou worden en zou moeten worden opgenomen. Enkele dagen later bleek dit inderdaad het geval: hij werd opgenomen met een volledig ontwikkelde manische psychose.

De interpretatie van dit verhaal

Misschien waren de voortekenen van herhaling onvoldoende geloofwaardig, mogelijk ontbrak het de cliënt aan adequate vaardigheden om met de overgangsstress te kunnen omgaan. Het is ook denkbaar dat de overgang naar zijn nieuwe baan een rehabilitatiecrisis versnelde die niet als zodanig werd onderkend. Stuk voor stuk begrijpelijke vermoedens. Wat ik hier evenwel wil benadrukken, is dat de beschadiging het gevolg is van een gebrek aan coördinatie. Stanton en Schwartz (1949) herkenden deze gebeurtenis en beschreven een fenomeen – het zogenaamde Stanton-Schwartz fenomeen – dat gaat over verborgen onenigheid tussen leden van een team welke resulteert in een grote spanning en persoonlijkheidsontwrichting. Het fenomeen is oorspronkelijk beschreven voor intramuraal opgenomen personen waar patiënten met een gering houvast aan de realiteit afhankelijk zijn van de staf voor wat betreft de geldigheid van hun realiteitsgevoel. Het speelt echter ook in de samenleving, zeker op momenten dat er sprake is van risico en grote spanning. Het bondgenootschap tussen leden van het team – cliënt, familie en hulpverleners – kan dit risico duidelijk verminderen, vooral het risico van 'splitting' als niet onderkende conflicten *in* de cliënt het team desorganiseren.

De waarde van samenwerking

De waarde van samenwerking en de risico's van geen samenwerking zijn duidelijk. Dellario (1985) toonde het verband aan tussen succesvolle rehabilitatieresultaten en interorganisationele schakels gebaseerd op relaties tussen stafleden. Een teambondgenootschap kan zich alleen in de loop der tijd vormen. Lowe en Herranen (1978) hebben een dergelijk proces beschreven (bekend raken met elkaar, vallen en opstaan, gemeenschappelijke besluiteloosheid, crisis en ontbinding) en spreken van "groei naar een optimaal functionerend team met flexibele, open communicatie, gedeelde verantwoordelijkheid in de besluitvorming en aangesproken kunnen worden op de taken van het team". Dit is het rehabilitatiebondgenootschap op teamniveau.

Bondgenootschappen kunnen eveneens ontwikkeld worden tussen cliënten en klinieken, en instanties en ziekenhuizen. Reider (1953) en Saferstein (1967) gebruikten de term 'institutionele overdracht' om deze relatie te beschrijven.

Sommige cliënten hebben hun voornaamste relaties met organisaties. Dat is zeker een effectieve manier om met het personeelsverloop om te gaan. Ook zullen sommige cliënten die moeite hebben met de intimiteit van één-op-één relaties het veiliger vinden zich te verhouden tot een instelling (Fox, 1973). Het begrip institutionele overdracht is aangewend om een positieve relatie te beschrijven. Dit betekent dat zich ook negatieve relaties tussen cliënt en instelling kunnen ontwikkelen, die het toegang krijgen tot potentieel nuttige diensten kunnen bemoeilijken. Familieleden en hulpverleners onderhouden ook relaties met instanties. Voor alle leden van het team is het van belang te beschikken over zorgvuldige, actuele informatie over de mogelijkheden en grenzen van organisaties waarvan men de diensten waarschijnlijk nodig heeft. Het team dient zich op de hoogte te stellen van de staf, de instellingsfilosofie, het beleid en de procedures, de reputatie et cetera, teneinde de nodige goodwill te bereiken.

Er bestaan ook vormen van institutionele tegenoverdracht. Instanties zijn geneigd zich negatief of positief op te stellen naar cliënten, zich soms baserend op objectieve feiten, maar meestal op subjectieve factoren. Potentiële cliënten roepen sympathie of antipathie op bij hun verschijning, hun geschiedenis of hun reputatie. De verwijzer doet er goed aan wat voorbereidend werk te doen voor zijn cliënten die nu eenmaal niet direct sterk staan. Dat overkomt ook cliënten die al met een bepaalde instantie van doen hebben. Sederer (1979) spreekt in dit verband van marktstrategie teneinde enige goodwill te kweken als 'oude bekenden' opnieuw worden verwezen. Gendel (1981), ten slotte, bespreekt het risico voor cliënten met een fiks aantal verwijzingen op zak, namelijk dat zij niet dezelfde belangstelling oproepen als degenen die voor het eerst zijn verwezen.

Het rehabilitatiebondgenootschap onder teamleden maakt het meer waarschijnlijk dat ze het werk kunnen volhouden en kunnen voortzetten, dat ze beter afscheid kunnen nemen van oud-deelnemers en nieuwe kunnen verwelkomen, dat zij tijdig verwijzen, dat zij het proces goed in de gaten zullen kunnen houden, zullen onderkennen en vieren wat is bereikt, en elkaar zullen steunen op ogenblikken van teleurstelling of tegenslag.

Het dienstverlenend netwerk

Deze discussie over het bondgenootschap zou onvolledig zijn zonder enige vermelding van de relaties tussen instanties, klinieken en ziekenhuizen. Om aan de behoeften van de meeste van onze cliënten adequaat tegemoet te kunnen komen, dienen er veelsoortige diensten beschikbaar te zijn. Deze diensten worden door een aantal GGz- en rehabilitatieprogramma's geboden, gewoonlijk onder auspiciën van verschillende instellingen. Opdat cliënten op de hoogte zijn van elkaar en elkaars programma, ontwikkelen verwijzers/hulpverleners netwerken en gecoördineerde diensten. Daarvoor overleggen en onderhandelen ze, en steunen ze elkaar. Teneinde een brug te slaan over de grenzen van elke instantie, is het fiat van het management onontbeerlijk. Open huis, een directeurenoverleg, samenwerkingslijnen, gezamenlijke training en onderlinge overeenkomsten kunnen zinvol zijn als er voldoende visie is en goodwill. Harding e.a. onderzochten een netwerk en constateerden dat "rigiditeit, isolement, compenserende ad hoc werkzaamheden en een smal referentiekader" ertoe dienden om onderdelen van het netwerk gescheiden te houden. Echter "vasthoudend, energiek personeel bedenkt vernuftige oplossingen om blokkades aan de grenzen tussen sectoren op te heffen en is in staat bondgenootschappen te ontwikkelen".

Arbeidsrehabilitatieprogramma's en -instanties – het zij nog eens onderstreept – behoren te worden opgenomen in dit netwerkbondgenootschap.

Conclusie

In deze bijdrage is het concept 'rehabilitatiebondgenootschap' onderzocht. Het kan overwogen worden in de één-op-één relatie tussen cliënt/gebruiker en hulpverlener, met betrekking tot een groep van mensen die gedurende enige tijd samenwerken, en met betrekking tot organisaties die GGz-hulp en rehabilitatiediensten aanbieden.

Het is gebaseerd op wederzijds vertrouwen, respect en serieuze doelen, en vergt tijd en inspanning om ontwikkeld en voortgezet te worden. Het is de basis voor hoop, motivatie en betrokkenheid in een geïndividualiseerd rehabilitatieproces dat bedoelt tegemoet te komen aan veelsoortige, unieke behoeften van mensen die herstellen van de beperkende gevolgen van een langdurige psychische ziekte. Hoe meer deze beginselen in praktijk worden gebracht, des te doeltreffender en persoonlijk bevredigend het werk zal zijn.

Literatuur

Beigler, J.S. (1952). Therapeutic ambition - handicap for counselors. *Journal of Rehabilitation*, 18(3), 9-11.

Bray, G.P. (1980).Team strategies for family involvement in rehabilitation. *Journal of Rehabilitation*, 46, 20-23.

Cubelli, G.E. (1967). Longitudinal rehabilitation - implications for rehabilitation counseling. *Professional Bulletin NRCA*, 7(6), 1-5.

Deegan, P.E. (1988). Recovery: The lived experience of rehabilitation. *Psychosocial Rehabilitation Journal*, XI(4), 11-20.

Dellario D.J. (1985). The relationship between mental health, vocational rehabilitation interagency functioning, and outcome of psychiatrically disabled persons. *Rehabilitation Counseling Bulletin*, 28, 167-170.

Foreman, S.A. & Marmar, C.R. (1985). Therapist actions that address initially poor therapeutic alliances in psychotherapy. *American Journal of Psychiatry*, 142(8), 922-926.

Fox, R.P. (1973). Therapeutic environments, a view of nondyadic treatment situations. *Archives of general Psychiatry*, 29, 514-517.

Gendel, M.H. & Reiser, D.E. (1981). Institutional countertransference. *American Journal of Psychiatry*, 138, 508-511.

Grinspoon, L. (1986). The care and treatment of schizophrenia Part II. *The Harvard Medical School Mental Health Letter*, 3(1), 1-5.

Gutheil, T.G. & Havens, L.L. (1979). The therapeutic alliance: Contemporary meanings and confusion. *Intern. Review of Psycho-Analysis*, 6, 467-481.

Harding, C.M., e.a. (1987). Work and mental illness: I. Toward an integration of the rehabilitation process. *Journal of Nervous and Mental Disease*, 175 (6), 317-326.

Harding, C.M. (1988). The outcome of schizophrenia. *The Harvard Medical School Mental Health Letter*, 3(1), 1-5.

Hatfield, A.B. (1979). The family as partner in the treatment of mental illness. *Hospital and Community Psychiatry*, 30, 338-340.

Jacobs, D.H., e.a. (1982). The neglected alliance: The inpatient unit as a consultant to referring therapists. *Hospital and Community Psychiatry*, 33 (5), 377-381.

Lamb, H.R. & Mackota, C. (1975). Vocational rehabilitation counseling: a 'second class' profession? *Journal of Rehabilitation*, 38, 21-23.

Lowe, J.I. & Herranen, M. (1978). Conflict in team work: Understanding roles and relationships. *Social Work in Health Care*, 3 (3), 323-330.

Malamud, T.J. & McCrory, D.J. (1988). Transitional employment and psychosocial rehabilitation. In J.A. Ciardiello & M.B. Bell (Eds.), *Vocational Rehabilitation of Persons with Prolonged Psychiatric Disorders*. Baltimore: Johns Hopkins University Press.

McCrory, D.J., e.a. (1982). The rehabilitation crisis: The impact of growth. *Journal of Applied Rehabilitation Counseling*, 11:136-139.

Reider, N. (1953). A type of transference to institutions. *Bull. Menninger Clinic*, 17, 58-63.

Ryan, E.R. (1988). The rehabilitation relationship: the case for a personal rehabilitation. In J.A. Ciardiello & M.B. Bell (Eds.), *Vocational Rehabilitation of Persons with Prolonged Psychiatric Disorders*. Baltimore: Johns Hopkins University Press.

Saferstein, S.L. (1967). Institutional transference. *Psychiatric Quarterly*, 41, 551-556.

Sederer, L. (1975). Psychotherapy patient transfer: Secondhand rose. *American Journal of Psychiatry*, 132, 1057-1061.

Stanton, A.H. & Schwartz, M.D. (1949). The management of a type of institutional participation in mental illness. *Psychiatry*, 12, 13-26.

Strauss, J.S. e.a. (1985). The course of psychiatric disorder III: Longitudinal principles. *American Journal of Psychiatry*, 142 (3), 289-296.

Vorspan, R. (1985). Staff member relationships in the clubhouse model. *The Fountain House Annual*, 3,1-4.

Webster's Encyclopedic Unabridged Dictionary of the English Language. (1989). New York: Portland House.

5. De Individuele Rehabilitatie Benadering

Een uiteenzetting van het technische aan de hand van casuïstiek
Hanneke Henkens en Els Luyten

De Individuele Rehabilitatie Benadering is gebaseerd op de rehabilitatietheorie van het Centrum voor Psychiatrische Rehabilitatie van de Boston Universiteit. Tussen alle rehabilitatiestromingen valt de IRB op door de zeer uitgebreide en stapsgewijze handleiding voor het gezamenlijk traject van een hulpverlener (in het vervolg: rehabilitatiewerker) en een cliënt. Deze bijdrage geeft in kort bestek een indruk van de inhoud van deze handleiding. De basisfilosofie van de IRB is dat mensen met psychiatrische beperkingen vaardigheden en hulpbronnen (steun, protheses) nodig hebben om in de omgeving van hun keuze te kunnen functioneren op een niveau dat henzelf en die omgeving tevreden stelt (Farkas & Anthony, 1989).

Drie fases in het rehabilitatieproces

Diagnostiek, Planning en Interventies, dat zijn de drie fases. De stappen van de handleiding zijn te herleiden uit de interventies. Deze bewegen zich op het terrein van vaardigheden (vaardigheidsles en stappenplan vaardigheidstoepassing) en op het terrein van hulpbronnen (hulp bij het creëren, hulp bij het verkrijgen, hulp bij het gebruiken). Vaardigheden zijn doelgerichte handelingen die blijvend in iemands gedragsrepertoire worden opgenomen. Hulpbronnen zijn mensen, plaatsen of activiteiten waar cliënten steun aan ontlenen.

Om er achter te komen welke interventies nodig en wenselijk zijn, wordt eerst een uitgebreide diagnostiek gedaan (functionele diagnostiek en hulpbronnen diagnostiek). De benodigde vaardigheden en hulpbronnen die hieruit voortkomen, worden bepaald door de unieke combinatie van een bepaalde cliënt en een bepaalde omgeving. Daarom moeten deze gewenste omgeving en de rol van de cliënt daarin eerst bekend worden. Dit gebeurt via het stellen van een rehabilitatiedoel. Bij twijfel of de cliënt op dit moment toe is aan een dergelijk rehabilitatieproces, kan eerst de doelvaardigheid worden besproken en eventueel ontwikkeld.

Onderstaand bespreken we deze hoofdstappen (zie ook figuur 1) uitgebreider aan de hand van 'het resultaat' en 'het proces' van elke stap.

'Resultaat' verwijst naar de uiteindelijke uitkomst van de te nemen stap, met andere woorden 'datgene wat de cliënt en de rehabilitatiewerker in die stap trachten vast te stellen'. 'Proces' verwijst naar hoe de cliënt en de rehabilitatiewerker te werk gaan.

Figuur 1: Stapsgewijze handleiding IRB

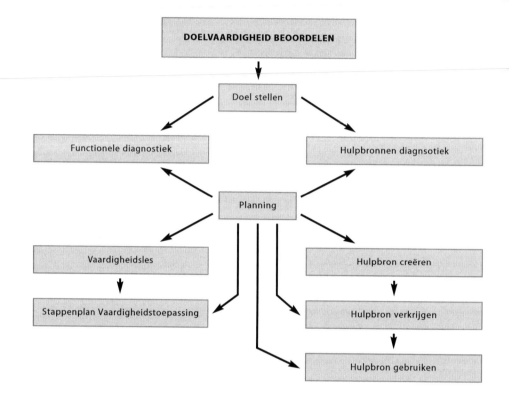

DIAGNOSTIEK

Het beoordelen van de doelvaardigheid

Resultaat: Het beoordelen van de doelvaardigheid leidt tot gezamenlijke kennis en inzicht over de mate waarin de cliënt toe is aan een verandering op het gebied van wonen, werken, daginvulling, leren/ontwikkeling of het hebben van sociale contacten. Cliënt en rehabilitatiewerker besluiten op grond van het doelvaardigheidsprofiel of er een rehabilitatieproces in gang gezet wordt of dat eerst een strategie gekozen wordt om de doelvaardigheid te verhogen.

Anthony zegt over doelvaardigheid: "Readiness is a reflection of interest in rehabilitation, not the capacity to succesfully complete a rehabilitation program. It is to help people understand enough about themselves and their recovery so that they perceive change as desirable and achievable."

Proces: Rehabilitatiewerker en cliënt bespreken een aantal op de toekomst georiënteerde thema's die leiden tot een doelvaardigheidsprofiel. Ontevredenheid kan bijvoorbeeld voor de cliënt aanleiding zijn om een verandering te overwegen. Ook kan externe druk de cliënt tot nadenken zetten over zijn toekomst. De rehabilitatiewerker bespreekt met de cliënt of er dergelijke redenen zijn om een verandering te overwegen (de noodzaak). Wanneer cliënt, hulpverlener(s) en relevante anderen tevreden zijn, is er geen aanleiding om verder te gaan met het rehabilitatieproces. Noodzaak alleen is echter niet voldoende om een veranderingsproces in te gaan. Iemands toewijding (de inzet) om met de situatie bezig te zijn is minstens zo belangrijk. Mensen zullen meer inzet hebben wanneer zij verwachten: 1) dat verandering positief zal uitpakken; 2) dat ze verandering aankunnen; 3) dat verandering ondersteund wordt; 4) dat verandering wenselijk is. Inzet hangt dus sterk samen met toekomstverwachtingen.

Ook gaat de rehabilitatiewerker na of de cliënt door hem of haar begeleid wil worden en welke manier van begeleiden het best bij de cliënt past (de begeleidingsbehoefte). Het onderzoek naar de begeleidingsbehoefte geeft ook aan op welke manier deze cliënt geneigd is contact te zoeken. De rehabilitatiewerker kan zijn contactstijl hierop aanpassen. Ten slotte wordt het inzicht van de cliënt in zijn eigen interesses en in mogelijke alternatieven besproken (identiteits- en omgevingsbesef).

Casuïstiek:

De voorbereiding

Henk is een 29-jarige man. Zijn eerste opname vond plaats toen hij achttien jaar was en sinds die tijd is hij eigenlijk zonder onderbreking opgenomen, zij het wel steeds in andere instituten.

Momenteel is hij sedert een jaar opgenomen op een rehabilitatieafdeling. Dit is een afdeling waar cliënten maximaal twee jaar kunnen verblijven.

Het afgelopen jaar is veel tijd gaan zitten in het opbouwen van een band. In eerste instantie wilde Henk vooral met rust gelaten worden. Hij reageerde uitermate geprikkeld op iedere vraag over de toekomst. Hij is ook bijzonder gesteld op zijn privacy. De huishoudelijk medewerkster is regelmatig met hem in aanvaring gekomen over corveetaken. Zijn slaapkamer werd vaak tegen zijn zin in schoongemaakt, omdat hij hierover niet tot afspraken kon komen en zelf niet kon voldoen aan de normen van de huishoudelijk medewerkster en het afdelingshoofd. Door regelmatig een uurtje met Henk achter de spelcomputer te kruipen en ondertussen langs de neus weg een aantal dingen te vragen, lukte het de persoonlijk begeleider (pb-er) van Henk om enig zicht te krijgen op hoe Henk het één en ander ervoer.

Uiteindelijk is het de pb-er gelukt om met Henk, de huishoudelijk medewerkster en het afdelingshoofd afspraken te maken over het onderhoud van de kamer. Uit de onderhandeling kwam de volgende deal:

- *Henk kreeg een eigen slot op de deur waarvan alleen nog een sleutel in kantoor hing voor het geval er sprake was van een echte levensbedreigende calamiteit. Dit betekende dat Henk voortaan gevrijwaard bleef van ongewenst bezoek van de technische dienst en dergelijke.*

- *Het afdelingshoofd in de rol van 'huisbaas' kwam eens in de drie weken met toestemming van Henk diens kamer controleren. Voorafgaand aan dat bezoek hadden Henk en zijn pb-er poetsmiddag. Als de staat van de kamer daarom vroeg kreeg Henk een week de tijd om zaken alsnog in orde te maken. De afspraak was dat als dit niet gebeurde het afdelingshoofd aan de huishoudelijk medewerkster toestemming gaf de kamer in orde te maken.*

Door het naar volle tevredenheid bemiddelen bij deze deal verbeterde het contact tussen pb-er en Henk met sprongen. Henk begon wat meer te vertellen over zijn droom: een eigen plek en hoe hij dit voor zich zag.

Het doelvaardigheidsprofiel

De pb-er maakte van het betere contact gebruik om Henk uitleg te geven over het doel-vaardigheidsprofiel. Hij maakte ook aan Henk duidelijk dat het op deze afdeling zo onder-hand wel verwacht werd dat er eens iets op papier kwam. Henk stemde toe in het maken van een profiel.

In principe vindt Henk de afdeling waar hij nu verblijft beter dan alle afdelingen waar hij tot nu toe geweest is. Er wordt hier niet al te veel aan zijn hoofd gezeurd en hij kan rede-lijk zijn eigen gang gaan. Ergens vindt hij het jammer dat hij hier maar maximaal twee jaar kan blijven. Hij is zich erg bewust dat het feit dat hij praktisch niet buiten komt hem beperkt in zijn keuze mogelijkheden voor 'hierna'. Hij heeft er dan ook geen idee over. Hij heeft vooral negatieve ervaringen met APZ-en en gezien zijn 'buitenangst' ziet hij zich nog niet in een RIBW wonen. Kortom, hij is huiverig voor een verandering. Wat hem stoort aan zijn huidige omgeving is het gebrek aan zeggenschap over met wie hij in een huis woont, en het feit dat er een aantal keren per week eten uit de keuken komt. Henk kookt liever zelf, desnoods voor de hele groep, maar dan is het in ieder geval eetbaar.

Door diens bemiddeling rondom corveetaken heeft Henk weer meer vertrouwen gekregen in zijn pb-er. Hij wil dan ook wel met hem gaan kijken naar andere woonmogelijkheden. Henks ouders zijn erg betrokken bij het wel en wee van hun zoon. Henk denkt dat hij altijd op hen kan terugvallen en verwacht van hen steun voor elke beslissing die hij over zijn toe-komst neemt. De behandelend psychiater denkt dat Henk niet zoveel anders zal gaan func-tioneren in de toekomst en dringt aan op de aanmelding bij een woonafdeling.

Het stellen van een rehabilitatiedoel

Resultaat: Het stellen van een doel biedt de cliënt een aantal ervaringen op grond waarvan hij een weloverwogen keus kan maken voor een specifieke omgeving om in te wonen, wer-ken, leren of recreëren. Een rehabilitatiedoel heeft altijd betrekking op de intentie om in de toekomst een bepaalde rol te vervullen in een specifieke omgeving. Het kan hierbij gaan om het behouden of het verkrijgen van een rol in een omgeving.
Voorbeelden van rehabilitatiedoelen zijn:
- Ik ben van plan om per 1 juli 2000 te gaan werken als vrijwilliger bij de stadsbibliotheek.
- Ik ben van plan om de komende twee jaar te blijven wonen in mijn eigen flat met ondersteuning van Begeleid Zelfstand Wonen.

Proces: Mensen kunnen pas echt kiezen voor een bepaalde omgeving (een doel kiezen) als ze weten wat ze belangrijk vinden (persoonlijke criteria opsporen) én als ze geïnformeerd zijn over de mogelijkheden (alternatieve omgevingen beschrijven).
Persoonlijke criteria zijn maatstaven op grond waarvan de cliënt verschillende omgevingen beoordeelt. Voorbeelden van criteria zijn: goede bereikbaarheid, leuke collega's, lichte ruim-tes. De criteria komen voort uit de basale waarden die iemand heeft meegekregen en ont-wikkeld, zijn ervaringen in het verleden en zijn wensen ten aanzien van de toekomst.
Alternatieve omgevingen zijn de verschillende mogelijkheden waaruit de cliënt kan kiezen. Een goede beschrijving geeft een nauwkeurig beeld van hoe een omgeving er uit ziet, met wat voor mensen een cliënt er te maken krijgt en wat er de activiteiten en verplichtingen zijn. Omgevingen die volledig voldoen aan de persoonlijke criteria van de cliënt komen echter weinig voor. Door de geschiktheid van de omgevingen te toetsen aan de criteria komen de rehabilitatiewerker en de cliënt tot een afgewogen en geïnformeerde keuze.

Casuïstiek:

Doel stellen

In het kader van onderzoek naar alternatieve omgevingen wordt info opgevraagd over het APZ in Henks regio van herkomst. Dit APZ biedt diverse mogelijkheden, van wonen op het terrein of aan de rand van het terrein tot sociowoningen in de stad. Voor de laatste twee mogelijkheden gelden nogal wat regels rond drankgebruik, corvee (waaronder boodschappen doen) en groepsgesprekken. Begeleiding is wisselend geregeld per woonvorm, van zestien uur per week aanwezigheid van personeel tot begeleiding op afstand met een aantal uren hulp bij koken en dergelijke. De eerste afdeling is een besloten afdeling; de deur daarvan kan eventueel op slot. Henk is eerder in dit instituut opgenomen geweest en vond het er afschuwelijk. Het betrof toen een opnameafdeling.

Er wordt tevens informatie opgevraagd bij de RIBW, zowel in de huidige regio als in de regio van herkomst. In de regio van herkomst bestaat de RIBW uit een aantal groepswoningen, wisselend van drie tot twaalf personen op diverse locaties. Iedere groep runt zelf het huishouden, inclusief boodschappen doen. De begeleidingsintensiteit wisselt per huis. Bij de RIBW in de huidige regio zijn ook diverse groepswoningen. Tevens is er een complex van HAT-eenheden met een gemeenschappelijke ruimte op iedere verdieping die door tien mensen gedeeld wordt. Hoewel iedere HAT-eenheid over een eigen keukenblok beschikt, bestaat de mogelijkheid om gezamenlijk in de groepsruimte te koken. Bij deze RIBW is het de gewoonte dat de bewoners de gewenste begeleiding en hulp 'inkopen' van een budget. Voor een groepswoning betekent dit dat de bewoners hierover in onderling overleg tot overeenstemming moeten komen.

De volgende stap is dat Henk en pb-er in gesprek gaan over de persoonlijke criteria van Henk. Een aantal ervan zijn overduidelijk: grote privacy, veel zeggenschap (over huisregels, medebewoners), veel controle, eigen kamer, voldoende kookgelegenheid, jonge medebewoners. Bij het praten over de medebewoners werd ook duidelijk dat Henk heel graag een eigen plek wilde, maar toch niet helemaal alleen wilde wonen. Aangezien hij door zijn buitenangst vooral was aangewezen op autovervoer met anderen, wilde hij ook graag inpandig de mogelijkheid om anderen te ontmoeten.

Eigenlijk is het bij voorbaat volkomen duidelijk: Henk zou alles ervoor geven om in het Hat-complex van de RIBW te mogen wonen. Alles, behalve het opgeven van zijn buitenangst. Zijn pb-er kent de plaatselijke manager van de RIBW goed. Hij praat met hem over 'casus Henk'. De manager van de RIBW laat zich overhalen tot een oriënterend driegesprek. Dit vinden Henk en zijn pb-er zo hoopvol, dat ze besluiten het doel vast te stellen op 'Ik wil per 1 januari 2001 wonen in het HAT-complex van de RIBW, met nader in te vullen begeleiding'.

Functionele- en hulpbronnen diagnostiek

Resultaat: Het vervolg van de diagnostiek helpt cliënt en rehabilitatiewerker aan een gezamenlijke lijst van onmisbare vaardigheden en hulpbronnen die de cliënt nodig heeft om met succes en naar tevredenheid te kunnen functioneren in de doelomgeving. Door het doen van diagnostiek wordt duidelijk in hoeverre de cliënt reeds beschikt over en gebruikt maakt van deze vaardigheden en hulpbronnen.

Proces: Het achterhalen van de onmisbare vaardigheden gebeurt door na te gaan wat de omgeving van de cliënt verwacht om succesvol te zijn en wat de cliënt zelf moet doen om tevreden te zijn. Daartoe worden de impliciete en expliciete omgevingseisen achterhaald en wordt nagegaan door welk gedrag de cliënt vervelende gebeurtenissen kan voorkomen. De verwachtingen en eisen worden geïndividualiseerd door ze voor de cliënt om te zetten in doelgerichte en effectieve vaardigheden. Om bijvoorbeeld aan de omgevingseis 'het nakomen van afspraken' te voldoen kan voor de ene cliënt de vaardigheid 'activiteiten plannen' onmisbaar zijn en voor de andere cliënt de vaardigheid 'de vertrektijd bepalen'.

Vaardigheden worden omschreven als actieve handelingen en kunnen een verstandelijke (moment kiezen), een emotionele (mening uiten) of een meer fysieke (koffie schenken) oriëntatie hebben. Belangrijk is dat cliënt en rehabilitatiewerker elke vaardigheid zo omschrijven dat duidelijk is wat de cliënt doet als hij de vaardigheid uitoefent, wanneer hij dit doet en hoe vaak hij de vaardigheid nodig heeft. De vaardigheid 'activiteiten plannen' zou voor een specifieke cliënt omschreven kunnen worden als: 'het aantal keren per week dat ik na het ontbijt op een rijtje zet wat ik die dag te doen heb'.

Het beoordelen van de vaardigheden brengt aan het licht of de cliënt een vaardigheid in voldoende mate beheerst, de vaardigheid alleen met aansporing uitvoert of de vaardigheid helemaal niet in zijn handelingsrepertoire heeft. Hieruit is direct de benodigde interventie af te leiden. Bij een vaardigheid die niet in het handelingsrepertoire van de cliënt zit, hoort de interventie 'vaardigheidsles'. Wanneer de vaardigheid wel in het repertoire zit maar niet voldoende of niet zonder aansporing wordt toegepast, is de interventie 'stappenplan vaardigheidtoepassing maken' aangewezen.

De hulpbronnendiagnostiek volgt dezelfde stappen als de functionele diagnostiek. Hulpbronnen zijn mensen, plaatsen, activiteiten of dingen, die door de cliënt als steunend worden ervaren bij het zich staande te houden in de doelomgeving. Bij hulpbronnendiagnostiek wordt vanuit de eisen van de omgeving en de eisen van de cliënt bekeken welke ondersteuning onmisbaar is. Om niet te vervallen in alleen maar bekende hulpbronnen is een brainstormactiviteit onontbeerlijk. In deze brainstorm worden de mogelijkheden breed en onbevangen bekeken. Cliënt en rehabilitatiewerker bespreken hoe de ondersteuning er inhoudelijk uitziet en wat de gewenste frequentie en omvang van de ondersteuning is. Mogelijke aanbieders worden geïnventariseerd. Tenslotte volgt een beoordeling op de feitelijke aanwezigheid en eventueel op de mate van actueel gebruik van de hulpbronnen.

Casuïstiek:

Functionele en hulpbrondiagnostiek

Henk en pb-er besluiten verder te gaan met de diagnostiek. Ze nemen dit ook mee in het gesprek met de RIBW.

Verrassend genoeg maakt de RIBW-manager helemaal geen punt van het feit dat Henk zo weinig buiten komt. Hij zegt hierover: 'Dat betekent dus dat je iemand moet vinden die je wil helpen met boodschappen doen.' Hij lijkt wel allerlei beren op de weg te zien wat betreft het schoonhouden van het appartementje. Hij zegt hierover: 'Je denkt toch niet dat ik zin heb om elke drie weken te komen controleren of je de boel hebt opgeruimd?' Al met al is de boodschap: zorg dat het onderhoud goed geregeld is en je bent welkom.

Henk begint nu echt enthousiast te worden. Hij wil graag een keer met zijn ouders erbij om de tafel. Deze zijn ook helemaal in voor het plan. Ze zeggen toe om, net zoals ze dat nu doen, zorg te blijven dragen voor Henks kleding en haardracht. Blijven er wat de woning betreft twee problemen over: de dagelijkse boodschappen doen en het kameronderhoud. Na lang soebatten gaat Henk akkoord met het feit dat de gespecialiseerde thuiszorg gevraagd zal

worden om iedere twee weken zijn huis te doen. Ze spreken verder af dat ze zullen proberen om via het zogenaamde Maatjesproject iemand te vinden om iedere week boodschappen te doen met Henk. Ook willen ze dit nog een keer voorleggen aan de begeleiding van de RIBW. Henks ouders zeggen toe uit te zoeken of het in deze regio inmiddels mogelijk is om via internet boodschappen te bestellen.
De pb-er heeft ook nog een belangrijk punt. Het is hem opgevallen dat Henk bij conflicten in huis zich steeds meer terugtrekt en dat als hij wel in de huiskamer komt de neiging heeft om nogal onvoorspelbaar gedrag te vertonen, wat door huisgenoten als bedreigend wordt ervaren. Henk herkent dit wel, al zegt hij dat het niet zijn bedoeling is anderen bang te maken. Hij is dan gewoon zelf hartstikke bang. Hij erkent dat hij meer psychotische symptomen ervaart op zo'n moment. De pb-er struikelt vooral over het feit dat Henk zelf nooit iets aangeeft over oplopende spanning. Er moet eerst iets voorvallen waarna de pb-er het gesprek met Henk kan 'openbreken', waarna de spanning meestal ook snel uit de wereld is te helpen. Na enig heen en weer gepraat komen ze erop uit dat het goed zou zijn als Henk in staat zou zijn om zijn eigen signalen van meer spanning eerder zou herkennen en zou bespreken. Besloten wordt dat hij om dit te leren de Libermantraining: 'symptom management' zal volgen. Zijn pb-er zegt toe hem voor de duur van de training naar de trainingslocatie te brengen.

PLANNING

Resultaat: De cliënt en de rehabilitatiewerker maken een rehabilitatieplan (figuur 2). Alle eerder verkregen informatie wordt hierin opgenomen. Het rehabilitatiedoel van de cliënt is leidraad voor dit plan en staat dan ook bovenaan genoteerd. In tegenstelling tot begeleidings- en behandelplannen is een rehabilitatieplan altijd het plan van de cliënt. De onmisbare vaardigheden en hulpbronnen met de bijbehorende interventies worden in volgorde van belangrijkheid in het plan opgenomen. Bovendien staan er namen in van hulpverleners die een deel van de uitvoering van het plan op zich nemen en wordt een planning voor de uitvoering opgenomen.

Proces: Allereerst is het belangrijk prioriteiten te stellen: welke interventies worden eerst uitgevoerd. Vaak zal er op meerdere gebieden een interventie nodig zijn en kan niet alles tegelijk aangepakt worden. Om tevreden en succesvol te kunnen zijn in een bepaalde omgeving zijn er twee opties: het beheersen van een vaardigheid of het gebruiken van een hulpbron. Interventies zijn ofwel op het ene aspect of op het andere aspect gericht. Zo kan iemand de vaardigheid 'maaltijd koken' nodig hebben of de hulpbron 'iemand die mij 2x per week een warme maaltijd brengt'. De interventies kunnen dus onderling inwisselbaar zijn. Soms is een tijdelijke hulpbron nodig, wanneer een cliënt de vaardigheid nog niet beheerst of druk bezig is een andere vaardigheid onder de knie te krijgen. Prioriteiten worden gesteld aan de hand van vier criteria: de mate van urgentie, de mate waarin de cliënt gemotiveerd is, de mate waarin de cliënt denkt dat de interventie kans van slagen heeft en de mate waarin de cliënt ondersteuning ervaart. Een belangrijke vraag is wie de gewenste interventie zal uitvoeren. De cliënt en de rehabilitatiewerker kunnen hier anderen bij inschakelen. Vaak zal dit het geval zijn wanneer andere professionals meer gespecialiseerd zijn op het gebied van het ontwikkelen van vaardigheden (b.v. trainers) of hulpbronnen (b.v. casemanagers). Ook is het van belang af te spreken hoe de voortgang in de uitvoering van het plan gevolgd wordt. De rehabilitatiewerker kan de cliënt ondersteunen bij deze monitoring.

Casuïstiek:

Figuur 2: Rehabilitatieplan

Naam Cliënt: Henk
Datum: *12 januari 2000*
Rehabilitatiedoel: *Ik wil per 1 januari 2001 gaan wonen in het HAT-complex van de RIBW*

ONMISBARE VAARDIGHEDEN EN HULPBRONNEN	INTERVENTIE	VERANT-WOORDELIJK	BEGINDATUM		EINDDATUM		HAND-TEKE-NING
			PLAN	ECHT	PLAN	ECHT	
Signaleringsplan hanteren: Henk maakt in 90% van de keren dat hij te veel stress ervaart en waarschuwings-signalen krijgt een afspraak met zijn pb-er om dit te bespreken.	Vaardigheidsles	Liberman-trainer en Henk	1 feb. 2000		1 aug. 2000		
Maatjesprojectvrij-williger: Henk doet 1x per week bood-schappen met een vrijwilliger van het Maatjesproject	Hulp bij het verkrijgen	Rehabilitatie-werker en Henk	Mrt. 2000				
Specialistische thuiszorg	Hulp bij het gebruiken	Rehabilitatie-werker en Henk	Dec. 2000		Jan. 2001		

Plan is gemaakt door:...

Handtekening cliënt: Handtekening rehabilitatiewerker:
....

INTERVENTIES

Vaardigheden

Resultaat: Door vaardigheidslessen en het maken van stappenplannen voor vaardigheids-toepassing wordt het vermogen van de cliënt om onmisbare vaardigheden toe te passen vergroot. Hiermee krijgt hij dus meer specifieke gedragingen tot zijn beschikking die zijn succes en tevredenheid in een omgeving verbeteren. Vaardigheidsinterventies in de IRB zijn op het individu toegesneden interventies: iemand leert daadwerkelijk datgene (toe-passen) wat hij nodig heeft in zijn doelomgeving. Hij leert niets meer en niets minder.

Proces: Het maken van een vaardigheidsles is een activiteit van de rehabilitatiewerker. Deze maakt een schets van de inhoud waarin staat wat nu precies geleerd gaat worden. Hij bereidt ook de les(sen) gedegen voor door het maken van een lesplan waarin precies staat hoe de rehabilitatiewerker de vaardigheid aan de cliënt gaat leren. Het lesplan is individueel, toegesneden op het doel van deze ene cliënt. Het resultaat van de vaardigheidsles is dat de cliënt de vaardigheid beheerst. Vervolgens dienen cliënt en rehabilitatiewerker een plan te maken voor het toepassen van de nieuw geleerde vaardigheid in de realiteit (stappenplan vaardigheidstoepassing). De cliënt dient immers de vaardigheid in de doelomgeving te kunnen gebruiken. Het stappenplan bevat een reeks van activiteiten waardoor de cliënt leert de vaardigheid op een goede manier, op het juiste moment en in de gewenste frequentie toe te passen. Deze interventie wordt ook gebruikt wanneer de cliënt een vaardigheid wel beheerst, maar niet of niet in voldoende mate toepast in de doelomgeving.

Casuïstiek

Vaardigheidsles
Tijdens de diagnostiekfase is afgesproken dat de pb-er Henk zou aanmelden voor de training 'Omgaan met psychotische symptomen'. Strikt genomen is deze training geen vaardigheidsles in de zin van de IRB. Het betreft hier immers een gestandaardiseerde groepstraining. Toch wordt daar in dit geval vanwege efficiency-overwegingen voor gekozen. In een voorgesprek geeft de pb-er Henk een inhoudsschets mee om het verband tussen de training en Henks persoonlijk gewenste vaardigheid 'Signaleringsplan hanteren' zo duidelijk mogelijk te maken.

Inhoudsschets
Vaardigheid: *Signaleringsplan hanteren*
Omschrijving vaardigheid: *Signaleringsplan hanteren betekent dat Henk zijn pb-er belt wanneer hij te veel stress ervaart en waarschuwingssignalen krijgt.*
Nut: *Als Henk zijn pb-er belt, kunnen ze samen duidelijk krijgen wat de oorzaak van de stress is.*
Deelgedragingen: *Waarschuwingssignalen herkennen (vaardigheidsdomein 1 Liberman). Omgaan met waarschuwingssignalen (vaardigheidsdomein 2 Liberman).*
Omstandigheden: *Als Henk alleen in zijn HAT is.*

Hulpbronnen

Resultaat: De interventies op het gebied van hulpbronnen leiden ertoe dat de cliënt de onmisbare hulpbronnen tot zijn beschikking heeft en er gebruik van maakt. Niet bestaande hulpbronnen worden gecreëerd, bestaande hulpbronnen worden toegankelijk gemaakt en problemen in het gebruiken van de hulpbronnen worden opgelost. Hulpbroninterventies richten zich dus op het treffen van aanpassingen in de omgeving van de cliënt om deze omgeving zo geschikt mogelijk te maken. Grof gezegd richten vaardigheidsinterventies zich op het veranderen van het individu, zodat deze op adequate wijze leert omgaan met de omgeving. Hulpbroninterventies richten zich op het veranderen van de omgeving, zodat deze de gewenste steun kan leveren aan het individu.

Proces: De rehabilitatiewerker stelt zich bij het creëren van hulpbronnen op als belangenbehartiger van de cliënt. Dit kan op individueel niveau in de vorm van rechtsbescherming of op collectief niveau, wanneer blijkt dat meerdere cliënten in problemen raken door het ontbreken van de hulpbron. Iets nieuws ontwikkelen loont zich des te meer als er meerdere cliënten behoefte aan hebben.

Vaker komt het voor dat hulpbronnen wel bestaan, maar niet toegankelijk, niet aangepast zijn aan de cliënt. Hulp bij het verkrijgen van de hulpbron is dan op zijn plaats. De rehabilitatiewerker en de cliënt dienen zich dan te verdiepen in de bezwaren van een bepaalde dienstverlener om de cliënt toegang te geven tot de dienst of hulpbron. Gezamenlijk bedenken ze een strategie om tegemoet te komen aan deze bezwaren. Bijvoorbeeld door bezwaren te weerleggen of er iets positiefs tegenover te stellen, zoals extra steun door de rehabilitatiewerker. Ook zetten de rehabilitatiewerker en de cliënt de sterke kanten van de cliënt op een rijtje, met andere woorden: de voordelen voor de dienstverlener van het toelaten van de cliënt. Op die manier gaan de cliënt en de rehabilitatiewerker goed voorbereid het gesprek met de beoogde dienstverlener in, met als doel tot overeenstemming te komen over het gebruik van de hulpbron.

De derde hulpbroninterventie, 'hulp bij het gebruiken', richt zich op het verbeteren van het gebruik van een bestaande hulpbron. Daartoe worden de hindernissen die de cliënt ervaart en wordt een stappenplan ontwikkeld om het gebruik te verbeteren.

Interventies op het gebied van hulpbronnen zijn meestal systemisch van aard. Er zijn altijd meer personen dan de rehabilitatiewerker en de cliënt alleen bij betrokken. Er is sprake van een driehoeksrelatie tussen cliënt, rehabilitatiewerker en de persoon die de hulpbron verleent. Meer dan in de andere onderdelen van de IRB komen rehabilitatiewerker en cliënt anderen tegen die betrokken raken bij het rehabilitatieproces van de cliënt. Die anderen kunnen professionele hulpverleners zijn, maar ook mensen uit het sociale netwerk van de cliënt of vrijwilligers.

Casuïstiek

De vrijwilligers van het Maatjesproject zijn mensen die 'iets gezelligs' doen met de cliënt. In dit geval wordt bewust naar iemand gezocht die bereid is op een vaste basis boodschappen te doen met de Henk. De pb-er heeft hiertoe samen met Henk een gesprek met de coördinator van het Maatjesproject. Die ziet hier geen enkel probleem in en zal bij nieuwe aanmeldingen van vrijwilligers aan Henk denken.

Specialistische thuiszorg is er voor mensen zoals Henk. De hindernis bij het gebruik maken van deze dienst is Henks schaamtegevoel. Hij kan het moeilijk verkroppen dat een ander zijn zooi moet opruimen, terwijl hij gewoon twee armen en benen heeft. Nadat deze hindernis als zodanig is benoemd, is hij eigenlijk ook meteen de wereld uit.

Tot slot

Kort en bondig hebben wij getracht de techniek van de Individuele Rehabilitatie Benadering te beschrijven. Dat het geheel op een aantal pagina's past, bevreemd ons niet echt. Diepzeeduiken, op zoek naar de details in de onderstroom van deze benadering, hebben we achterwege gelaten. Alhoewel interessant, zou dat te veel details opleveren.

Wel moet ons van het hart dat we - terugkijkend - ons realiseren dat de beschrijving, alhoewel onvermijdelijk in deze opzet, erg technisch en rechtlijnig oogt. Wellicht was dat voor ons de enige manier om de stappen te beschrijven. We hebben ons moeten beperken tot de hoofdlijnen. Daarmee is een belangrijk deel verloren gegaan: de nuances en zijpaden die voor diegene die de benadering kennen juist zo aantrekkelijk zijn.

Wij kennen de worsteling in de praktijk, waar stap 1 niet zo makkelijk vervolgd wordt door stap 2. Toch hebben we ervaren, dat de IRB een welkom perspectief is voor ons handelen als rehabilitatiewerker. En dan bedoelen we óók de technische stappen zoals we ze beschreven hebben. Het tot in de finesses beheersen van de techniek is een noodzakelijke voorwaarde om een goede rehabilitatiewerker te kunnen zijn. Het zijn onmisbare vaardigheden. Wat we ook gemerkt hebben, is dat het beheersen van de techniek geen voldoende voorwaarde is voor het werk als rehabilitatiewerker. Hier willen we met nadruk wijzen op het belang van betrokkenheid en solidariteit met de cliënt, zoals dat onder andere door McCrory is uitgewerkt in hoofdstuk 4 van dit boek. Alhoewel hier het hart spreekt, is deze attitude ook in vaardigheden uit te drukken. En zelfs die zet de IRB voor ons op een rijtje. Het gaat dan om de vaardigheden in de module 'een band scheppen' en de vaardigheden in de module 'de cliënt coachen'. De IRB is wat ons betreft een noodzakelijk hulpmiddel voor het op een goede manier combineren van de dimensies van attitude en techniek. De bejegening van de cliënt staat voorop, maar niet zonder hem een stapje verder te helpen in het geleidelijk zichtbaar maken van diens zelf verkozen nieuwe levenslijn.

Literatuur

Anthony, W.A. & Spaniol, L. (Eds.) (1994). *Readings in Psychiatric Rehabilitation*. Boston: Center for Psychiatric Rehabilitation.

Buccifero, D.J., Sheets, J.L. & O'Brien, W.F. (1991). *Intensive Psychiatric Rehabilitation programs, a description of services*. Albany: OMH New York State.

Buccifero, D.J., Sheets, J.L. & O'Brien, W.F. (1991). *Intensive Psychiatric Rehabilitation Treatment: an outpatient program*. Albany: OMH New York State.

Farkas, M. & Anthony, W.A. (1989). *Psychiatric Rehabilitation Programs*. Baltimore: The John Hopkins University Press.

Henkens, A.C.M. & Tammes, A. (1997) *Activiteitenbemiddeling volgens de Individuele Rehabilitatie Benadering*. Rotterdam: Stichting Rehabilitatie '92.

6. Rehabilitatiegericht omgaan met psychiatrische problematiek

Jos Dröes

Rehabilitatie richt zich op de gezonde aspecten van het individu. Door deze te versterken worden ziekte, symptomen en lijden minder dominant. Toch blijft de psychiatrische problematiek niet zelden nadrukkelijk aanwezig. Daarom dient een rehabilitatiemethodiek ook aandacht te besteden aan de manier waarop met de psychiatrische problematiek wordt omgegaan.

Een rehabilitatiegerichte manier van omgaan met psychiatrische problematiek houdt in dat behandelaar en begeleider in het contact met hun cliënten zoveel mogelijk normale bejegeningswijzen gebruiken. Wanneer dit niet lukt wordt een gericht gebruik gemaakt van concepten als functiestoornissen en ziektebeelden.

Dit artikel geeft op een praktische manier aan hoe behandelaar en rehabilitatiewerker een overinclusief gebruik van begrippen als ziekte en functiebeperking vermijden.

Psychiatrische problematiek

Vanouds wordt psychiatrische problematiek beschreven in ziektebeelden: een toestandsbeeld (dat is opgebouwd uit symptomen) en de ontwikkeling van dit toestandsbeeld in de tijd (het verloop). Wanneer je te maken krijgt met een cliënt die zich vreemd gedraagt en allerlei stoornissen in het praktisch functioneren vertoont, stel je een lijstje van mogelijke ziektediagnosen op en ga je aan de slag om te zien welke diagnose het beste past bij de stoornissen die je waarneemt. Het voordeel van een dergelijke beschrijving is dat storende afwijkingen in de communicatie, functiestoornissen, ziektesymptomen en hun verloop in één kader worden gevat en dat dit kader een samenhangende behandeling mogelijk maakt. Het nadeel is dat situatieve gedragsproblemen, functiestoornissen die weinig met de ziekte te maken hebben en persoonlijke reacties op levensgebeurtenissen (inclusief copinggedrag ten aanzien van de ziekte) ten onrechte als symptomen van de ziekte kunnen worden opgevat. Ziektemodellen worden al gauw overinclusief gebruikt. Dit wil zeggen dat er allerlei verschijnselen mee verklaard worden die weinig met de ziekte te maken hebben.

In een rehabilitatiegerichte werkwijze wordt daarom op een andere manier gekeken naar de samenhang tussen storende afwijkingen, psychische functiestoornissen en ziektebeelden.

In plaats van meteen te zoeken naar de juiste ziektediagnose ga je eerst na of er op gedragsniveau een gewone, niet ziektekundige, beschrijving van het gedrag mogelijk is, en of je daarop met gewone bejegeningen kunt reageren. Wanneer je er op die manier niet uitkomt, kijk je of er functieverstoringen zijn waarmee je iets kunt doen. Gestoorde functies kun je behandelen, trainen of compenseren. Wanneer die benadering ook geen soelaas biedt, kijk je of het gebruik van een ziektediagnose de weg wijst naar een werkzame therapie.

In een rehabilitatiegerichte denkwijze zoek je dus steeds naar de meest normale verklaring en gebruik je het ziektebegrip zo terughoudend en zo specifiek mogelijk (Dröes, 2000).

In dit artikel kunnen niet alle storende afwijkingen, functiestoornissen en ziektebeelden behandeld worden. Er is daarom gekozen voor een opsomming van storende afwijkingen, functiestoornissen en ziektebeelden (in figuur 1-3) en voor een casus waarin het gebruik van deze begrippen en de omgang ermee wordt geïllustreerd (in de tekstkaders).

Casus: Kees

Kees is een man van vijfendertig jaar die al een aantal jaren verblijft in een sociowoning van een APZ. Hij is van plan om een cursus fotografie te gaan volgen bij de Stichting Kunstzinnige Vorming. Na zijn eerste bezoek aan de cursus spreekt Kees met zijn begeleider hardnekkig over "de computer in zijn buik" die hem "stuurt" en "waar de koningin ook mee te maken heeft".

Storende afwijkingen

In figuur 1 (op de volgende pagina) is een lijst opgenomen van storende afwijkingen in de communicatie en van specifieke bejegeningen die men als reactie daarop kan gebruiken. De lijst is afkomstig uit het werk van Frans Brinkman (Brinkman, 1998). Het begrip 'storende afwijkingen' is natuurlijk subjectief geladen. Wat de een als storend en afwijkend ervaart is voor de ander nog binnen de grens van het normale. Een betere titel van deze paragraaf zou dan ook zijn: 'Door u als hulpverlener als storend ervaren communicatief gedrag en specifieke manieren om daarmee om te gaan.' Maar kortheidshalve spreken we van storende afwijkingen en specifieke bejegeningen.

Alle storende afwijkingen kunnen in het kader van alle functiestoornissen en alle ziektebeelden voorkomen. Er is dus geen specifiek verband tussen een storende afwijkingen een functiestoornis of ziektebeeld. De meeste van deze storende afwijkingen komen ook buiten het verband van een ziekte voor. Veel mensen zijn bijvoorbeeld heel druk wanneer ze net voor een examen geslaagd zijn of heel stil wanneer ze net een akelig bericht hebben gehad.
De lijst met storende afwijkingen en specifieke bejegeningen kun je lezen als een verzameling tips die je kunt gebruiken bij het maken van contact en het scheppen van een band met de cliënt. Het gaat hier niet om basale communicatievaardigheden zoals actief luisteren, vragen stellen of kritiek verwoorden, maar om specifieke reacties op storende gedragingen van de cliënt.
In veel gevallen zal het gebruik van de specifieke bejegeningen ervoor zorgen dat er niet meteen gedacht hoeft te worden in termen van functiestoornissen en ziektebeelden. Zelfs bij mensen met erkende ziekten is veel gedrag niet direct aan de ziekte gerelateerd, maar - net als bij andere mensen - een reactie op normale gedachten, gebeurtenissen, emoties of zingevingproblemen. Door te trachten direct te reageren op het communicatieve gedrag spreek je cliënt aan op zijn normale kant; vaak worden mensen daarvan meteen normaler.

Figuur 1: Storende afwijkingen en specifieke bejegeningen

Storende afwijkingen bestaan in voortdurend of episodisch aanwezig, niet algemeen voorkomend gedrag dat overlast of lijden veroorzaakt bij de cliënt of bij anderen, en dat niet door de eigen wil van de betrokkene kan worden weggenomen (naar Brinkman, 1998).

Storende afwijkingen	Specifieke bejegeningen
Een andere werkelijkheid	Aansluiten en invoegen
	Parallel contact
	Realiteit aanbieden
	Het beestje bij de naam noemen
Afhankelijkheid	Zorg en praktische hulp
	Preciseren afhankelijkheid
Energieprobleem	Rekening houden met vermoeibaarheid en dag/nachtritme; smoesjes - reden?
Tempostoornis	Eenvoudigheid betrachten
	Tempo veranderen
	Tempo benoemen
Prikkel-over/ongevoeligheid	Prikkels doseren
	Prikkels afwegen
	De juiste afstand kiezen (emotioneel en fysiek)
Angst	Inleven
	Korte termijn plannen
	Machteloosheid erkennen
Instabiliteit	Flexibel zijn
	Beperkingen niet bevriezen
	Houvast aanreiken (transparantie)
	Aandacht voor zingevende details
Star eisend gedrag	Inwilligen
	Weerstreven
	Begrijpen
'Vreemde' coping	Begrijpen
	Alternatieven aanstippen

Een andere werkelijkheid. De activiteitenbegeleider praat met Kees over zijn deelname aan de fotografiecursus. Halverwege het gesprek zegt Kees: "Maar de computer in mijn buik, de koningin heeft er ook mee te maken..." Het is bekend dat Kees van tijd tot tijd over dit idee begint. Kees beleeft deels een andere werkelijkheid dan wij.

Voorbeelden van bejegeningen:

Aansluiten en invoegen: "Kun je me vertellen wat de koningin ermee te maken heeft?" of "Gisteren hebben we het ook over je computer gehad. Wil je er vandaag weer iets over vertellen?" Je toont interesse en praat over de andere werkelijkheid zonder er commentaar op te geven.
Parallel contact: "Zullen we nu verder praten over de cursus?" Je praat met het gezonde deel van de cliënt.

Realiteit aanbieden: "Ik weet dat jij het gevoel hebt dat er een computer in je buik zit. Maar het zou kunnen dat andere mensen daar niet zo van overtuigd zijn." Je wijst de cliënt erop dat er andere mogelijkheden bestaan dan zijn realiteit.

Het beestje bij de naam noemen: "Kees, die computer, en dat de koningin daarmee te maken heeft, dat is een idee dat je sterker krijgt naarmate je je minder op je gemak voelt. Een waanidee." Je benoemt de andere werkelijkheid als een hallucinatie of een waan.

Kees' begeleider kiest aanvankelijk voor een mengeling van aansluiten en invoegen, en parallel contact. Hij hoopt dat Kees' aandacht voor de andere werkelijkheid minder wordt wanneer zijn belevingen serieus genomen worden en er tegelijkertijd meer aandacht voor de fotografiecursus is.

Functiestoornissen

Wanneer het communicatieve handelen uit de vorige paragraaf niet leidt tot het verdwijnen van de storende afwijkingen dan kan men zich afvragen of er sprake is van een functiestoornis.

De voornaamste functiestoornissen staan opgesomd in figuur 2 (op de volgende pagina). Psychische functiestoornissen zijn verstoringen van een of meer bijzondere werkingen van de menselijke geest (functies) (Hengeveld en Schudel, 1997). Deze verstoringen veroorzaken klachten bij de cliënt zelf of bij diens omgeving. Functiestoornissen kunnen - behalve bij ziekte - ook optreden bij overbelasting van de functie en bij onderstimulatie. Ze kunnen zijn aangeleerd of zijn aangeboren. Ze kunnen kortdurend en langdurend optreden, tijdelijk of blijvend zijn en licht of ernstig.

Omdat functiestoornissen het gevolg kunnen zijn van een lichamelijke of psychische ziekte, moet bij een duidelijke functiestoornis altijd worden overwogen of nadere psychiatrische of psychologische diagnostiek en behandeling op hun plaats zijn.

Wanneer er geen aanwijzingen zijn dat een functiestoornis onderdeel uitmaakt van een behandelbaar ziektebeeld, dan is een rehabilitatiebenadering aangewezen. Dat betekent theoretisch dat de functie zelf kan worden getraind (in de praktijk komt deze mogelijkheid maar weinig voor), er kunnen compenserende vaardigheden worden getraind en de functiestoornis kan worden gecompenseerd. Er kan ook nog eens gekeken worden naar het gebruik van specifieke bejegeningen die men in een vorige fase misschien over het hoofd heeft gezien.

De individuele rehabilitatiebenadering is een geschikte manier om oplossingen te vinden voor de gevolgen van functiestoornissen. Het vinden van een goede rehabilitatie-interventie vereist dat de functiestoornis dynamisch wordt opgevat. Dit wil zeggen als het product van de eisen van een omgeving en de vermogens van het individu (Dröes, 2004).

Nogmaals moet benadrukt worden dat er bij functiestoornissen altijd moet worden overwogen of behandeling van een ziektebeeld de functiestoornis kan verminderen.

Figuur 2: Stoornissen van de psychische functies

Psychische functiestoornissen zijn verstoringen van een of meer bijzondere werkingen van de menselijke geest (functies). Deze verstoringen veroorzaken klachten bij de cliënt zelf of bij diens omgeving (naar Hengeveld en Schudel, 1997).

Groepen psychische functies:

- Cognitieve functies
  (aandacht, bewustzijn, oriëntatie, intelligentie, geheugen, denken)
- Affectieve functies
  (stemming, emoties, lichamelijke reacties)
- Conatieve functies
  (mimiek, gebaren, drift, wil)
- Persoonlijkheid
  (persoonlijkheidstrekken, afweermechanismen, geweten)

Typen interventies bij stoornissen van de psychische functies

- **Behandeling:**
  Veel denkstoornissen staan in het kader van ziektebeelden. Medicamenteuze behandeling van die ziektebeelden met antipsychotica, lithium of antidepressiva is dan belangrijk. Daarnaast maakt een goede behandelrelatie deze stoornissen vaak duidelijker en minder.
- **Training:**
  Het normale reflexieve denken wordt getraind middels het hanteren van andermans zienswijzen en het gebruiken van feedback. Dit gebeurt in gestructureerde trainingen zoals de cognitieve gedragstherapie.
- **Compenserende vaardigheden:**
  Het ontwikkelen van emotionele of fysieke (inter)actie waardoor minder eenzijdig de nadruk komt te liggen op het denken.
- **Omgangsvormen en specifieke bejegeningen:**
  Bij alle denkstoornissen kan worden onderzocht of de cliënt zichzelf van de stoornis bewust is en of hij er last van heeft. Eventueel brengt de hulpverlener naar voren dat hij in het contact met de cliënt last heeft van de denkstoornis. Op deze manieren probeert hij samen met de cliënt de denkstoornis hanteerbaar te maken.
  In het gesprek maakt hij gebruik van specifieke bejegeningen (zie figuur 1).

Denkstoornissen. De volgende eigenschappen van het denken kunnen verstoord zijn: het tempo (iemand denkt veel te snel of veel te langzaam), het beloop (iemand is wijdlopig of zijn gedachten breken telkens af), de associaties (iemand springt van de hak op de tak, het ene woord brengt hem op het andere), de inhoud (iemand heeft waanideeën, overtuigingen die je niet kunt corrigeren of obsessies, waarbij hij steeds aan hetzelfde onderwerp moet denken, of gedachtearmoede, waarbij hij ervaart heel weinig gedachten te hebben). Bij Kees is er sprake van een inhoudelijke denkstoornis, een zogenaamde waan.

Helaas lukt het niet om Kees' computerwaan te omzeilen. Hij komt er telkens op terug. Het lijkt erop dat het computerverhaal vanzelf naar boven komt wanneer Kees camera's ziet of erover praat. De begeleider overlegt met Kees' behandelaar. Wat zijn de mogelijkheden?

Behandeling: De behandelaar overweegt of Kees' medicatie goed is ingesteld. Hij vraagt zich ook af of Kees het omgaan met apparaten soms erg eng vindt, en hoe dat komt. De behandelaar kiest in dit geval voor een gesprek. Het verhogen van medicatie vindt hij nog te vroeg en dikwijls helpt gespreksbehandeling om angst te verminderen.

Training: Het normale reflexieve denken wordt getraind door het oefenen van hanteren van andermans zienswijzen en het gebruiken van feedback (Slooff e.a., 1994). Dit gebeurt in gestructureerde trainingen zoals de cognitieve gedragstherapie. Cognitieve gedragstherapie voor Kees' waandenkbeelden is wel een optie, maar niet op dit moment. Je stuurt iemand die naar een fotocursus wil niet zomaar naar een ingrijpende therapie. Maar voor de toekomst is wel degelijk te overwegen of Kees, ondanks het feit dat zijn wanen al lang bestaan, toch baat kan hebben bij het zorgvuldig leren overdenken van andere verklaringen voor de dingen die hij meemaakt.

Compenserende vaardigheden ontwikkelen: Kees heeft in de loop van de jaren geleerd dat hij niet met iedereen over zijn waan kan praten. Dit is een compenserende vaardigheid waardoor hij zijn denkstoornis beter kan hanteren. Kees kan hier in zijn sociaal leven baat bij hebben. De begeleider denkt dat ook het beter omgaan met stress en angst compenserende vaardigheden voor Kees kunnen zijn. Dit wil dus zeggen dat Kees minder last zou krijgen van zijn denkstoornis wanneer hij zijn angst voor camera's of andere stress die het bezoeken van de cursus hem oplevert, beter leert te hanteren.

Omgangsvormen en specifieke bejegeningen: De begeleider kiest er nu toch voor om 'het beestje bij de naam te noemen'. Hij zegt: "Volgens mij ga je meer over de computer denken als je met camera's bezig bent geweest". Kees vindt dit nog niet zo'n gekke verklaring.

Ziektebeelden

Wanneer het omgaan met storende afwijkingen in de communicatie en rehabilitatie-interventies rond functiestoornissen niet het gewenste resultaat opleveren, dan is het tijd voor psychiatrische ziektediagnostiek. De psychiatrische ziektebeelden staan opgesomd in figuur 3.

Figuur 3: Psychiatrische stoornissen of ziektebeelden

Een psychiatrisch ziektebeeld of psychiatrische stoornis is een samenhangende beschrijving van symptomen en/of syndromen en het beloop daarvan in de tijd.

Overzicht psychiatrische ziektebeelden

- Ontwikkelingsstoornissen (zwakzinnigheid, autisme)
- Psycho-organische stoornissen (delier, dementie, amnestische stoornis)
- Stoornissen in het gebruik van middelen (intoxicatie en afhankelijkheid)
- Psychosen (schizofrenie, schizo-affectieve psychose e.a.)
- Stemmingsstoornissen (manie, depressie, bipolaire stoornis)
- Angststoornissen (paniekstoornis, pleinvrees, claustrofobie, sociale fobie, dwangstoornis, posttraumatische stressstoornis)
- Somatoforme stoornissen (conversie, hypochondrie)
- Dissociatieve stoornissen (meervoudige persoonlijkheid, depersonalisatie)
- Persoonlijkheidsstoornissen

In de inleiding van dit artikel werd al gewezen op het belang van terughoudend en specifiek gebruik van ziektediagnoses. Iemand ziek verklaren heeft een aantal nadelen: veel dingen worden te snel aan de ziekte toegeschreven; de eigen verantwoordelijkheid raakt op de achtergrond omdat ziekte de cliënt overkomt; men wordt bij zieken terughoudend met het toepassen van leermomenten (bijvoorbeeld uit angst voor crisis of terugval); allerlei interventies worden plotseling benoemd als therapie; de diagnose maakt iemand afhankelijk van de deskundigheid van behandelaars.

Daartegenover staan natuurlijk de voordelen. De diagnose verklaart wat er aan de hand is en geeft een zekere rust. Ze plaatst crisis en terugval in een breder kader en biedt aanknopingspunten voor de ontwikkeling van preventie, coping en herstel. Ze maakt een samenhangend behandelbeleid mogelijk. Een diagnose is vaak het begin van herstel: 'nu ik weet dat ik die ziekte héb, weet ik ook dat ik niet die ziekte bén'.

Het werken met ziektediagnosen is in het bijzonder van nut voor:
- scheppen van een band met cliënt en familie;
- ondersteunen van coping;
- omgaan met en het voorkomen van terugval/crisis;
- begrijpen van medicatiebeleid;
- aanvangen met herstel.

Het gebruik van het ziektebeeld

Kees heeft – zoals we zagen in de eerdere voorbeelden – een inhoudelijke denkstoornis die zijn leven nogal beheerst. Kees' gedachten over de computer in zijn buik zijn al jaren een onderdeel van zijn leven. Voor het scheppen van een band met Kees zou het benoemen van zijn gedachten als een uiting van schizofrenie of psychose averechts werken. Daarom kan Kees momenteel het ziektebegrip ook niet gebruiken bij zijn coping met de computer. Ik noem een aantal alternatieven.

- Kees zou misschien baat kunnen hebben bij cognitieve gedragstherapie. Hij zou dan leren om te onderzoeken voor welke verschijnselen hij 'een computer in mijn buik' als verklaring gebruikt en welke alternatieve verklaringen er bestaan. Deze therapie grijpt niet aan op het niveau van het ziektebeeld, maar op dat van de functiestoornis.
- De behandelaar gebruikt het ziekteconcept om na te denken over het voorkómen van terugval. Uit de ziektegeschiedenis is hem bekend dat Kees een man is met een chronische psychose, en dat de psychose in tijden van stress kan verergeren. De behandelaar gebruikt dus zijn kennis over het beloop van de ziekte om aan te dringen op maatregelen. In dit geval is de maatregel: praten met Kees over de stress die het bezoeken van de fotografiecursus veroorzaakt. Heeft het te maken met het omgaan met apparaten?
- De behandelaar gebruikt het ziektebeeld ook om eventuele medicatie te kiezen. Wanneer het feit dat Kees meer last heeft van zijn waan onderdeel is van een terugval in de psychose, moet Kees' antipsychotische medicatie verhoogd worden. Wanneer het gesprek eerder oplevert dat Kees bang is voor een of ander onderdeel van de cursus ligt het tijdelijk toevoegen van een angstdemper voor de hand.

Ziektebeelden en het rehabilitatieproces

Er bestaat geen algemene regel voor de invloed van ziektebeelden op het rehabilitatieproces, of van het rehabilitatieproces op ziektebeelden.

Dit is voor veel mensen een moeilijk te accepteren conclusie, die bovendien nog niet met onderzoek is gestaafd.

Belangrijk is te benadrukken dat in het *individuele* geval het ziektebeeld natuurlijk wel invloed heeft op het rehabilitatieproces, en het rehabilitatieproces op het ziekteverloop. Maar er is geen *algemene regel* voor deze wederzijdse beïnvloeding te geven.

Het is niet zo dat mensen met een schizofrenie of een borderlinestoornis geen rehabilitatiedoelen kunnen stellen. Sommigen kunnen dat wel, anderen moeilijker of niet.

Het is niet zo dat mensen in een acute fase van hun ziekte geen rehabilitatiedoelen hebben. Sommigen hebben die doelen wel, anderen niet.

Er zijn cliënten met veel symptomen bij wie een rehabilitatieproces toch doorgaat. Er zijn cliënten met weinig symptomen bij wie het niet lukt. Soms worden symptomen minder dominant wanneer een rehabilitatieproces goed op stoom is. In die gevallen is rehabilitatie de beste behandeling. Symptomen verdwijnen dan of worden 'een hindernis bij het kiezen, verkrijgen of behouden van een doel' in plaats van 'een uiting van schizofrenie'. Hoe sterker het rehabilitatieproces, hoe meer kans dat symptomen functionele belemmeringen worden ten aanzien van wat iemand wil, in plaats van uitingen van een alles dominerende ziekte. Een dergelijke context biedt behandeling een nieuwe kans: goede symptoombehandeling staat dan gelijk aan het opruimen van hindernissen en is een krachtige ondersteuning van het rehabilitatieproces.

Soms maken mensen hun rehabilitatieproces als het ware vanzelf door wanneer een medisch-psychiatrische of psychotherapeutische behandeling goed aanslaat. Wanneer bijvoorbeeld de stemming opklaart komt de cliënt weer tot initiatief en gaat hij op zoek naar een andere baan. Een rehabilitatiebenadering als expliciet verstrekte hulpverlening komt in dat geval niet aan de orde. In andere gevallen breekt een rehabilitatieproces af omdat de ziektesymptomen te hevig of te veelvuldig zijn. Meestal is het verstandig om bij een acute fase van de ziekte rehabilitatietrajecten even op te schorten. Maar soms zijn er mensen bij wie juist dan door moet worden gegaan, zoals hiervoor vermeld.

Zoals gezegd, een algemene regel is niet te geven. In het individuele geval is de samenhang het best te begrijpen via het herstelproces van de cliënt zelf. De wederzijdse beïnvloeding van ziekteverloop, behandeling en rehabilitatie worden pas in het eigen verhaal van de cliënt begrijpelijk.

Wat is het belang van het anders omgaan met psychiatrische problematiek voor de implementatie van rehabilitatie?

Het is bijzonder belangrijk dat de hulpverleners die veel gebruik maken van het ziektemodel, niet vervreemd raken van de hulpverleners die rehabilitatietechnieken gebruiken. Hulpverleners uit de eerste groep – zoals psychiaters, sociaal psychiatrisch verpleegkundigen en casemanagers – noemen we verder voor het gemak de 'behandelaars'. Hulpverleners uit de tweede groep – zoals rehabilitatiewerkers, sommige psychologen, verpleegkundigen en woonbegeleiders, arbeidstoeleiders, jobcoaches en activiteitenmedewerkers – noemen we verder voor het gemak 'rehabilitatiewerkers'. De hulp van behandelaars wordt over het algemeen ingeroepen wanneer de ziekte op de voorgrond staat, in tijden van crisis, terugval en achteruitgang. De hulp van rehabilitatiewerkers wordt over het algemeen ingeroepen als het goed gaat, in tijden dat de cliënt is gestabiliseerd en er wordt gedacht aan zelfstandiger wonen, dagactiviteiten of arbeid, een opleiding volgen of het oppakken van sociale contacten. Deze oriëntaties zorgen ervoor dat behandelaars en rehabilitatiewerkers - ook buiten de speciale momenten waarop hun hulp met voorrang wordt ingeroepen - in de dagelijkse zorg voor de cliënt hun eigen aandachtspunten hebben.

Voor behandelaars zijn het handhaven van stabiliteit, de preventie van crisis en achteruitgang, en het voorkomen van terugval altijd belangrijke onderwerpen. Vanuit het oogpunt van de behandeling is dit terecht. Herhaalde terugval en crisis heeft een negatieve invloed op het beloop van ziekten. Zorgen dat de ziektesymptomen niet verergeren en dat er sprake is van stabiliteit, is de basis voor andere ontwikkelingen.

Voor rehabilitatiewerkers is het van belang dat de cliënt zich kan ontwikkelen en dat hij leert. Zelfstandiger wonen, weer aan het werk gaan of de contacten weer oppakken zijn nu eenmaal activiteiten waarbij de cliënt af en toe zijn neus stoot, waarbij hij spanningen aanhaalt, en waarbij hij geconfronteerd wordt met zijn beperkingen. Leren zonder spanning en crisis bestaat niet. Vanuit het oogpunt van de rehabilitatiewerker is het scheppen van leer- en ontwikkelingsmogelijkheden dus belangrijker dan het handhaven van stabiliteit en de preventie van terugval en crisis.

Het mag duidelijk zijn dat zowel behandelaars als rehabilitatiewerkers de cliënt iets nuttigs te bieden kunnen hebben. De afweging van welk perspectief op een bepaald moment de voorrang heeft, moet in onderhandeling tussen de cliënt en zijn hulpverleners worden bepaald, in de context van het herstelproces van de cliënt.

In deze onderhandeling is het belangrijk om het perspectief van ziekte en behandeling niet meer gewicht te geven dan noodzakelijk. Natuurlijk is de preventie van terugval en crisis belangrijk, maar dit belang mag niet leiden tot een toestand waarbij elk risico wordt vermeden en leerervaringen onmogelijk worden. Met andere woorden: haal het perspectief van ziekte en behandeling pas tevoorschijn wanneer dat nodig is. Probeer in eerste instantie met problemen om te gaan langs de weg van normale communicatiemechanismen en van compensatie voor normale menselijke functietekorten.

Bij de implementatie van rehabilitatie is overeenstemming over deze zienswijze cruciaal voor een goede samenwerking tussen verschillende disciplines in de zorg.

Rond zijn cursus fotografie heeft Kees te maken met zijn activiteitenbegeleider (zijn *rehabilitatiewerker*) en zijn psychiater (zijn *behandelaar*).

De activiteitenbegeleider heeft Kees geholpen een cursus te kiezen en zich ervoor in te schrijven. Bij hem heeft Kees laten blijken dat het bezoeken van de cursus hem meer confronteert met de computer in zijn buik. De rehabilitatiewerker keek aanvankelijk of hij via *specifieke bejegening* (parallel contact) toch over de ervaringen in de fotografiecursus kon praten. Dit bleek echter moeilijk.

Kees is bekend met een inhoudelijke denkstoornis, een waan, en het is bekend dat deze stoornis verergert bij stress. Hoewel de rehabilitatiewerker en de behandelaar Kees een geschikte kandidaat zouden vinden voor cognitieve gedragstherapie (een *training die aangrijpt op het niveau van de functiestoornis*) vinden ze dat het nu niet het geschikte moment is. Het is immers nogal vreemd om iemand die naar een fotografiecursus wil ineens te overvallen met een ingrijpende behandeling.

Een gesprek om erachter te komen welke stress Kees in zijn fotocursus ervaart, is wel adequaat. Uit dat gesprek moet ook blijken of het echt gaat om een psychose-recidief of eerder om een angstige reactie op het omgaan met apparatuur, in dit geval met camera's. Het gebruik van deze *ziektekundige begrippen* wordt in dit geval vooral gebruikt om eventueel een adequate *medicatie* te kiezen.

Samenvatting

De samenhang tussen rehabilitatie en behandeling is gebaat bij een terughoudend gebruik van het ziektemodel. Het perspectief van ziekte en behandeling wordt vooral gebruikt in het kader van het scheppen van een band met cliënt en familie, ondersteunen van coping, omgaan met en voorkomen van terugval en crisis, begrijpen van medicatiebeleid en een begin maken met herstel. Voordat naar het ziektemodel wordt gegrepen, tracht men storende afwijkingen in de communicatie te beantwoorden met specifieke bejegeningen. Functiestoornissen worden bestreden via training van compenserende functies of de ontwikkeling van hulpbronnen. Deze benadering is bedoeld als tegenwicht tegen een overinclusief gebruik van het ziektemodel.

Literatuur

American Psychiatric Association (1998). *Beknopte handleiding bij de Diagnostische Criteria van de DSM-IV* (4e druk). Lisse: Swets & Zeitlinger B.V.

Brinkman, F. (1998). *Cliënten met een psychiatrische diagnose.* Houten/Diegem: Bohn Stafleu Van Loghum.

Dröes, J.T.P.M. (2000). *Rehabilitatie en omgaan met psychiatrische problematiek. Trainershandleiding en cursistboek.* Rotterdam: Stichting Rehabilitatie '92.

Dröes, J.T.P.M. (2004). Mensen helpen beter te functioneren. Over de rehabilitatie van mensen met stoornissen van de psychische functies. *Passage, 13,* 3, 16-23.

Hengeveld, M.W. & Schudel, W.J. (1997). *Het psychiatrisch onderzoek.* Utrecht: Wetenschappelijke uitgeverij Bunge.

Slooff, C.J., e.a. (1994). *Revalidatiemodulen voor mensen met een schizofrenie.* Assen: Van Gorcum & Comp B.V.

7. Behandeling, revalidatie en rehabilitatie van mensen met schizofrenie en aanverwante psychosen

Cees Slooff en Els Luijten

Over de samenhang van rehabilitatie en behandeling wordt in de literatuur verschillend gedacht. Met name de vraag wanneer en in welke mate bij rehabilitatie uitgegaan moet worden van een ziektemodel (zie ook de hoofdstukken 6 en 9 in dit boek) speelt daarbij een rol. Gezien vanuit de behandeling huldigen de auteurs van dit hoofdstuk de opvatting dat behandeling, revalidatie en rehabilitatie onverbrekelijk met elkaar verbonden zijn. Te samen vormen ze 'dekkende zorg' en de grenzen tussen behandeling, revalidatie en rehabilitatie zijn niet scherp. Behandeling heeft als eerste doel de psychose te bestrijden en richt zich vervolgens op terugvalpreventie en verliesverwerking. Revalidatie is 'de fysiotherapie van de psychosebehandeling' en is gericht op het terugdringen van functiestoornissen en het aanleren van vaardigheden. Rehabilitatie betreft het proces van herstel in sociale posities, resocialisatie en reïntegratie. Uiteindelijk is dit gehele pakket van integrale behandeling gericht op het herstelproces van de individuele patiënt. Opgemerkt moet worden dat 'revalidatie' dikwijls tot het terrein van de 'rehabilitatie' wordt gerekend. Dit is met name ook in hoofdstuk 8 van dit boek het geval.

Inleiding

Schizofrenieën behoren tot de meest ernstige en langdurige psychische stoornissen. Naar schatting lijden in Nederland circa 120.000 mensen aan deze aandoeningen. Het lijden wordt niet alleen bepaald door de aandoening zelf, maar ook door de sociale consequenties. Veelal betekent de ziekte dat men langdurig, zoniet levenslang, afhankelijk van professionele zorg is. Schizofrenieën kenmerken zich door psychotische perioden met zogenaamde positieve symptomen als wanen, hallucinaties en verwardheid en begeleidende verschijnselen, zoals angst, depressie, achterdocht of opwinding, en soms door agressiviteit en afwezigheid van ziektebesef. Deze perioden worden afgewisseld met zogenaamde remissieperioden, waarin sprake kan zijn van een volledig herstel danwel van een zogenaamd negatief syndroom met vertraging, snelle mentale uitputting, moeilijk denken, concentratiestoornissen en soms vervlakking van het gevoelsleven. Verder kunnen zich depressieve periodes voordoen.

Schizofrenieën berusten op een biologisch verankerde kwetsbaarheid van de hersenen, ons informatieverwerkend systeem. De hersenen zijn bij patiënten gevoeliger voor overbelasting en kunnen mentaal minder doelmatig presteren. Voor een beter begrip hanteren we het zogenaamde kwetsbaarheid-stress-coping model waarin stressverhogende factoren en overstimulatie, en beschermende factoren in hun samenhang simplistisch worden weergegeven (Van den Bosch, Louwerens & Slooff, 1999). Coping met schizofrenie betekent het leren omgaan met de aandoening. Het hebben of hebben gehad van positieve symptomen is voor die patiënten die er besef van hebben een zeer beschamende en traumatische ervaring. Patiënten moeten ook leren omgaan met de vaak hardnekkige negatieve symptomen. Verder kampt ruim zeventig procent van de patiënten met cognitieve functiestoornissen. Dit zijn bijvoorbeeld stoornissen in de waarneming, het geheugen, het begrijpen en het doelgericht uitvoeren van handelingen.

Het sleutelbegrip bij de zorg voor mensen met schizofrenie is dus leren omgaan met verlies. Dit begrip zal eerst worden uitgediept. Vervolgens wordt een beschrijving gegeven van de ingrediënten van het noodzakelijke zorgpalet.

Figuur 1: Kwetsbaarheid-stress-coping model

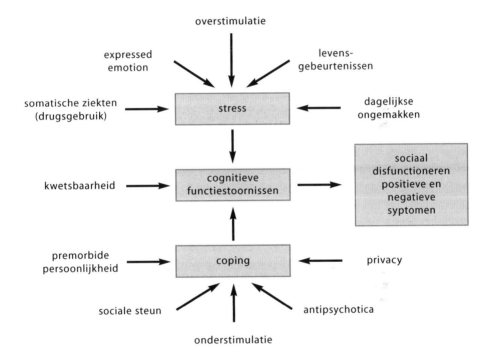

Schizofrenieën en verlies

In de loop van het ziekteproces ervaren patiënten op allerlei niveaus verlies. Het zelfgevoel wordt geschaad en patiënten verliezen hun zelfvertrouwen. Het is voor veel patiënten zeer traumatisch dat zij de controle kwijt geraakt zijn over hun gedachten, gevoelens en gedrag. Voorts is er sprake van verlies van vaardigheden door cognitieve functiestoornissen. Gebreken in deze sociale en praktische vaardigheden kunnen al voor het uitbreken van de psychose optreden en ze kunnen verergeren tijdens de psychose en de ziekenhuisopname. Ook treedt verlies op van vaardigheden door op zich adequaat copinggedrag van patiënten. De cognitieve functiestoornissen belemmeren dan het functioneren in sociale rollen en posities. Door zich in sociaal en praktisch opzicht terug te trekken vermijden zij complexe kwesties als de organisatie van het huishouden, financiële verplichtingen en dergelijke, die zoveel stress geven en inzet van energie vereisen dat de psychotische verschijnselen weer opspelen.

Door de aandoening moeten de patiënten ook hun verwachtingen van het leven aanpassen aan de mogelijkheden die hun nog resteren. Schizofrenieën berusten immers, zoals gezegd, op een, mede door erfelijk factoren veroorzaakte, biologische kwetsbaarheid. Hierdoor blijft na een herstel de kans bestaan op een terugval en een terugval betekent meer kans op chroniciteit. Patiënten hebben bovendien van doen met het sociale stigma en de onwetendheid in de samenleving. Tenslotte moeten ze leren omgaan met de complexiteit van het huidige maatschappelijke bestel en de GGz desorganisatie. Kortom, bij schizofrenie gaat het om het verlies van kansen in velerlei opzichten.

Dekkende zorg: behandeling, revalidatie en rehabilitatie

Kwalitatief goede zorg dekt alle bovengenoemde problemen. Dekkende zorg richt zich zowel op een bestrijding van de aandoening zelf als op de sociale consequenties daarvan. Kwaliteit van zorg behelst een effectieve toepassing van erkende interventies. Kwaliteit van zorg behelst daarnaast een toegankelijke organisatie en een respectvolle bejegening die gericht zijn op sociale integratie en herstel. Daarnaast richt de zorg zich niet alleen op de patiënt, maar ook op zijn sociale context en zijn sociaal netwerk.

Tussen de aandoening, de persoon en diens omgeving bestaan interacties die ook aandacht in de zorg behoeven. We denken daarbij aan behandeling bij comorbiditeit[1] als depressie, verslavingen en middelenmisbruik als reactie van de patiënt op het hebben van een aandoening, maar ook bijvoorbeeld aan het geven van voorlichting aan personen in de omgeving van de patiënt en aan de gemeenschap ter voorkoming van uitstoting. Het is de verantwoordelijkheid van de GGz aan al de directe en indirecte gevolgen van de aandoening aandacht te besteden.

Behandeling

Zoals hierboven al gezegd verlopen schizofrenie en aanverwante psychosen veelal in fasen, alhoewel chroniciteit ook in een vroeg stadium reeds kan optreden in de vorm van blijvende positieve en negatieve symptomen (Wiersma e.a. 1998). Een beloop met blijvende wanen en hallucinaties na een eerste episode treedt in ongeveer tien procent van de gevallen op en na een of meerdere terugvallen loopt dit percentage op tot ongeveer dertig procent. Ongeveer zeventig procent van de patiënten blijft na een of meer episoden kampen met negatieve symptomen, terwijl een kwart van de patiënten na een of meer episoden volledig herstelt. Circa tien procent van de patiënten pleegt suïcide; de helft daarvan tijdens een psychose en de andere helft tijdens een herstelfase. In deze laatste gevallen lijkt het erop dat de patiënt geen perspectieven ervaart, danwel dat de last van de ziekte groter is dan de subjectief ervaren levenskansen. In totaal vertoont ruim zeventig procent van de patiënten een of meer terugvallen en hetzelfde percentage kampt in meerdere of mindere mate met cognitieve functiestoornissen.

Negatieve symptomen zijn niet alleen toe te schrijven aan de waarneembare gevolgen van cognitieve functiestoornissen (Platform, 2000). Een zelfde uitingsvorm kan voortvloeien uit verliesverwerking, depressie, bijwerkingen van klassieke antipsychotica, sociale angst en persoonskenmerken van vóór het uitbreken van de psychose en de vermindering van kansen in het leven. Voorbeelden van dit laatste zijn een studiestop door een ziekenhuisopname of een studievertraging bij resocialisatieprocessen. De onderliggende oorzaken zijn moeilijk te achterhalen.

Van groot belang is dat patiënten met een psychose zo snel mogelijk adequaat behandeld worden. Uitstel van behandeling brengt het gevaar van een onvolledige remissie met zich mee en ook een toename van comorbiditeit. Een voortdurende psychose is bovendien een belasting van het sociale netwerk, en de sociale achterstand in vergelijking met leeftijdgenoten wordt bij uitstel steeds groter.

Een psychose ontstaat meestal tussen het achttiende en vijfendertigste levensjaar, dat wil zeggen in een periode waarin mensen hun belangrijke opleidingen volgen, tot een beroepskeuze komen, een sociaal netwerk ontwikkelen en een partner zoeken. Met een psychotische fase is vaak zo'n drie maanden behandeling gemoeid, terwijl het sociale herstel tot het niveau van daarvoor wel een jaar op zich laat wachten. Het is dus zaak in een zo vroeg mogelijk stadium van de stoornis adequaat en langdurig in te grijpen, zodat de patiënt zijn sociale ontwikkeling en persoonlijke ontplooiing kan vervolgen of opnieuw kan opnemen.

Antipsychotica

De enige effectieve behandeling van een psychose bestaat uit de toepassing van antipsychotica, alhoewel niet ontkend mag worden dat kortdurende psychotische periodes na een paar dagen soms spontaan verdwijnen. Deze patiënten houden echter een verhoogd risico op een veel langer durend recidief. Antipsychotica doen in een periode van ongeveer zes tot acht weken bij de meeste patiënten wanen, hallucinaties en verwardheid naar de achtergrond verdwijnen. Er treedt echter lang niet altijd een volledig herstel op. Patiënten die ernstig verward zijn, gedesorganiseerd zijn of ernstige negatieve symptomen hebben, hebben een minder grote kans gunstig te reageren op antipsychotica.

Een behandeling met klassieke antipsychotica gaat in veel gevallen gepaard met bijwerkingen in het bewegingsapparaat. Alhoewel nieuwe antipsychotica veel minder bijwerkingen hebben, zijn deze middelen daarnaast ook niet zonder nadelige effecten op lichaamsgewicht, seksuele functies of het aantal witte bloedlichaampjes. Gelukkig zijn we ook in Nederland ervan overtuigd geraakt dat we kunnen behandelen met veel lagere doseringen antipsychotica dan vroeger werd aangenomen en gepraktiseerd. Het zoeken naar de laagste effectieve dosering brengt echter risico op een terugval met zich mee. In de loop van de tijd heeft men allerlei variaties op antipsychotische behandelingen, al dan niet in combinatie met voorlichting en registratie van vroege verschijnselen van een terugval, uitgeprobeerd, maar we moeten tot de slotsom komen dat antipsychotica vrijwel altijd en langdurig noodzakelijk blijken.

Het effect van de behandeling moet nauwkeurig worden gevolgd, het liefst met behulp van symptoomlijsten. Dat betekent veelal het inzetten van een protocollaire behandeling die soms maanden kan duren. In Nederland worden circa zeventig procent van de patiënten met een psychose (recidief) vroeg of laat opgenomen in een ziekenhuis. Een ziekenhuisopname is een maatregel waarbij de voordelen en de nadelen zorgvuldig tegen elkaar moeten worden afgewogen, bijvoorbeeld de draaglast voor het sociale netwerk versus de consequenties van het stigma voor de patiënt.

Antipsychotica moeten langer worden doorgegeven dan de duur van de psychotische fase alleen, om een terugval in de psychose tegen te gaan. Elke terugval brengt een verhoogde kans op chroniciteit in de vorm van blijvende negatieve of positieve symptomen met zich mee. Het risico van een terugval is ruim twee keer zo groot bij een afgebroken behandeling dan bij een voortgezette behandeling. De terugvallen in een psychose doen zich vooral tijdens de eerste vijf tot zeven jaar van schizofrenieën voor. Ook na lange tijd een volledige remissie te hebben doorgemaakt, blijft het risico van een terugval na het stoppen van de medicatie hoog. Dit loopt in de verschillende onderzoeken wel op tot vijfenzestig tot tachtig procent van de gevallen!

Terugvalpreventie en verliesverwerking

Na het bestrijden van de psychose richt behandeling zich op het voorkomen van terugval en op de verliesverwerking. De psychosociale interventies op deze gebieden rekenen we tot de behandeling. Omgevingsfactoren zijn van groot belang bij het optreden van een eventuele terugval. Een omgeving met veel kritiek op de persoon van de patiënt, te hoge eisen en overmatige bemoeizucht levert een verhoogd risico op voor een terugval. Ook levensgebeurtenissen, drugmisbruik en oncontroleerbare stress brengen dat met zich mee. Een belangrijke interventie is de voorlichting aan patiënt en familieleden over de aard van de stoornis, de ontstaansfactoren, de behandelingsmogelijkheden, de omgang met stress en drugs en de rehabilitatiemogelijkheden. Sommige van deze elementen vinden we tevens in de toepassing van twee Libermanmodules. De ene module betreft een vaardigheidstraining met betrekking tot het signaleren van vroege verschijnselen van een terugval en de ontwikkeling van copinggedrag bij blijvende symptomen. De tweede module richt zich op het leren omgaan met de medicamenteuze behandeling en het leren van vaardigheden voor de omgang met behandelaars.

Daarnaast rekenen we cognitieve gedragstherapie tot de behandeling. Tijdens de cognitieve gedragstherapie wordt geprobeerd de psychotische symptomen in te kaderen in een ziektemodel, waarbij de psychotisch ervaringen als het ware ontdaan worden van hun onduidelijke herkomst met alle angst en depressie van dien. Deze worden tijdens de uitvoerige behandeling toegeschreven aan de gevolgen van ontregelingen van systemen in de hersenen (Van der Gaag & Valmaggia, 2000).

De laatste jaren is er veel meer aandacht gekomen voor het verwerkingsproces, dat zich zowel bij de patiënt als de familieleden, gewild of ongewild, voltrekt. Het verwerkingsproces behelst het trauma van de psychose, de blijvende kwetsbaarheid, de verhoogde kans op recidief en vaak ook het feit van blijvende cognitieve functiestoornissen en symptomen. Het verwerkingsproces strekt zich uit over meerdere jaren en vereist veel aandacht van hulpverleners. Het verloopt vaak trager als gevolg van cognitieve functiestoornissen, gebrek aan ziektebesef of zelfoverschatting en het flikkert weer op bij tegenslagen, zoals een terugval of het besef van gemiste kansen.

In voorgaande hebben we tot nu toe gesproken over behandeling. Behandeling is in het algemeen gericht op de oorzaken van een ziekte. Het is helaas niet mogelijk de biologisch verankerde kwetsbaarheid bij schizofrenieën te behandelen. Het gaat dus om behandeling van de symptomen. De effectiviteit van medicamenteuze behandeling wordt nogal eens onderschat. Desondanks trekt een langdurige behandeling met antipsychotica een zware wissel op het leven van de patiënt en de familieleden. Ondersteuning en begrip hierbij is voor de patiënt van groot belang. We moeten ons realiseren dat de behandeling voor de patiënt een zware opgave is.

Behandeltrouw kan van een patiënt logischerwijze alleen verwacht worden indien een behandeling voordelen biedt. De voordelen zijn de bereikbare doelen op de langere termijn, zoals we die met de patiënt met rehabilitatie-inspanningen op het terrein van wonen, werken, dagbesteding, contacten en zelfrealisatie denken te kunnen bereiken.

Revalidatie en rehabilitatie, verantwoordelijkheid van de GGz

Gekscherend is wel eens gezegd dat alleen in APZ Licht en Kracht te Assen een onderscheid wordt gemaakt tussen revalidatie en rehabilitatie. Het onderscheid echter is theoretisch zowel als praktisch heel relevant. Revalidatie is gericht op de onderliggende cognitieve functiestoornissen die we bij patiënten met een schizofrenie kunnen aantreffen en betreft het terugdringen van de functiestoornissen zelf, dan wel het hiermee leren omgaan: coping en verliesverwerking. Dit zijn langdurige, emotioneel beladen processen van vallen en opstaan.

Rehabilitatie betreft het proces van het herstel in sociale posities, emancipatie en empowerment. Revalidatie kan dus opgevat worden als de fysiotherapie bij schizofrenie, waarbij het gaat om het leren van vaardigheden ten behoeve van sociale rollen zoals zelfverzorging, communiceren, hobby's uitvoeren. Het uitvoeren van die sociale rollen binnen een betekenisvolle sociale context behoort tot het terrein van de rehabilitatie. Het onderscheid tussen revalidatie en rehabilitatie is ook pragmatisch, omdat er controversen bestaan met betrekking tot de verantwoordelijkheid van de GGz en die van maatschappelijke instellingen voor de beide zorgprocessen.

We kunnen niet ontkennen dat er tegengestelde meningen bestaan over hoe ver behandeling, revalidatie en rehabilitatie moeten reiken. Sommige mensen menen dat het in de GGz louter gaat om de bestrijding van ziekteverschijnselen. Weer anderen rekenen hiertoe ook het terrein van uitlokkende factoren in relatie tot de premorbide persoonlijkheidskenmerken en het herstel van de autonomie, terwijl nog weer anderen menen dat GGz-inspanning zich ook moet uitspreiden over het herstel in sociale rollen en posities, naast het bedrijven van primaire, secundaire en tertiaire preventie. De scheidslijnen tussen de behandel-, revalidatie- en rehabilitatie-inspanningen zijn niet scherp. Ze liggen soms in elkaars verlengde, dan weer lopen ze parallel of blijkt het één een noodzakelijke voorwaarde voor het ander. Dat is op zich al is een belangrijk pleidooi voor een centraal aangestuurde zorgorganisatie voor patiënten, vanaf een vroeg stadium tot aan een moment waarop de rehabilitatie-inspanningen geleid hebben tot een stabiele situatie waarin de patiënt tevreden is met zijn woon-, werk- of opleidingsplek en zijn sociale relaties (Pieters & Van der Gaag, 2000).

Revalidatie

Zoals gezegd missen patiënten met een schizofrenie vaak de noodzakelijke vaardigheden voor het vervullen van sociale rollen. Soms hebben ze deze vaardigheiden nooit beheerst, omdat ze ziek werden voor ze de vaardigheden konden ontwikkelen. Soms zijn ze vaardigheden kwijtgeraakt door de gevolgen van de ziekte, bijvoorbeeld als effect van hospitalisatie. Soms zijn ze vaardigheden kwijtgeraakt, als direct gevolg van de ziekte, door cognitieve functiestoornissen. Revalidatie richt zich op het (opnieuw) aanleren van de vaardigheden. De vaardigheden betreffen dan de zelfzorg, de huishoudelijke activiteiten, de rol binnen de familie, recreatie en vrijetijdsbesteding, sociale contacten, werk en opleiding en de rol als burger. Het gaat hier om sociale rollen met een toenemende complexiteit. Voor elke rol zijn allerlei vaardigheidtrainingen ontwikkeld die rekening houden met cognitieve en motorische functiestoornissen. De opzet van deze vaardigheidstrainingen is ontleend aan de zogenaamde pervasiviteitstheorie. Deze theorie gaat ervan uit dat cognitieve functiestoornissen ten grondslag liggen aan het sociale disfunctioneren. Training van cognitieve functies en elementaire taken en vaardigheden zou daarmee automatisch leiden tot het beter kunnen functioneren in rollen en sociale posities. De onderzoeksresultaten naar deze theorie zijn tegenstrijdig. Er is veel onderzoek dat deze theorie bevestigt, maar evenzoveel dat deze theorie niet ondersteunt.

Bij schizofrenieën onderscheiden we diverse cognitieve functiestoornissen, zoals stoornissen in de waarneming, de aandacht, het geheugen, conceptformatie en het plannen en uitvoeren van handelingen. Sommige stoornissen zijn nauwelijks te verhelpen , terwijl andere stoornissen wel beïnvloedbaar zijn. De uitvoering van handelingen, bijvoorbeeld, kan ondersteund worden met bewust aangeleerde cognitieve strategieën. Primaire cognitieve functies, zoals die van het geheugen en de aandacht, blijken echter nauwelijks goed trainbaar te zijn. Wel blijkt het soms mogelijk om patiënten trucs aan te leren om de cognitieve functiestoornissen te omzeilen en toch in sociale rollen te functioneren. Waar behandeling zich richt op het terugdringen van de ziekte en ziekteverschijnselen, richt revalidatie zich op een zo goed mogelijk gebruiken van de restcapaciteiten. Het aanspreken van die restcapaciteiten is meestal geen eenvoudige zaak, omdat verwerking van de handicap, premorbide persoonlijkheidstrekken en sociale angst en problemen in het gezin training in de weg kunnen staan. De vaardigheidstrainingen zijn meestal zogenaamde droge trainingen, dat wil zeggen trainingen die niet gerelateerd zijn aan de omgeving waarin de vaardigheden moeten worden gepraktiseerd. Dat is een beperking gebleken van deze vorm van revalidatie. Door gering generalisatie effect – hetgeen in één situatie of omgeving is aangeleerd, blijkt niet eenvoudig overdraagbaar naar een andere situatie of omgeving – moeten patiënten in het 'laboratorium' aangeleerde vaardigheden opnieuw leren toepassen in de door hen gewenste leefomgeving na ontslag uit het ziekenhuis. Trainen in de doelomgeving verdient dus de voorkeur, maar is lang niet altijd mogelijk omdat het niveau van functioneren nog onvoldoende is. Het volgen van een revalidatieprogramma is een goede manier om te leren omgaan met de ziekte en handicaps tot een niveau van functioneren is bereikt waarbij trainen in de doelomgeving wel mogelijk wordt. Kortom het proces van revalidatie lijkt vooral van belang bij patiënten die vanuit de stoornis allerlei belemmerende factoren ervaren die het functioneren in de door hen gewenste context in de weg staan, met name de patiënten die kampen met persisterende negatieve symptomen.

Rehabilitatie volgt hierop en is het proces waarin patiënten al gekozen hebben voor een ontwikkeling en ontplooiing in een nieuwe situatie.

Rehabilitatie

Rehabilitatie is het proces van integratie in betekenisvolle sociale posities en betekent voor veel patiënten weer een herintrede in de gemeenschap en maatschappij. Het uitzicht hierop is ook de enige motivatie die er kan zijn om de voorgaande processen, vaak harde leerscholen, door te maken. Voor rehabilitatie zijn voorzieningen nodig die een traject mogelijk maken en een verbinding vormen tussen GGz en maatschappelijke voorzieningen. Deze voorzieningen betreffen wonen, werken, opleiding en vrijetijdsbesteding. De kansen die onze samenleving de patiënten biedt, zijn zonder extra inspanning niet erg groot.

Sinds de jaren zestig van de vorige eeuw wordt er meer aandacht besteed aan de mogelijkheid van resocialisatie. Dit heeft geleid tot de ontwikkeling van de zogenaamde functionele vaardigheidstrainingen die onderdeel uitmaken van het rehabilitatieproces. Hierbij wordt eerst gekeken wat de essentiële omgevingseisen zijn: wat moet de patiënt precies in die situatie kennen en kunnen. Dit wijkt dus aanzienlijk af van de doelstelling van bijvoorbeeld een training voor een algemene rol. Het trainen van vaardigheden betreft dan het aanleren en het leren toepassen van enkele cruciale vaardigheden. Voordeel hiervan is dat training alleen de vaardigheden aanpakt waar het echt om gaat. Door te trainen in de doelomgeving voorkomt men de eerder genoemde generalisatieproblemen.

Een andere belangrijke taak van de GGz binnen rehabilitatie is het maken van verbindingen met maatschappelijke voorzieningen buiten de GGz en het netwerk van de patiënt. In feite is het streven de doelomgeving voor de cliënt toegankelijk te maken door het aanbrengen van steunstructuren. Hierbij kan men denken aan een jobcoach op het werk, maar ook aan het inlichten van een collega, zodat die net dat beetje steun kan bieden wat een cliënt nodig heeft. Voor de meest geïnvalideerde groep cliënten betekent dit gedeelte van rehabilitatie het vormen van beschermende woon- en werkomgevingen, waarin zij toch in staat zijn hun sociale rollen uit te voeren. Dit weer uitvoeren van zinvolle rollen is voor hen een teken van hun herstel. Voor ons, professionals, is bij het schrijven over rehabilitatie het woord patiënt intussen ongemerkt verdwenen.

Samenvatting

Bovenstaande is in een notendop een beschrijving van het rijke palet aan inspanningen voor behandeling, revalidatie en rehabilitatie bij schizofrenie en aanverwante stoornissen. De medicamenteuze behandeling is gericht op symptoombestrijding en stabilisatie en wordt ondersteund met psychosociale interventies, gericht op compliance en verliesverwerking. Revalidatie behelst trainingen in elementaire sociale rollen met aandacht voor cognitieve functiestoornissen en omgaan met handicaps. Rehabilitatie behelst het proces van herintreden in de gemeenschap en het innemen van posities die het leven zin geven en bijdragen aan het herstelproces.

Conceptueel is er in het Nederlandse zorgveld behoorlijk veel overeenstemming over het bovenstaande. Multidisciplinair gedragen richtlijnen zijn in ontwikkeling.

Formeel is duidelijk dat we anno 2000 voor iedereen in Nederland het inhoudelijke zorgproces fasegewijs voor patiënten met een schizofrenie of aanverwante psychose in kaart hebben kunnen brengen. Voor de financiers en beleidsmakers is dat een geruststelling; we kunnen verantwoording afleggen voor de besteding van de GGz-gelden. Belangrijker is dat we voor patiënten en familieleden een perspectief kunnen bieden; de behandeling is gericht op rehabilitatie en herstel.

Noot

1. Comorbiditeit is het optreden van twee aandoeningen tegelijk die soms, maar niet noodzakelijk samenhangen.

Literatuur

Bosch, R.J. van den, Louwerens, J. & Slooff, C.J. (1999). *Behandelingsstrategieën bij schizofrenieën*. Houten: Bohn Stafleu van Loghum.

Gaag, M.van der & Valmaggia, L. (2000). De effecten van cognitieve gedragstherapie. In M. van der Gaag en G. Pieters (Red.), *Rehabilitatiestrategieën bij schizofrenie en langdu-*

rig zorgafhankelijke patiënten. Houten: Bohn Stafleu en van Loghum.

Pieters, G. & Gaag, M. van der (2000). Psychiatrische Rehabilitatie: aanbevelingen, richtlijnen, standaarden. In G. Pieters & M. van der Gaag (Red.), *Rehabilitatiestrategieën bij schizofrenie en langdurig zorgafhankelijke patiënten.* Houten: Bohn Stafleu van Loghum.

Platform Doelmatige Schizofreniezorg (2000). Nota *'Verdeelde aandacht, gedeelte zorg'.* Deelrapport Waardebepaling www.schizofrenie_platform.nl

Wiersma, D. e.a. (1998). Schizofrenie en aanverwante psychotische stoornissen: Het 15 jaars beloop van een incidentie cohort. *Schizophrenia Bulletin, 24,* 75-85.

8. Mensen met psychiatrische beperkingen helpen beter te functioneren

Rehabilitatie van mensen met stoornissen in de psychische functies

Jos Dröes

Behandeling en rehabilitatie overlappen in het gebied waarover het in dit hoofdstuk gaat: het omgaan met functiestoornissen. Individuele rehabilitatie leidt tot een dynamisch functiebegrip. Daarin is de functiestoornis niet in de eerste plaats een eigenschap van de cliënt, maar een product van cliënteigenschappen en van de eisen en faciliteiten van een omgeving. Het omgaan met functiestoornissen is bij uitstek het gebied waarop een rehabilitatietechniek (functionele en hulpbrondiagnostiek) als behandelwijze de voorkeur geniet. Rond dit thema zijn rehabilitatie en behandeling dus een onafscheidelijk tweetal.

Inleiding

Mensen met psychiatrische beperkingen helpen beter te functioneren is een centrale doelstelling van rehabilitatie (Anthony e.a., 2002). Wie in de psychiatrische en neuropsychologische literatuur zoekt naar methodische wijzen van omgaan met de negatieve gevolgen van psychische functiestoornissen, stuit echter op een merkwaardig fenomeen. Enerzijds zijn er allerlei onderzoeksgegevens bekend over het vóórkomen van psychische functiestoornissen bij psychiatrische patiënten en over hun negatieve invloed op revalidatieresultaten. Anderzijds zijn er allerlei praktische tips bekend die van nut zijn bij het omgaan met psychische functiestoornissen. Een verband tussen onderzoeksgegevens en praktijk ontbreekt echter nagenoeg volledig. De praktische tips zijn niet theoretisch onderbouwd en de theorie leidt niet tot bruikbare revalidatie-interventies. In dit artikel verhelderen we eerst de begrippen 'stoornissen van psychische functies', 'psychiatrische beperkingen' en 'functioneren'. Daarna wordt de literatuur over de revalidatie van functiestoornissen kort besproken. Vervolgens bepleiten we een dynamische manier van omgaan met psychische functiestoornissen die een betere koppeling tussen theorie en praktijk mogelijk maakt. Deze manier van denken is gestoeld op de Individuele Rehabilitatie Benadering (Anthony e.a., 2002; Henkens en Luijten, 2003).

Begripsverheldering

Psychiatrische ziekten uiten zich in symptomen. Veel van die symptomen worden in de ziekteleer beschouwd als gevolgen van stoornissen van de psychische functies.
De psychische functies zijn:

- cognitieve functies: bewustzijn, aandacht, oriëntatie, oordeelsvermogen, abstractievermogen, executieve functies (doelen stellen, planning, uitvoeren van plannen), intelligentie, geheugen, waarneming, zelf- en lichaamsbeleving, denken (tempo, verloop en samenhang, inhoud);

- affectieve functies: stemming, affect, somatische stemmingsequivalenten;
- conatieve functies: psychomotoriek, mimiek en gestiek, spraak, driftleven, wilsleven en gedrag;
- persoonlijkheid.

(Naar: Hengeveld en Schudel, 1997)

Stoornissen van psychische functies heten in de nieuwe International Classification of Functioning, Disability and Health: 'impairments of mental functions' (ICF; Van Wel, 2002; WHO, 2004). Bij de diagnostiek van deze stoornissen zijn omschrijvingen van de normale psychische functies onmisbaar. Het abnormale kan nu eenmaal alleen worden benoemd wanneer eerst afgesproken is wat normaal is. Psychische functies zijn de normale mentale verrichtingen van de mens in de omgang met zichzelf en zijn omgeving. In de neuropsychologie zijn testinstrumenten ontwikkeld waarmee stoornissen van de psychische functies kunnen worden gemeten.

Wanneer er in de rehabilitatieliteratuur wordt gesproken over functioneren (ICF: 'functioning'), gaat het meestal niet over het werken van normale psychische functies. Met het begrip 'functioneren' worden meestal de activiteiten van een persoon in het dagelijks leven bedoeld. In de ICF wordt dit terrein aangeduid met de woorden 'activities' en 'participation'. 'Activities' (activiteiten) zijn individuele taken of acties. Beperkingen op dit gebied worden benoemd als 'activity limitations' (activiteitenbeperkingen). 'Participation' (participatie) is het deelnemen aan de samenleving. Beperkingen op dit gebied ('participation restriction') kunnen worden aangeduid als participatieproblemen of handicaps.

Helaas worden de termen 'functioneren' en 'beperking' allebei ook nog op een andere manier gebruikt. De ICF heet voluit: International Classification of Functioning, Disability and Health. In deze formulering staat 'functioneren' (functioning) voor het geheel van alle positieve en probleemloze aspecten van het menselijke bestaan – en dus niet alleen voor activiteiten en participatie. 'Beperking' (disability) is de verzamelnaam voor al iemands activiteiten- en participatieproblemen – en dus niet alleen voor activiteitenbeperkingen.

We hebben deze terminologische slangenkuil betreden om de termen die in dit artikel gebruikt worden te kunnen toelichten. De titel van dit artikel is een citaat van Anthony (2002). De term 'psychiatrische beperkingen' is een verzamelterm voor alle activiteitenbeperkingen en participatieproblemen die direct of indirect het gevolg zijn van psychiatrische ziekten. Met 'functioneren' wordt het geheel van normale activiteiten en participatie aangeduid.

In de ondertitel wordt het onderwerp van het artikel nader benoemd. Het gaat speciaal over de manier waarop men mensen met stoornissen van de psychische functies kan helpen om beter te gaan functioneren in de zin van een vermindering van hun activiteitenbeperkingen. In het artikel zelf wordt literatuur besproken die dateert van voor het verschijnen van de ICF. Daarin duidt het begrip 'functioneren' soms op het functioneren in de maatschappij, soms op het verrichten van bepaalde individuele activiteiten (bijvoorbeeld taakfunctioneren) en soms op het probleemloos gebruiken van een normale psychische functie (bijvoorbeeld het verbeteren van het executieve functioneren). Vanzelfsprekend is geprobeerd uit de context steeds duidelijk te laten worden welke betekenis aan de orde is.

Neuropsychologische revalidatie

Er bestaat tamelijk veel Engelstalige literatuur over 'rehabilitation' (in dit verband het beste te vertalen als revalidatie) van mensen met hersenbeschadiging na schedeltraumata en hersenbloedingen, en van mensen met schizofrenie. Schizofrenie wordt in deze literatuur gezien als een neuropsychiatrische aandoening; veel revalidatieproblemen die men ziet bij neurologische stoornissen komen in deze visie ook bij schizofrenie voor. De functiestoornissen bij deze aandoeningen worden onderzocht via neuropsychologische testen.

Voor 1990 werd over de neuropsychologie van schizofrene patiënten vooral geschreven omdat men geïnteresseerd was in de verklaring van ziekteverschijnselen en in de voorspellende waarde van testresultaten voor verloop en uitkomst van de ziekte. Men was minder geïnteresseerd in de verklaring van het disfunctioneren van patiënten, in de vormgeving van behandeling en in de keuze van interventies (Green, 1996).

In deze periode bleek dat bepaalde functiestoornissen gepaard gaan met slechtere uitkomsten op het gebied van functioneren in de maatschappij (zie figuur 1). Enige tijd dacht men dat dit tot gerichte behandeling zou kunnen leiden. Stoornissen van de executieve functies en van bepaalde geheugenfuncties bleken bijvoorbeeld verbonden met negatieve uitkomsten op het gebied van maatschappelijk functioneren. Het lag dus voor de hand om te denken dat training van deze functies verbetering van de revalidatieresultaten op het gebied van maatschappelijk functioneren zou kunnen bewerkstelligen.

Figuur 1: Psychische functiestoornissen en sociale uitkomstmaten

Cliëntgroep scoort slechter op uitkomstmaat…	…bij stoornissen van:
maatschappelijk functioneren	- executieve functies
probleemoplossing (sociaal)	- secundair verbaal geheugen
	- secundair verbaal geheugen
vaardigheden leren	- aandacht (vigilance)
	- negatieve symptomen
	- secundair en primair verbaal geheugen
	- aandacht

Naar: Green, 1996

Zulke gerichte interventies zijn echter niet van de grond gekomen. Volgens Spaulding (1999) zijn hier twee redenen voor. Aan de ene kant is het onduidelijk op welke wijze een bepaalde functiestoornis een bepaalde uitkomst beïnvloedt. Met andere woorden: het is onduidelijk hoe een gebrekkige planning van activiteiten (een executieve functiestoornis) nu precies zorgt voor minder goed functioneren van de cliënt in de maatschappij (zie ook: Van der Gaag en Van Os, 2002). Aan de andere kant is het ook onduidelijk waarop thans bekende interventies eigenlijk inwerken. Met andere woorden: als een bepaalde revalidatiestrategie ervoor zorgt dat de patiënt zijn activiteiten beter plant en het functioneren van die patiënt in de maatschappij verbetert, dan weten we nog niet hoe dat effect precies tot stand is gekomen (zie ook: Bellack, 1999).

Ook al kan men de verbindingen tussen interventie (training), effect (functieverbetering) en uitkomst (beter functioneren) theoretisch nog niet doorgronden, in de praktijk zou een specifieke interventie tot een zekere verbetering van functioneren kunnen leiden. Dat blijkt echter niet het geval. Het geïsoleerd trainen van een bepaalde functie (bijvoorbeeld van het geheugen, de planning of de aandacht) levert geen verbetering op van het dagelijks functioneren in de maatschappij (Fasotti en Spikman, 2002).

Executieve functies

Er is misschien één uitzondering op het bovenstaande en die betreft de executieve functies.[1] Ook voor deze functies geldt weliswaar dat het afzonderlijk trainen ervan niet helpt, maar de meeste auteurs zijn het erover eens dat verbetering van het executieve functioneren mogelijk is en dat dit wellicht een voorwaarde is voor functionele verbetering op andere terreinen. De idee is dat goed executief functioneren een belangrijke voorwaarde is om andere functiestoornissen te kunnen compenseren.

Volgens Fasotti en Spikman (2002) kan men strategieën aanleren die een gebrekkig executief functioneren compenseren. Deze strategieën omvatten veel zelfinstructie, probleemanalyse en het gebruik van stappenplannen. Een voorbeeld uit de publicatie van Fasotti en Spikman gaat over de revalidatie van een jonge arts met een traumatisch hersenletsel. Hij wordt geholpen om bij het stellen van een diagnose minder overhaast een bepaalde oplossing te kiezen (door verschillende diagnoses zorgvuldiger tegen elkaar af te wegen). Deze revalidatietechniek leidde wel tot een hoger percentage correcte diagnoses, maar niet tot voldoende flexibel gebruik van de strategie om in de dagelijkse artsenpraktijk het gewenste niveau van functioneren te bereiken. Je zou kunnen zeggen dat er verbetering was van het taakfunctioneren, maar niet genoeg om de rol van arts weer naar behoren te kunnen vervullen.

Er bestaan nog enkele vergelijkbare voorbeelden van trainingen die het executief functioneren (bescheiden) verbeteren.[2]

Samenvattend: het eerste deel van dit literatuuroverzicht leert ons dat basale functiestoornissen, met name die van executieve functies, aandacht en geheugen samenhangen met minder goede revalidatieresultaten. Maar hoe deze samenhang in elkaar zit en hoe thans bekende interventies precies werken weten we nog niet. Het aanleren van strategieën die het executief functioneren ondersteunen is op dit moment waarschijnlijk de beste optie.

Praktische tips

Hoewel wetenschappelijk onderzoek naar gerichte functietraining of het aanleren van compenserende strategieën dus niet veel heeft opgeleverd, zijn er in de praktijk wel degelijk werkzame revalidatietips bekend. Diverse auteurs geven lijstjes met praktische aandachtspunten die kunnen worden gebruikt bij het ontwerpen van een goede revalidatiestrategie (Spaulding, 1999; Bellack, 1999; Callahan, 2002; Skeel en Edwards, 2001). In figuur 2 is een aantal van hun aanbevelingen verzameld.

Figuur 2: Praktische tips

Stel duidelijke eisen door:
- te prompten (aan te sporen);
- specifieke vaardigheden te vereisen.

Oefen gedrag en executieve functies door:
- de omgeving aan te passen;
- via psychotherapie emotionele barrières te bewerken;
- via psychotherapie een beeld van het nieuwe 'zelf' (met beperking of handicap) te verkrijgen;
- herhaalde exposure toe te passen;
- 'plan-do-study-act'-techniek te gebruiken.

Versterk routines door:
- te repeteren, via herhaling inslijten;
- overlearning van deelvaardigheden;
- gebruik van nog aanwezige vaardigheden.

Houd de cognitieve belasting klein door:
- het contact en het materiaal te structureren;
- te werken met kleine eenheden, van basaal naar complex;
- deelvaardigheden eerst apart aan te leren, daarna te integreren;
- illustraties, hand-outs te gebruiken;
- aan te sluiten bij de taal van de cliënt.

Geef individuele aandacht door:
- sociale reïnforcement;
- individuele aandacht;
- aan te sluiten bij de leerstijl van de cliënt;
- gebruik te maken van een sterke kant (visueel, verbaal, auditief) van de cliënt.

Stel concrete doelen (voor de korte termijn).

In de praktijk blijkt volgens Spaulding dat de functiestoornissen zelf tamelijk onbeïnvloed-baar zijn. Dit betekent dat de revalidatiepraktijk zich erop richt om de functiestoornis te omzeilen door het aanbrengen van prothesen en het reorganiseren van gedrag. Met ande-re woorden: de geheugenstoornis is een realiteit. We moeten zoeken naar een prothese (een opschrijfboekje, een aangepast milieu) en naar manieren van omgaan met de stoornis (niet denken: ik onthoud het wel, maar het boekje pakken en het opschrijven).
Spaulding geeft geen aanwijzingen hoe in het individuele geval op methodische wijze een revalidatie-interventie ontworpen kan worden. Hoe stel je vast wat er gereorganiseerd moet worden en welke prothesen nodig zijn? Het lijstje met tips (figuur 2) is bij het ontwerpen van een interventie wel te gebruiken als inspiratiebron en als verzameling hulpmiddelen, maar bevat geen aanwijzingen voor het ontwerpproces zelf.

Een deel van de hier gerefereerde literatuur gaat over het revalideren van mensen met her-senbeschadigingen na schedeltrauma's en hersenbloedingen (Callahan, 2001; Skeel en Edwards, 2001). Bij mensen met ernstige psychiatrische stoornissen komt daar nog een belangrijke tip bij. Behandeling met psychofarmaca verbetert het cognitief functioneren bij psychosen en er is een aantal psychofarmaca met bewezen effecten op stoornissen van de stemming en het emotionele leven (Withaar en Arends, 2002; Van der Gaag en Van Os, 2002). Bij de revalidatie van mensen met stoornissen van psychische functies moet daar-om altijd worden overwogen of - naast andere interventies - medicatie mogelijk is.

Samenvattend: uit het tweede deel van dit literatuuroverzicht blijkt dat er wel praktische tips zijn voor de revalidatie en rehabilitatie van mensen met psychische functiestoornissen. Die praktische tips richten zich op het compenseren van functietekorten en het reorgani-seren van gedrag. Alle tips zijn uit de praktijk afkomstig en berusten niet op theoretische inzichten (Skeel en Edwards, 2001)[3]. Ingrijpen door medicatie mag niet worden vergeten, zeker niet bij mensen met schizofrenie. Er is in de literatuur geen methodiek te vinden voor het ontwerpen van interventies.

Functionele beperkingen en specifieke omgevingen

In de tot nu toe besproken literatuur wordt een functiestoornis beschouwd als een eigenschap van de cliënt. Je 'hebt' als cliënt een slecht geheugen, een onvermogen om te plannen of een stoornis van de aandacht. Dit is een statische manier van kijken naar functiestoornissen. In deze paragraaf zullen we functiestoornissen op een dynamische manier bekijken. Dit betekent dat we ze niet (alleen) beschouwen als cliëntkenmerk maar (ook) als een kenmerk van de interactie tussen de cliënt en een omgeving.

Deze gedachte is afkomstig uit de Individuele Rehabilitatie Benadering (Anthony e.a., 2002; Henkens en Luijten, 2003). Ze gaat ervan uit dat de praktische onbruikbaarheid van veel neuropsychologische diagnostiek een gevolg is van het feit dat de gebruikte instrumenten stoornissen meten in een *algemene* omgeving, terwijl de cliënt in de praktijk altijd met een *specifieke* omgeving van doen heeft (Anthony e.a., 2002).

Functiestoornissen worden volgens deze redenatie slechts zichtbaar in de mate waarin de functie tekortschiet ten opzichte van de verwachting van de persoon zelf of van diens omgeving. Dit is vooral duidelijk bij de wat minder ernstige functiestoornissen.

Ik heb bijvoorbeeld niet zo'n sterk geheugen, maar zolang ik me niet in situaties begeef waarin een extra beroep op mijn geheugen wordt gedaan valt het mij noch anderen op.

Een functiestoornis is dus contextgebonden. In plaats van de functiestoornis te beschouwen als een defect van de persoon kan de functiestoornis ook beschouwd worden als het niet voldoen aan een verwachting. Die verwachting kan worden uitgedrukt in het taak- en rolfunctioneren dat behoort bij het nastreven van een bepaald doel in een bepaalde omgeving. De verwachtingen die de omgeving en de persoon zelf hebben van diens functioneren in een bepaalde omgeving, volgen uit de doelen, rollen en taken die de persoon in die omgeving heeft.

Ik wil als deskundige (rol) een artikel schrijven in een vaktijdschrift (doel) en daarvoor moet ik nogal wat literatuur samenvatten (taak). Men verwacht van mij dat ik de relevante literatuur zo volledig mogelijke samenvat. Ik heb het gevoel dat ik grote hoeveelheden informatie niet kan onthouden en ik raak gestrest van het steeds weer opduiken van wel eerder gelezen maar daarna weer vergeten feiten.

In plaats van nu de aandacht te richten op de functiebeperking richten we ons op de analyse van het proces waarin de functiebeperking is opgedoken. Met andere woorden: aan welke eisen vanuit de omgeving en vanuit de persoon zelf moet bij het nastreven van het doel en de vervulling van rollen en taken worden voldaan?

Mijn geheugenbeperking is een rol gaan spelen in het kader van het literatuuronderzoek voor mijn artikel. Maar in plaats van ons nu te richten op mijn geheugenprobleem analyseren we het proces van 'het doen van een literatuuronderzoek'. Dat proces houdt in: het achtereenvolgens verzamelen, opslaan en gebruiken van literatuurgegevens.

Het ontwerpen van een revalidatiestrategie begint met het vaststellen van het doel en krijgt daarna gestalte door het proces dat tot dit doel leidt in activiteiten uiteen te leggen. Deze activiteiten leveren de fundamenten van de revalidatie-interventie.

Samenvattend: de rehabilitatiediagnostiek gaat uit van een dynamisch concept van functiebeperkingen. Zij doet dit door doelen, en rol- en taakfunctioneren in specifieke omgevingen, als uitgangspunt te nemen. Een analyse van de activiteiten die het invullen van taken en rollen vereist, vormt het fundament van de revalidatiestrategie.

Functiestoornissen buiten beeld, compenserende functies in beeld

Hoewel de rehabilitatiebenadering een individuele revalidatiestrategie mogelijk maakt, raken we op deze manier de verbinding met de neuropsychologische functiestoornissen kwijt. We zien als het ware wel de gevolgen van het problematisch functioneren in een bepaalde omgeving, maar we concentreren ons op het verhelpen van die gevolgen en niet op de diagnostiek van de functiestoornissen (als cliënteigenschappen) als zodanig.

Om mijn artikel te kunnen schrijven moet ik literatuurgegevens verzamelen, opslaan en gebruiken. Wat houdt dat in?
In de eerste plaats het ordelijk verzamelen en opbergen van literatuur. Dat kan pas wanneer ik het doel van mijn artikel bepaald heb. Dan kan ik de literatuur lezen en aantekeningen maken met dit doel op de achtergrond. De artikelen en aantekeningen moet ik zo opbergen dat ik alles weer terug kan vinden. En ten slotte moet ik de aantekeningen samenvatten in een literatuuroverzicht. In plaats van een geheugenstoornis te diagnosticeren zijn we nu bezig een literatuuroverzicht te maken.

Het lijkt erop dat de oorspronkelijke stoornis van een psychische functie (het geheugen) buiten beeld is geraakt en dat executieve functies (plannen en organiseren van het karwei) in de oplossingsstrategie op de voorgrond staan. Dit is de illustratie van een algemeen principe: bij het dynamiseren van functiestoornissen raakt de functiestoornis zelf op de achtergrond en treden compenserende functies op de voorgrond. Met andere woorden: je compenseert het gebrek in de ene functie (bijvoorbeeld het geheugen) door het intensiever gebruik van een andere functie (bijvoorbeeld planning). Dit blijkt te werken, al is het natuurlijk mogelijk dat de compenserende functie opnieuw een stoornis vertoont waardoor dezelfde procedure nog een keer moet worden uitgevoerd.

Wanneer ik ordelijk literatuur verzamel, de doelstelling van mijn artikel formuleer, een schets maak van de opbouw van het artikel en pas dan al die achtergrondinformatie ga lezen, dan blijk ik toch nog tamelijk veel te kunnen onthouden. Voor de rest maak ik aantekeningen op kaartjes.
Ook blijkt dat ik het precies omschrijven van het doel van mijn artikel moeilijk vind. Misschien is het formuleren van mijn doelen en het vasthouden van doelgericht gedrag (ook een executieve functie) wel een groter probleem dan mijn geheugenbeperking. Omdat ik namelijk niet precies weet wat ik met het artikel wil, kan ik ook niet uitmaken welke literatuurinformatie relevant is (oordeelsfunctie), en dat leidt tot het steeds willen onthouden van te veel informatie.

In de laatste fase wordt dus een intensiever gebruik van compenserende functies uitgewerkt. In dit geval wordt een geheugenprobleem gecompenseerd met het intensiever gebruiken van executieve functies en de oordeelsfunctie. Het begrip 'compenserende functies' geeft aan dat we op het gebruik van deze functies terecht zijn gekomen om een andere functiestoornis te compenseren. Evengoed zouden we echter kunnen zeggen dat het gaat om onmisbare activiteiten voor het bereiken van een doel of het vertonen van een bepaald taak- of rolfunctioneren.

Samenvattend: in deze oplossingsgerichte handelwijze raakt de diagnostiek van de functiestoornis op de *achtergrond*. Die diagnostiek kan nog steeds zin hebben om uit te zoeken wat de betrokkene in elk geval *niet* kan. Maar de revalidatie-interventies maken gebruik van compenserende functies en zoeken oplossingen voor onmisbare activiteiten. Het gebruik van compenserende functies en het uitvoeren van onmisbare activiteiten komt op de *voorgrond*.

Besluit

In dit literatuuroverzicht is onderzocht welke verbindingen er bestaan tussen het gebruik van rehabilitatietechnieken en stoornissen van de psychische functies. Bepaalde psychische functiestoornissen zeggen wel iets over resultaten van revalidatie, maar het is nog niet bekend hoe dit verband tot stand komt. Er zijn uit deze kennis geen werkzame revalidatie-interventies voortgekomen. In de rehabilitatie- en revalidatiepraktijk zijn wel allerlei praktische tips bekend, maar die berusten niet op theorievorming en ze geven geen aanwijzingen over hoe op methodische wijze een revalidatie-interventie kan worden ontworpen.

Veel van de literatuurgegevens zijn in de praktijk onbruikbaar omdat ze functiestoornissen op een statische manier, namelijk als een eigenschap van de cliënt, bekijken. Voor het op methodische wijze ontwerpen van een revalidatie-interventie biedt een dynamische kijk op functiestoornissen betere perspectieven. Een dynamische visie op functiestoornissen houdt in dat de functiestoornis wordt beschouwd als een kenmerk van de interactie tussen de cliënt en diens omgeving. In plaats van het uitwerken van interventies gericht op het verminderen van de functiebeperking werkt men aan het bereiken van bepaalde doelen. Dit doet men door onmisbare activiteiten te identificeren en voor de uitvoering van die activiteiten compenserende functies te gebruiken.

Noten

1. De 'executieve functies' omvatten het plannen, starten, controleren, opeenvolgen en stoppen van ingewikkelde handelingen (Hengeveld en Schudel, 1997)
2. Met name de Goal Management Training van Levine et al. (2000) (verwijzing bij Fasotti en Spikman) en 'remediatietraining' (Van der Gaag en Van Os, 2002). In hun overzicht van 'cognitieve revalidatie bij schizophrenie' melden Withaar en Arends (2002) eigenlijk vergelijkbare resultaten.
3. Zie bijvoorbeeld pagina 74 van hun boek: 'What is important to note is that these rehabilitation techniques have not been linked to theoretical underpinnings that have been described earlier in this chapter. In other words [...] the treatments that have been developed do not specifically address these areas.'

Literatuur

Anthony, W.A., e.a. (2002). *Psychiatric Rehabilitation*. Boston, MA: Center for Psychiatric Rehabilitation.

Bellack, A.S., Gold, J.M. & Buchanan, R.W. (1999). Cognitive Rehabilitation for Schizophrenia: Problems, Prospects and Strategies. *Schizophrenia Bulletin*, 25(2), 257-274.

Callahan, C.D. (2001). The Assessment and Rehabilitation of Executive Function Disorders. In B. Johnstone & H.H. Stonnington (Eds.), *Rehabilitation of Neuropsychological Disorders*, pp. 87-124. Philadelphia: Psychology Press.

Fasotti, L. & Spikman, J. (2002). Cognitive rehabilitation of central executive disorders. In: W. Brouwer & E.van Zomeren (Red.), *Cognitive Rehabilitation, a clinical neuropsychological approach*, pp. 107-124. Amsterdam: Boom.

Gaag, M. van der, & Van Os, J. (2002). De invloed van cognitieve stoornissen op de sociaal-maatschappelijke uitkomst van schizofrenie. *Tijdschrift voor Psychiatrie*, 44(11), 773-782.

Green, M.F. (1996). What are the functional Consequences of Neurocognitive Deficits in Schizophrenia? *American Journal of Psychiatry*, 153, 321-330.

Hengeveld, M.W. & Schudel, W.J. (1997). *Het psychiatrisch onderzoek.* Utrecht: Bunge.

Henkens, H. & Luijten, E. (2003). De Individuele Rehabilitatie Benadering. In M.H.R. Nuy & J. Dröes (Red.), *De Individuele Rehabilitatie Benadering*, pp. 35-45. Amsterdam: Uitgeverij SWP.

Skeel, R.L. & Edwards, S. (2001). The Assessment and Rehabilitation of Memory Impairments. In B. Johnstone & H.H. Stonnington (Eds.), *Rehabilitation of Neuropsychological Disorders*, pp. 53-86. Philadelphia: Psychology Press.

Spaulding, W.D., e.a. (1999). Cognitive Functioning in Schizophrenia: Implications for Psychiatric Rehabilitation. *Schizophrenia Bulletin*, 25(2), 275-289.

Wel, T.F. van (2002). *Rehabilitatie door het woonmilieu.* Proefschrift. Den Dolder: Altrecht.

WHO (2004). www3.who.int/icf.

Withaar, F. & Arends, J. (2002). Cognitive rehabilitation in schizophrenia. In: W. Brouwer & E. van Zomeren (Eds.), *Cognitive Rehabilitation, a clinical neuropsychological approach*. Amsterdam: Boom.

9. Indicatiestelling, verwijzing en ondersteuning
De rol van de psychiater in de individuele rehabilitatie
Jos Dröes

In de vorige hoofdstukken kwamen de algemene samenhang tussen behandeling en reha-bilitatie (hoofdstuk 7) en de specifieke plaats van de behandeling/rehabilitatie van stoor-nissen in de psychische functies (hoofdstuk 8) aan de orde. In dit hoofdstuk gaat het over de manier waarop de behandelaar een verwijzing kan doen voor die rehabilitatie-activi-teiten die niet tot zijn of haar directe werksfeer behoren. Ook komt de ondersteuning van rehabilitatietrajecten door de behandelaar aan de orde. De behandelaar heeft bij rehabili-tatietrajecten een belangrijke rol in de indicatiestelling, de verwijzing en de ondersteuning. De rol van de psychiater als hoofdbehandelaar is dikwijls cruciaal. Daarom is deze rol in dit hoofdstuk als uitgangspunt gekozen. De overwegingen gelden evenwel ook voor ande-re behandelaars, zowel in de individuele praktijk als in een multidisciplinair teamverband.

Inleiding

Voor behandelaars is hun rol in de rehabilitatie niet altijd duidelijk. Zoals Slooff en Luijten (hoofdstuk 7 in dit boek) schrijven: "de scheidslijnen tussen behandel-, revalidatie- en reha-bilitatie-inspanningen zijn niet scherp. Ze liggen soms in elkaars verlengde, dan weer lopen ze parallel of blijkt het één een noodzakelijke voorwaarde voor het ander."

De wenselijkheid van integratie van behandeling en rehabilitatie wordt in de internationa-le literatuur dikwijls benadrukt (Bachrach, 1995; Dhillon e.a., 2000; Drake e.a., 2000; Jacobs e.a., 2002; Links e.a., 1994; McQuistion e.a., 2000; Van Veldhuizen, 2002). Door verschillende auteurs wordt hierbij de rol van de psychiater speciaal genoemd. "Psychiat-ry can play an important role in readying the client for participation in de PSR (psychoso-cial rehabilitation service)", schrijven Links e.a. In dezelfde geest menen McQuistion e.a. dat "(...) psychiatrists must think broadly and be proactive in the planning and prescription of rehabilitation." En Van Veldhuizen schrijft dat psychiaters "moeten tonen dat de grenzen tussen "medisch" en "psychosociaal" illusoir zijn", onder andere door het ondersteunen van rehabilitatie.

In publicaties waarin de rol van de psychiater in rehabilitatieprocessen aan de orde komt, is er vaak sprake van de psychiater als medespeler of "playing captain" in een multidiscip-linair team (Dhillon e.a., 2000; Drake e.a., 2000; Jacobs e.a., 2002; Lawn en Myerson, 1993; Links e.a., 1994; McQuistion e.a., 2000; Stein, 1998; Van Veldhuizen, 2002; Watts en Bennett, 1991). Hoewel het logisch is dat een integrale behandeling, waar rehabilitatie deel van uitmaakt, vorm krijgt in een team, schept dit weinig duidelijkheid over de speci-fieke rol van de psychiater bij het initiëren en ondersteunen van rehabilitatieprocessen. Om deze rol nader uit te werken richten we ons op de overwegingen die de psychiater in zijn of haar individuele behandelingsproces kan gebruiken om rehabilitatie en behandeling met elkaar te integreren. Deze overwegingen zijn vervolgens ook goed te gebruiken voor de bijdrage van de psychiater aan de behandeling van de patiënt door een multidisciplinair team. De primaire rol van de psychiater is dat hij de ziekte diagnosticeert en behandelt, en de zieke ondersteunt. Iedereen begrijpt dat deze rol niet inhoudt dat hij al zijn patiënten persoonlijk begeleid in specifieke rehabilitatietrajecten. Op de gebieden van wonen, werken, leren of sociale contacten zijn maatschappelijk werkers, arbeidsbemiddelaars, trajectbegeleiders, jobcoaches, ergotherapeuten, docenten, huiswerkbegeleiders, vriendendiensten, lotgenotencontacten enzovoort immers beter toegerust dan de gemiddelde behandelaar. Uitgaande van de gedachte dat rehabilitatie is gericht op een zo goed mogelijk rolfunctioneren op de vier levensgebieden (wonen, werken/dagbesteding, leren en sociale contacten), worden in dit artikel vier actieve bijdragen van de psychiater besproken.

In figuur 1 staan vier manieren waarop de psychiater zijn bijdragen aan het herstel en de rehabilitatie van patiënten met ernstige psychiatrische aandoeningen vorm kan geven.

Figuur 1: Bijdragen van de psychiater aan het herstelproces en de rehabilitatie van mensen met psychiatrische aandoeningen

Diagnostiek:	bio-psychosociaal, dus ook rehabilitatieaspecten
Indicatie en verwijzing:	voor individuele rehabilitatie (gericht en op tijd)
Behandeling:	van de primaire stoornis, van co-morbiditeit
Ondersteuning:	van het gehele rehabilitatietraject als leerervaring en in het bijzonder bij problemen en crises

In de volgende paragrafen worden deze vier punten nader uitgewerkt.
Het is vanzelfsprekend niet de bedoeling te suggereren dat individuele rehabilitatie uitsluitend via tussenkomst van de psychiater kan worden opgestart. Patiënten zelf, familieleden en vele andere professionals en instanties kunnen ook zelfstandig rehabilitatiebegeleiding zoeken. Maar dit artikel is met name bedoeld om de psychiater (en andere behandelaars) houvast te bieden bij het leveren van hun aandeel in de rehabilitatie van patiënten met psychiatrische aandoeningen.

Diagnostiek

Een eerste bijdrage levert de psychiater door rehabilitatie te integreren in zijn diagnostiek. Psychiatrische diagnostiek is bio-psychosociaal, hetgeen betekent dat het niet alleen gaat om het diagnosticeren van de ziekte maar ook om het vaststellen van de wensen die de patiënt heeft ten aanzien van zijn psychosociale toekomst na of met de ziekte (Dhillon e.a., 2000; McQuistion e.a., 2000). De rehabilitatiecomponent van de diagnostiek betreft zowel de subjectieve motivaties, zingeving en veranderwensen als de objectieve (psychosociale) gesteldheid van de patiënt. Naast objectieve gegevens krijgen over huisvesting, werk, school- en de sociale situatie, gaat het er vooral om om te vernemen wat de patiënt op deze gebieden wil en nodig heeft. Schout (1999) omschrijft dit als een verschuiving van een diagnosegestuurde oriëntatie naar een behoeftegestuurde oriëntatie. Hoewel deze omslag nooit volledig gemaakt kan worden, is ze een voorwaarde voor rehabilitatiegerichte hulpverlening. Het invoegen van een rehabilitatiecomponent in de diagnostiek is noodzakelijk om verdere behandeling en begeleiding zoveel mogelijk te kunnen laten aansluiten bij de concrete zorgen, wensen en doelen van de patiënt.

Rehabilitatiediagnostiek vindt niet alleen plaats in de diagnostische fase van de psychiatrische zorg. De mogelijkheid van een rehabilitatietraject kan zich ook voordoen tijdens medicamenteuze behandeling, psychotherapie of voorbereiding op ontslag uit het ziekenhuis. Rehabilitatiediagnostiek wordt in de loop van een behandeling dus geregeld herhaald (McQuistion, 2000). Dat is noodzakelijk omdat de behoeften, wensen en doelen van patiënten gaande het proces van behandeling over het algemeen een aantal malen veranderen.

Voor de psychiater is dus een belangrijke rol weggelegd in het helpen van de patiënt om zijn wensen en doelen te formuleren (Dhillon e.a., 2000). Soms is dit geen probleem en kan iemand direct vertellen wat hij of zij wil. Maar soms schuilt een wens of een doel achter een klacht, een probleem of een onvrede. Een klacht over de bijwerking van medicijnen berust bijvoorbeeld op de wens om normaal te functioneren op het werk. Een klacht over depressieve gevoelens verbergt de wens om meer sociaal contact te hebben. Iemand helpen bij de transformatie van klacht naar wens kan een belangrijke bijdrage vormen in de richting van rehabilitatie.

Voorbeeld: Een cliënt klaagt over tremoren. Herformulering: normaal functioneren op het werk betekent dat ik zonder zichtbare tremoren mijn schrijfwerk kan doen als bureaumedewerker op het kantoor.
Voorbeeld: Een cliënt klaagt over eenzaamheid. Herformulering: ik voel me op mijn gemak wanneer ik geregeld telefonisch contact heb met vrienden of familie.

Wanneer de behandelaar heeft vastgesteld dat een cliënt een wens tot verandering of ontwikkeling op een van de vier levensgebieden heeft, komt de eigenlijke rehabilitatiediagnostiek aan de orde. In die diagnostiek gaat het erom vast te stellen in welke fase van het rehabilitatieproces de cliënt *subjectief* verkeert. Bij het stellen en nastreven van veranderdoelen kunnen schematisch de stappen worden onderscheiden die in figuur 2 zijn samengevat.

Figuur 2: De fasen van het rehabilitatieproces

Verkennen Kiezen Verkrijgen Behouden	} van een zelfgesteld doel

In de fase van 'verkennen' heeft de patiënt wel het gevoel dat er iets moet veranderen, maar hij heeft nog weinig idee van het hoe en het wat. Het gaat in deze fase om het kiezen van een terrein (wonen, werken, leren, sociale contacten) waarop verandering gewenst is, en over een eerste oriëntatie op de aanwezige mogelijkheden (bijvoorbeeld met betrekking tot woningen, scholen, banen, verenigingen). Vervolgens breekt de fase van het 'kiezen' aan. De patiënt achterhaalt zijn keuzecriteria en kiest uit de nu preciezer geïnventariseerde alternatieven. Zijn de gewenste rol en omgeving gekozen dan moeten deze dikwijls eerst nog worden 'verkregen'. Dit is de fase van onderhandelen over het huurcontract, van solliciteren, inschrijven of kennismaken. En tenslotte moet een verkregen rol ook worden 'behouden', hetgeen dikwijls weer andere vaardigheden en ondersteuning vraagt dan de voorgaande fasen.

Voorbeeld: Een cliënt wil betaald werk. Weet hij dat zeker, of is vrijwilligerswerk ook een optie? Is hij aan het formuleren wat voor baan hij precies wil hebben? Heeft hij een specifieke baan op het oog? Is hij al aan het solliciteren geweest? Kortom: is hij in de fase van verkennen, kiezen of verkrijgen?

De laatste stap van de rehabilitatiediagnostiek is dat de hulpverlener bepaalt welke activiteiten hij moet inzetten om de patiënt verder te helpen. Die activiteiten moeten vanzelfsprekend aansluiten bij de rehabilitatiefase waarin de patiënt verkeert. In figuur 3 staan de activiteiten waaruit de hulpverlener kan kiezen opgesomd.

Figuur 3: Activiteiten van de hulpverlener in het rehabilitatieproces

---

Scheppen van een band
Rehabilitatieterrein benoemen
Doelvaardigheid uitwerken
Stellen van een rehabilitatiedoel
Functionele diagnostiek
Hulpbronnen diagnostiek
Vaardigheidsles
Hulpbroninterventies

Voor een uitgebreide uitleg van deze activiteiten verwijzen we naar de publicatie van Henkens en Luijten (hoofdstuk 5 in dit boek).

Het is niet zo dat de fasen van het rehabilitatieproces een op een corresponderen met de activiteiten van de hulpverlener. Natuurlijk zal iemand in de fase van verkennen dikwijls bezig zijn met doelvaardigheid beoordelen en ontwikkelen, in de fase van kiezen met het stellen van een doel en in de fase van behouden met functionele diagnostiek en vaardigheidsontwikkeling. Maar anderzijds kan het leren van vaardigheden al vroeg in een traject nodig zijn, moet iemand soms halverwege een traject zijn doelvaardigheid opnieuw bepalen omdat de motivatie inzakt, of stelt iemand halverwege een traject opnieuw een doel omdat hij van doelterrein verandert. Het lijstje 'activiteiten van de hulpverlener' kan dus behalve als een beschrijving van het rehabilitatieproces ook gebruikt worden als een gereedschapskist waaruit de hulpverlener die rehabilitatiemodules pakt die hij nodig heeft om zijn cliënt te helpen zijn huidige rehabilitatiefase af te maken of een volgende fase te beginnen.

Voorbeeld: solliciteren. Het doel is gesteld, de cliënt is nu in de fase van het verkrijgen van de baan. Beheerst hij de vaardigheden die nodig zijn om te solliciteren (functionele diagnostiek)? Moet hij leren zich te presenteren (vaardigheidsles) of heeft hij genoeg aan hulp bij de toepassing van deze vaardigheid door het gesprek vooraf te oefenen? Is er specifieke ondersteuning nodig (hulpbrondiagnostiek)?

Indicatiestelling en verwijzing voor rehabilitatie

Uit het voorafgaande volgt dat het moment van indicatiestelling voor rehabilitatie niet wordt bepaald door de fase van de behandeling waarin de patiënt verkeert, maar door het moment waarop deze aangeeft onvrede te ervaren met zijn huidige rolfunctioneren in een bepaalde omgeving en/of aangeeft in de toekomst van rol of van omgeving te willen veranderen. Dit leidt tot de volgende formulering ten aanzien van de indicatiestelling:

- De indicatie voor rehabilitatie is dat de patiënt onvrede heeft met zijn of haar huidige rolfunctioneren of wensen/doelen heeft ten aanzien van toekomstig rolfunctioneren op een of meer van de vier terreinen: wonen, werken/dagbesteding, leren en sociale contacten.
- De indicatie voor rehabilitatie kan gesteld worden in elke fase van behandeling van een patiënt.

Wanneer de indicatie voor individuele rehabilitatiebegeleiding is gesteld, komt het moment van verwijzing.

Bij verwijzing gaat het om het op tijd en gericht te hulp roepen van werkers die zijn opgeleid om de patiënt naar nieuwe woon-, werk-, dagbestedings- of leerplaatsen, of naar nieuwe sociale activiteiten te bemiddelen.

Voor de verwijzing is het van belang dat de behandelaar inzicht heeft in de fase van rehabilitatie waarin de cliënt verkeert.

Verwijzing kan plaatsvinden met twee vraagstellingen. De behandelaar vraagt ondersteuning aan de rehabilitatie-expert bij

- het afronden van de huidige rehabilitatiefase of
- het opstarten en doormaken van een volgende fase

Een verwijzingsvraag wordt gecompleteerd met een suggestie over de activiteit die de patiënt volgens de behandelaar verder kan helpen. Deze suggestie volgt direct uit de hierboven beschreven diagnostiek

In figuur 4 (op de volgende pagina) staan indicatie, verwijzingsvragen en vervolgsuggesties kort samengevat.

Figuur 4: Indicatie en verwijzing voor individuele rehabilitatie

---

• **Indicatie:** patiënt heeft onvrede met zijn/haar huidige rolfunctioneren of heeft wensen/doelen ten aanzien van toekomstig rolfunctioneren op een of meer van de vier terreinen: wonen, werken/dagbesteding, leren en sociale contacten.
De indicatie kan gesteld worden in elke fase van behandeling van een patiënt.

• **Verwijzing:** de behandelaar vraagt om ondersteuning van zijn cliënt bij het afronden van de huidige rehabilitatiefase of het opstarten en doormaken van een volgende fase. De fasen zijn: verkennen, kiezen, verkrijgen en behouden van een rol in een omgeving.

• **Suggestie voor vervolgactiviteit:** de behandelaar suggereert dat de cliënt het beste ondersteund wordt met een bepaalde rehabilitatieactiviteit. De activiteiten zijn: scheppen van een band, rehabilitatieterrein benoemen, doelvaardigheid uitwerken, stellen van een rehabilitatiedoel, functionele diagnostiek, hulpbronnen diagnostiek, vaardigheidsles, hulpbroninterventies.

Voorbeelden van verwijzingsvragen:

- *De cliënt wil graag zelfstandig gaan wonen; gaarne hulp bij het kiezen van zijn/haar rehabilitatiedoel op het terrein van wonen.*
- *Patiënt wil graag weer naar school en heeft zich al ingeschreven voor de opleiding met ingang van september aanstaande. Graag hulp bij het verkrijgen en behouden: vaardigheidsdiagnostiek, hulpbrondiagnostiek en indien nodig aansluitend coaching.*
- *Mevrouw X wil weer aan het werk als administratief medewerker maar zij overziet m.i. niet wat dit allemaal vraagt; graag hulp bij verkennen: doelvaardigheid beoordelen en ontwikkelen.*

Rehabilitatiegerichte behandeling

Wanneer de patiënt een individueel rehabilitatietraject doormaakt naar een andere situatie op het gebied van wonen, werken, leren of sociale contacten, en dit traject wint in zijn of haar leven aan belang en gewicht, dan staan de resterende ziekteverschijnselen en hun behandeling steeds meer in het teken hiervan. Resterende ziekteverschijnselen krijgen in toenemende mate de betekenis van hindernissen op de weg naar het gewenste rolfunctioneren en behandeling krijgt in toenemende mate de betekenis van het uit de weg ruimen van deze hindernissen of het faciliteren van de omgang ermee.
Voor de behandelaar is het van belang om aan te sluiten bij deze nieuwe motivaties van zijn patiënt. De patiënt is bijvoorbeeld niet zo geïnteresseerd in het bestrijden van zijn psychose, maar wel in het bestrijden van angsten die hem het thuis wonen onmogelijk maken. Dat laatste is dan het perspectief van waaruit behandeling plaatsvindt (Dröes, 2004).

In de internationale literatuur worden een aantal aspecten van behandeling genoemd die voorwaardenscheppend zijn voor rehabilitatie in engere zin. Dit zijn: de beoordeling van de effecten van symptomen en verschijnselen op de doelvaardigheid, een integrale behandelplanning, medicamenteuze begeleiding, psycho-educatie en recidiefpreventie, cognitieve (gedrags)therapie en ondersteuning van familie en andere hulpbronnen (Dhillon e.a. 2000; Jacobs e.a., 2002; Lawn en Myerson, 1993).

Een belangrijk aspect van de medicamenteuze begeleiding is dat de behandelaar zich rekenschap geeft van invaliderende bijwerkingen van behandeling. Bijwerkingen van medicijnen (bijvoorbeeld sufheid, tremoren) kunnen een serieus obstakel zijn bij het werken of schoolgaan, maar ook voor de tijdstippen waarop afspraken worden gemaakt voor polikliniekbezoek. Tevens kunnen de reistijd naar de polikliniek of de onbereikbaarheid van de behandelaar na school- of kantooruren barrières vormen voor het rehabilitatietraject waarin de patiënt verkeert.

De behandeling van comorbiditeit verdient extra aandacht. Veel rehabilitatietrajecten komen in gevaar door verslaving, depressie en angst die niet direct met de primaire diagnose van de patiënt te maken hebben (Links e.a., 1994). Ook somatische comorbiditeit komt vaak voor (Stein, 1998).

Het is, kortom, van belang dat de behandeling inhoudelijk en organisatorisch wordt aangepast aan het rehabilitatieproces van de patiënt, en niet omgekeerd.

Voorbeeld: De patiënt is nu aan het werk, maar heeft veel last van tremoren. De psychiater helpt door het geleidelijk verminderen van de onderhoudsdosering antipsychotica. De patiënt heeft af en toe angstgevoelens die samenhangen met spanningen op het werk. De psychiater helpt door deze angstgevoelens te behandelen met ontspanningsoefeningen en zo-nodig-medicatie.

Ondersteuning van rehabilitatietrajecten door de behandelaar

Wanneer de patiënt is verwezen voor rehabilitatie komt er een rehabilitatietraject op gang. De vraag is dan welke ondersteuning de behandelaar precies kan bieden aan dit rehabilitatietraject. In figuur 5 staan een aantal elementen van die ondersteuning opgenoemd.

Figuur 5: Ondersteunen van rehabilitatietrajecten vanuit de behandeling

---

Goede band, deelgenootschap
Geen competentiestrijd
Leerervaringen ondersteunen
Omgaan met crises
Kennis van rehabilitatieproces
Kennis van herstelproces

Deze punten zijn op grond van de ervaring in het werken met patiënten vastgesteld.

Deelgenootschap

Patiënten vinden het belangrijk dat hun behandelaar zich deelgenoot laat maken van hun hersteltraject. Dat betekent dat de behandelaar zich een beetje mede-eigenaar voelt van het traject en het van harte ondersteunt. De behandelaar zal juist bij een goed lopend rehabilitatietraject zijn patiënt niet zo vaak zien, terwijl de contactfrequentie weer stijgt als het wat minder goed gaat of als er weerstanden bij familie, werkgevers of instanties overwonnen moeten worden. Het deelgenoot zijn in het hersteltraject is belangrijk om juist ook op die momenten een positieve attitude te behouden (McCrory, 2003; Mosher en Burti, 1992).

Geen competentiestrijd

Dikwijls komen behandelaren en patiënten of behandelaren en begeleiders terecht in competentiekwesties (Dröes, 2004). De cliënt wil bijvoorbeeld zelfstandig gaan wonen, de begeleiding wil hem er wel in steunen, maar de behandelaar vindt het onverstandig. In plaats van dat er over deze standpunten meningen worden uitgewisseld en onderhandeling plaatsvindt, dreigt in zulke gevallen een loopgravenoorlog: de behandelaar wil bijvoorbeeld eerst therapietrouw, de cliënt wil eerst zelfstandig gaan wonen en de rehabilitatiewerker kan de cliënt alleen van harte ondersteunen ten koste van een conflict met de behandelaar. De behandelaar verwijt de cliënt splittend gedrag en de rehabilitatiewerker een onprofessionele houding. De cliënt en de rehabilitatiewerker vinden de behandelaar autoritair. De rehabilitatiewerker en de behandelaar vinden de cliënt allebei onverstandig bezig, maar verschillen van mening over hoe het aan te pakken. De enige manier om hier uit te komen is principieel onderhandelen. Dat vereist dat de behandelaar het verdraagt dat er ook wezenlijk andere standpunten dan het behandelstandpunt meetellen.

Leerervaringen ondersteunen

Het ondersteunen van leerervaringen vereist dat er voor zulke ervaringen ruimte wordt gelaten. Dat betekent dat de behandelaar risico's durft te lopen dat hij niet ten koste van alles mislukkingen wil vermijden. Daarnaast vraagt dit om een goede relatie waarbinnen het mogelijk is om bij successen te complimenteren en bij tegenvallers ook. Het gaat vooral om een positieve houding ten aanzien van het vallen en opstaan dat bij leren hoort.

Omgaan met crises

In een rehabilitatietraject komen altijd crisisperioden voor (zie ook: McCrory, 2003). Sommige crisisperioden worden veroorzaakt doordat de ziekte, min of meer uit zichzelf, de kop weer opsteekt. Dan kunnen signalerings- en crisisplannen van nut zijn. Andere crises komen voort uit het rehabilitatieproces zelf.

Voorbeelden:

- *Juist op het moment dat het goed gaat, dat bijvoorbeeld schoolhervatting of zelfstandig wonen echt in zicht komen, spelen een aantal onverwerkte zaken uit het verleden op. Helaas moet er nu eerst een periode van behandeling of rouwverwerking worden ingevoegd; het scheelt wanneer de betrokkene en zijn behandelaar dit kunnen zien als een positieve ontwikkeling.*
- *Op het moment dat het goed gaat wordt de cliënt bang: het lijkt nu goed te gaan, het zal nu toch niet weer mis gaan? Een tamelijk normale reactie, en het scheelt wanneer de cliënt en zijn behandelaar dat ook zo zien.*
- *Wanneer iemand zijn of haar doel eindelijk heeft bereikt kan er een gevoel optreden van 'is dit het nu?' Het dagelijks naar school gaan is toch gewoon erg zwaar, het zelf je huishouden doen en de weekenden alleen zijn niet altijd leuk. Zo'n, alweer tamelijk normale, crisis heeft de betekenis dat men na het bereiken van een doel verder moet, bijvoorbeeld met het stellen van een nieuw doel of met doelen op een ander vlak.*

Crisissen die onderdeel zijn van een rehabilitatietraject nemen vaak een vorm aan die wordt bepaald door de ziekte van een patiënt. De een wordt bij crisis depressief, de tweede geagiteerd, de derde psychotisch. Dat kan een hele nuttige constatering zijn omdat de ziekte dan een persoonlijke betekenis krijgt: 'Als ik te lang te veel hooi op mijn vork neem word ik weer....'

Kortom: crisisondersteuning vraagt van de behandelaar vooral een scherpe neus voor de betekenis van een crisis en het vermogen om die met zijn of haar patiënt te bespreken.

Kennis van het rehabilitatieproces

Het helpt de behandelaar bij het deelgenoot worden in het rehabilitatietraject van een cliënt erg wanneer hij voldoende inzicht heeft in de techniek van de rehabilitatie om te kunnen herkennen waarmee iemand bezig is. Het helpt ook wanneer de cliënt en zijn behandelaar daarbij hetzelfde jargon gebruiken. Wanneer de cliënt wordt begeleid via de IRB is het dus wenselijk dat de behandelaar de terminologie daarvan in grote lijnen beheerst.

Kennis van het herstelproces

Tenslotte is kennis van de fasen en elementen van een herstelproces (zie de hoofdstukken 2, 10 en 12 van dit boek) onmisbaar voor het ondersteunen van rehabilitatie. Het herstelproces van de patiënt is het proces waar het uiteindelijk om gaat. Een rehabilitatietraject is in het herstelproces een van de onderdelen of bijdragen die de patiënt helpt de ziekte te bestrijden, met de ziekte te leven en om zich als persoon aan de ziekte te ontworstelen. Een aansprekende beschrijving, op basis van eigen ervaringen, van het herstelproces is te vinden in het boek van Ron Coleman *Herstellen kan dat wel?* (Coleman, 2003).

Samenvatting

Belangrijke activiteiten van de psychiater met betrekking tot rehabilitatie zijn het indiceren en verwijzen voor en het ondersteunen van rehabilitatieprocessen.

Er is een indicatie voor individuele rehabilitatie wanneer de cliënt patiënt onvrede met zijn/haar huidige rolfunctioneren heeft of wensen/doelen heeft ten aanzien van toekomstig rolfunctioneren op een of meer van de vier terreinen: wonen, werken/dagbesteding, leren en sociale contacten.

De indicatie kan gesteld worden in elke fase van behandeling van een patiënt.

Verwijzing voor individuele rehabilitatie houdt in dat de behandelaar vraagt om ondersteuning van zijn cliënt bij het afronden van de huidige rehabilitatiefase of het opstarten en doormaken van een volgende fase. De fasen zijn: verkennen, kiezen, verkrijgen en behouden van een rol in een omgeving.

Het ondersteunen van rehabilitatietrajecten vraagt om deelgenootschap, het vermijden van competentiestrijd, het ondersteunen van leerervaringen, het omgaan met crises en om kennis van rehabilitatie en herstel.

Literatuur

Bachrach, L. (1995). Psychosociale rehabilitatie en psychiatrische begeleiding in de zorg voor chronische patiënten. In G. Pieters & J. Peuskens (Red.), *Rehabilitatie van de Chronische Psychiatrische Patiënt.* Leuven-Apeldoorn: Garant.

Coleman, R. (2003). *Herstel, kan dat wel?* Maastricht: Stichting Weerklank.

McCrory, D.J. (2003). Rehabilitatie, het bondgenootschap. In M.Nuy en J. Dröes (Red.), *De individuele Rehabilitatie Benadering* (pp.13-21). Amsterdam: SWP.

Dhillon, A.S. & Dollieslager, L.P. (2000). *Overcoming Barriers to Individualized Psychosocial Rehabilitation in an Acute Treatment Unit of a State Hospital.* Psychiatric Services, 51(3), 313-317.

Drake, R.E., Bond, G.R.& Torrey, W.C. (2000). Psychiatry and Rehabilitation. *Community Mental Health Journal,* 36 (6), 617-619.

Dröes, J.T.P.M. (2004). Rehabilitatie of behandeling? In A. Kaasenbrood, T. Kuipers & B. van der Werff (Red.), *Dilemma's in de psychiatrie.* Houten: Bohn Stafleu Van Loghum.

Jacobs, S. e.a. (2002). The Integration of treatment and Rehabilitation in Psychiatric Practice and Services: A Case Study of a Community Mental Health Center. *Community Mental Health Journal,* 38(1), 73-81.

Lawn, B. & Myerson, A.T. (1993). A Modern Perspective on Psychiatry in Rehabilitation. In R.W. Flexer & P.L. Solomon (Eds.), *Psychiatric Rehabilitation in Practice.* Boston, London: Andover Medical Publishers.

Links, P.S., Kirkpatrick, H. & Whelton, C. (1994). Psychosocial Rehabilitation and the Role of the Psychiatrist. *Psychosocial Rehabilitation Journal,*18(1),121-130.

Mosher, L.P. & Burti, L. (1992). Relationships in rehabilitation: When technology fails. *Psychosocial Rehabilitation Journal,* 15(4),11-17.

McQuistion, H.L., Goisman, R.M. & Tennison, C.R. (2000). Psychosocial Rehabilitation: Issues and Answers for Psychiatry. *Community Mental Health Journal,* 36(6), 605-616.

Schout, G. (1999). Tussen bondgenootschap en "deskundologie". *Maandblad Geestelijke volksgezondheid,* 3, 269-283.

Stein, L. (1998). The Community Psychiatrist: Skills and Personal Characteristics. *Community Mental Health Journal,* 43(4), 437-445.

Veldhuizen, R. van (2002). De psychiater in teams voor Assertive Community Treatment. *Passage* 11(4), 224-231.

Watts, F.N. & Bennett, D.H. (1991). Management of the Staff Team. In F.N.Watts & D.H.Bennett (Eds.), *Theory and Practice of Psychiatric Rehabilitation.* Chichester: Wiley.

10. Over leven na de psychiatrie
Wilma Boevink

'Herstel' is de vertaling van het Engelse begrip 'Recovery' (zie hoofdstuk 1, noot 2). Het begrip kreeg onder andere bekendheid door publicaties van Deegan (1988) en Anthony (zie hoofdstuk 2 van dit boek).
In de tweede helft van de jaren negentig vond het ook ingang in Nederland. In dit artikel van Wilma Boevink worden de verbindingen met de internationale literatuur over herstel zichtbaar.[1] De thema's waarmee zij het herstelproces illustreert zijn in veel latere publicaties over herstel terug te vinden. Het beschrijven van je eigen herstel leidt vanzelf tot kritische vragen en opmerkingen over de hulpverlening en de voorzieningen waarmee je te maken hebt gekregen. Die komen in de tweede helft van dit artikel ruimschoots ter sprake.

Rehabilitatie is iets wat hulpverleners doen. Het is een principe van waaruit zij werken. Een hulpverlener die aan rehabilitatie doet, ziet meer dan alleen het ziektebeeld van zijn cliënt. Hij erkent dat er ook een leven geleefd moet worden. Wat cliënten met hun leven willen, is richtinggevend voor zijn handelen. Vanuit het perspectief van cliënten is rehabilitatie slechts een hulpstuk, een van de hulpmiddelen bij hun herstelwerkzaamheden. Dat herstellen doen cliënten zelf (zie ook: Dröes, 1995; Van Weeghel, 1995).
In dit artikel wil ik herstelprocessen van cliënten in de psychiatrie illustreren. Ik baseer me hierbij op mijn eigen herstelervaringen, opgedaan na mijn verblijf van ruim twee jaar in een psychiatrisch ziekenhuis, nu tien jaar geleden. Die ervaringen zijn weliswaar persoonlijk, maar ze zijn niet uniek. Vergelijkbare ervaringen zijn terug te vinden in de schaarse onderzoeksliteratuur op dit terrein en in wat mijn lotgenoten daarover zeggen en schrijven (Antonovsky, 1987; Deegan, 1988, 1993; Estroff, 1981; Spaniol en Koehler, 1994; Strauss e.a., 1985, 1994; Van Weeghel, 1995).

Herstel
Ergens in de afgelopen tien jaar heeft mijn herstel ingezet. Als ik dit zeg, dan schieten mij meteen diverse concrete voorbeelden te binnen. Toch is het moeilijk om in een paar woorden weer te geven wat ik ermee bedoel. Volgens het woordenboek is herstellen hetzelfde als genezen, maar dat klinkt me te passief. Genezen is iets waar de arts voor zorgt of waar je pillen voor slikt. Herstellen kan niemand voor je doen en er bestaan geen medicijnen voor. Herstellen kun je alleen zelf doen. Bovendien houdt het nooit op. Het is geen doel en er is geen absoluut eindpunt. Herstellen is misschien vooral een houding, een bepaalde kijk op je leven en op wat er met je gebeurt (Deegan, 1993)[2].

10. Over leven na de psychiatrie

Recupereren

Eén rode hersteldraad door mijn leven van de afgelopen jaren is dat ik op krachten moest komen. Het voelde na mijn ontslag uit de inrichting niet meteen alsof ik op mezelf kon bouwen. Je staat niet meteen weer stevig op eigen benen als je hebt ervaren hoe onleefbaar het leven kan zijn voorbij bepaalde grenzen. Als je eenmaal van het bestaan van die grenzen weet, is er nog maar weinig vanzelfsprekend. Er is een enorme kwetsbaarheid die je te boven moet komen. Je moet jezelf en de wereld opnieuw uitproberen en testen hoe de dingen werken. En omdat het zelfvertrouwen weg is, is dat een hachelijke onderneming. Je moet het juiste evenwicht vinden tussen doen en laten, tussen jezelf afschermen van de dynamiek van het leven en aan dat leven deelnemen.

De fase van recuperatie is een riskante. Het is niet voor niets dat de meeste heropnames in de eerste periode na ontslag plaatsvinden (Van den Hout, 1985). Dat men dan nog geen weerbaarheid heeft opgebouwd is daar zeker debet aan, maar dat is niet het hele verhaal. Ook moet je de enorme overgang maken van 'psychiatrisch patiënt –zijn' naar volledig of deeltijd burgerschap. Je moet het dagelijks leven hervatten. En hoe dat te doen leer je niet in de psychiatrie. Waar gaat het dan om? Om concrete dingen, zoals het regelen van financiële zaken, het vinden van een woning en het proberen van die woning je nieuwe thuis te maken. Of om terugkeer naar je oude woning en daar orde op zaken stellen. Je moet formulieren invullen, instanties als de sociale dienst en de woningbouwvereniging bezoeken en je laten keuren op arbeidsgeschiktheid. Dit soort klussen vereist een behoorlijke dosis weerbaarheid; de regels en procedures zijn ingewikkeld, de wachttijden lang en de mensen zijn onvriendelijk. Zelfs als je niet net uit een inrichting komt, is dat onprettig.

Je moet de vanzelfsprekendheid van het dagelijks leven herwinnen. Dat is ook een kwestie van *tijd*, van elke dag zonder calamiteiten optellen bij de vorige. En als het leven dan een tijdje goed gaat, kun je heel voorzichtig wat achterover leunen omdat je misschien wel het ergste hebt gehad.

Ik ben lange tijd bang geweest voor herhaling van wat aan mijn opname voorafging. Dat moet niet worden verward met angst voor de eigen waanzin. Dat is iets anders. Mijn gekte is slechts het dieptepunt geweest van een afglijden gedurende jaren. Eigenlijk was het een opluchting toen ik daar uiteindelijk in kon wegvluchten. Ik zag mezelf heel langzaam achterop raken bij leeftijdgenoten, voelde het leven langzaam maar zeker tussen mijn vingers doorglijden. Daar heb ik nu nog wel eens nachtmerries van, dat ik heel langzaam op een zijspoor raak. Ik droom dat mijn zijspoor eerst nog wel parallel loopt aan de hoofdweg waar alle anderen zijn. Dus het lijkt net of alles nog in orde is. Ik weet dat er al geen weg meer terug is, dat wat er gebeurt onherroepelijk is. En dan ineens maakt het hoofdspoor een bocht en weg is iedereen.

Mijn reactie op het ontbreken van kracht en zelfvertrouwen is geweest dat ik in die eerste tijd na mijn ontslag blindelings heb gekoerst op de aanpak van mijn behandelaars. Het was alsof zij meekeken over mijn schouder en alles wat ik deed becommentarieerden vanuit hun behandelmodel: niet te veel terugtrekken of afzonderen, blijf concreet en in het hier en nu, overdag ben je wakker en 's nachts mag je slapen. Ik bezag mezelf door hun ogen en paste toe wat zij op mij toepasten. Ik deed dat op een rigide manier, omdat afwijking van het voorgeschreven pad tot een terugval had kunnen leiden. Misschien zien anderen daar geen kwaad in, maar het hield mij wel in de rol van psychiatrisch patiënt. Veel van wat gewoon tot het leven behoort, schreef ik toe aan mijn ziektebeeld.

Inmiddels weet ik beter. Ik ontdekte bijvoorbeeld dat slapeloosheid niet meteen iets onherroepelijks hoeft aan te kondigen. Inmiddels weet ik dat iedereen wel eens een slechte dag heeft waarop niets goed lijkt te gaan en de hele wereld tegen je is. Dat kan, dat mag, en

105

morgen is er weer een dag. Toen deden dat soort dagen bij mij de alarmbellen rinkelen, omdat ik dacht dat ze een terugval aankondigden. In de loop van de tijd heb ik leren onderscheiden wat tot de gewone ergernissen van het dagelijks leven hoort en waarover ik me werkelijk zorgen moet maken. Herstel betekent dat je moet 'ontpsychiatriseren'. Je moet leren niet alle tegenslagen steeds weer aan die zogenaamde stoornis in jezelf toe te schrijven, maar aan het leven zelf. Je moet het leven accepteren en er de verantwoordelijkheid voor nemen. Dat heeft tijd nodig. Op krachten komen en zelfvertrouwen krijgen vraagt veel geduld.

Verhalen maken

Een andere betekenis van herstel is dat je probeert te bevatten wat er met je is gebeurd. Ik denk dat mijn herstel is begonnen op het moment dat ik durfde terug te kijken op mijn leven. Tot dan toe was daar maar één officieel verhaal voor. Er is lange tijd maar één versie geweest van mijn levensverhaal. Volgens die versie heb ik een psychische stoornis, waardoor ik in een psychiatrisch ziekenhuis terechtkwam. Daar werd ik behandeld en hoewel het nooit meer echt over gaat, valt er met de restverschijnselen wel te leven. Dat is niet mijn verhaal. Ik geloof er niet in en ik kan er niks mee.

Mijn verhaal luidt anders. Daarin ben ik niet de drager van een psychische stoornis. In mijn verhaal is mijn psychiatrische opname de uitkomst van een complex samenspel van factoren. In mijn versie is mijn gekte zeker ook een reactie op omstandigheden geweest. Waarom heeft nooit iemand naar die omstandigheden gevraagd? Waarom vroeg niemand mij: 'Wat is er toch gebeurd dat jij er gek van wordt?' In de psychiatrie is men niet gewend om dit soort voor de hand liggende vragen te stellen. De psychiatrie wil een medische wetenschap zijn; zij richt zich op de pathologie van het individu (Mooij, 1988; Thomas, 1995). Het vaststellen van de diagnose vraagt alle aandacht. En zodra die diagnose bekend is, is ook een antwoord gevonden op alle vragen. Vanaf dat moment wordt alles wat je zegt en doet logisch verklaarbaar door het ziektebeeld dat men bij je heeft vastgesteld.

Terugzien op wat er met je is gebeurd en daarover je eigen verhaal maken, is een wezenlijk onderdeel van herstel. In feite herschrijf je je eigen geschiedenis opdat en totdat zij bij je past. Je claimt het eigendomsrecht op je eigen ervaringen. Het gaat er om dat de betekenis van die ervaringen niet meer door anderen wordt bepaald, maar dat je die zelf geeft.

Vallen en opstaan

Terugzien op wat er met je is gebeurd, is niet eenvoudig. Toch is het belangrijk om voor jezelf vast te stellen wat tot je psychiatrische opname heeft geleid. Alleen op die manier kun je proberen greep te krijgen op je leven. Leren van je levensloop heeft tijd nodig en gaat met vallen en opstaan. In dat opzicht verlopen herstelprocessen nooit eenvoudigweg volgens één, stijgende lijn.

In de eerste jaren na mijn ontslag uit het ziekenhuis zijn er veel perioden geweest waarin ik door apathie en somberte overvallen werd. Ik kwam mijn bed niet meer uit en deed niets, wilde niets. Toen voelde dat alsof ik door iets bevangen werd waar ik geen greep op had. Ik voelde me machteloos en werd er wanhopig van. Nu weet ik dat die tijden ergens goed voor waren. Het was de enige manier waarop ik kon bijtanken als het me allemaal te veel werd en het leven me te snel ging. Gaandeweg leerde ik dat apathie een overlevingsstrategie kan zijn. Ik leerde erop vertrouwen dat ik wel weer in beweging zou komen als ik daar aan toe was. En later leerde ik hoe ik het niet meer zo ver kon laten komen. Ik leerde eerder in te grijpen, waardoor de schade niet elke keer zo groot hoeft te zijn. En nu probeer ik te leren hoe ik zelf de snelheid van mijn leven kan bepalen.

Een ander voorbeeld van een herstellijn die niet een mooi stijgend verloop heeft, betreft de tijden waarin ik hopeloos opgesloten raakte in mezelf. Dan straalden de wereld en de mensen alleen nog dreiging uit en werd ik zeer wantrouwend. Lawaai in mijn hoofd en een schemerig blikveld maakten het isolement compleet. Ik trok me dan uit de wereld terug en sprak dagenlang geen mens. Zo'n isolement leek zomaar op te komen en eindeloos te zijn. Nu weet ik dat ik alleenzijn verkies boven gezelschap als ik mezelf dreig te verliezen. Het is moeilijk sociaal te zijn als je het overzicht kwijt bent.

Ik kijk ook terug op tijden waarin bij mij de emmer weer overliep. Dat zou je kunnen zien als een opleving van symptomen, als een terugval. Ik denk dat zo'n zienswijze je niet verder helpt. Ik probeer mijn moeilijke tijden niet als een terugval te zien, maar eerder als een doorbraak. Blijkbaar zijn er veranderingen gaande, heb ik oude angsten te overwinnen en zijn er nieuwe paden te betreden (zie ook: Deegan, 1993). Ik heb me erbij neergelegd dat dit soort ontwikkelingen in mijn leven nooit zonder slag of stoot zullen plaatsvinden. Natuurlijk, een crisis blijft een crisis, maar het helpt als je kunt zien wat de betekenis ervan is, welk doel er mee is gediend.

De wet van het toenemend herstel

Herstel betekent niet dat alles goed komt. Sommige dingen komen niet meer goed. Daar moet je mee leren leven. In de literatuur noemt men die handicaps of psychische beperkingen. Ik hou het liever op kwetsbaarheden of gevoelige plekken. Als je weet waar die liggen, kun je jezelf een beetje ontzien. Dat scheelt een hoop ellende. En het spaart je energie voor wat je wel kunt. Dat is goed voor het zelfvertrouwen. Daarmee treedt in werking wat Henkelman (1995) 'de wet van het toenemend herstel' heeft genoemd.

Ik heb me neergelegd bij de crises die zich af en toe voordoen in het leven. Dit wil niet zeggen dat ik ze zomaar over me heen laat komen. Ik probeer de schadelijke gevolgen te beperken. Dit betekent bijvoorbeeld dat ik me gedeisd probeer te houden zolang de spanning nog in mijn lijf zit; in die toestand moet je niet al te veel ondernemen. Of dat ik met mijn hulpverlener een soort handelingsprotocol afspreek voor als ik zelf ver heen ben: wel of geen medicatie, en zo ja, welke dan? Wel of geen opname, en zo niet, wat dan wel? Of dat ik probeer de gevolgen van zelfbeschadiging te beperken. Soms komt het nog zover dat me dat de enige oplossing lijkt. Door te accepteren dat dit zo is - hoe moeilijk die acceptatie ook is - kan ik erop anticiperen.

Niet alles komt goed

Herstellen betekent niet dat alles uiteindelijk goed komt. Ik moet terugzien op een tijd in mijn leven waarin ik op z'n zachtst gezegd vreemd gedrag vertoonde. Het heeft geen zin om dit te ontkennen. Dat was *ik* en niet iemand anders. Hoe graag ik het soms ook anders zou zien. En dan is er ook het stigma dat je als psychiatrisch patiënt er gratis bij krijgt. En de woede over hoe onterecht dat brandmerk is. Die woede over het brandmerk dat ik heb, terwijl anderen vrijuit gaan – zelfs het recht nemen me op mijn brandmerk te wijzen – ontneemt me soms nog steeds het zicht op mijn eigen leven.

Herstel betekent weliswaar dat je je wonden likt, maar sommige littekens blijven altijd zichtbaar. Dit is pijnlijk, zeker als je zover komt dat je opzij durft te zien en de vergelijking durft te maken met de levensloop van andere mensen. Hieruit leid je af hoe je leven anders had kunnen verlopen. Hieraan meet je af wat je gemist hebt. Dit gaat gepaard met woede over wat niet meer is in te halen. Soms is er zelfs haat jegens al die ogenschijnlijk gelukkige mensen met hun ogenschijnlijk gemakkelijke levens. Dat is verraderlijk, want niets is zoals het lijkt. Je daarin verliezen is een doodlopende weg.

Er waren tijden waarin ik me blindstaarde op al die 'normale' mensen en het leven dat zij leiden. Met een opleiding, een baan, een relatie, een huis en zelfs met kinderen. Bij een vergelijking van mijn situatie met 'waar ik had willen zijn', kwam ik er slecht vanaf. Dan voelde ik mij een mislukkeling, een idioot, niet de moeite waard om voor te leven. Maar gelukkig waren er ook momenten waarop ik keek naar 'waar ik vandaan kwam'. Dan voelde ik me als koning Eenoog in het land der blinden, want ik was dan toch maar mooi uit de inrichting gekomen. Tot zover had ik het dan toch maar gered. Het kan zeer bepalend zijn of je je actuele situatie vergelijkt met 'waar je had willen zijn' of met 'waar je vandaan komt'. En misschien is het op een gegeven moment zelfs mogelijk te zien wat de winst is van je levensloop. Misschien kan je op een gegeven moment zien dat je anderen iets te vertellen hebt, juist vanwege je ervaringen.

Nieuwe trauma's

Ik moet niet alleen herstellen van mijn psychische problemen. Ik moet ook terugzien op een verblijf in een psychiatrisch ziekenhuis. Mijn opname heeft mij in diverse opzichten beschadigd, hoe onbedoeld het misschien ook was. Als ik eraan terugdenk hoe onwaardig het was om psychiatrisch patiënt te zijn, dan wankelt het zelfrespect dat ik in de loop der jaren heb weten te bevechten. Als ik mij de vernedering herinner die de patiëntenrol ook met zich meebracht, dan vergeet ik in mijn woede dat ik me dat nu niet meer laat gebeuren.

Hoe je het ook wendt of keert: inrichtingen zijn verzamelplaatsen van menselijk leed. Boven op je eigen sores komt de ellende die je er aantreft. Ik vind dit een van de tegenstrijdigheden van de psychiatrie, dat we mensen die enorm lijden bij elkaar zetten en vervolgens verwachten dat ze zich daar prettiger van gaan voelen. Iemand die stevig in zijn schoenen staat, zal op zijn minst wat onrustig worden van het hectische en de snel wisselende spanningen op een opnameafdeling. Hoe moet iemand die psychotisch is, op zo'n plaats, met al die prikkels, terugkeren uit zijn psychose? (zie ook: Mosher, 1975)

Voor mensen die er waarschijnlijk nog lang gebruik van maken is de eerste kennismaking met de psychiatrie vaker negatief dan positief. In de literatuur wordt gehamerd op het belang van therapietrouw (compliance): voor het welslagen van de behandeling is het belangrijk dat de patiënt doet wat de dokter zegt. Maar hoe kan je zo'n blind vertrouwen eisen van mensen van wie de herinnering aan bijvoorbeeld hun eerste psychose wordt gedomineerd door de dwang en het geweld rondom de opname? Met compliance wordt meestal gedoeld op de medicatie die volgens voorschrift moet worden ingenomen. Hoe kan men denken dat mensen geen hekel hebben aan psychofarmaca, als diezelfde mensen bij opname profylactisch worden platgespoten?

Herstel gaat niet alleen over psychische problemen, maar ook over de gevolgen daarvan. Je moet ook dat typische inrichtingsleven (Goffman, 1961) ontwennen, dat je je sneller eigen maakt dan dat je er weer vanaf komt. En dan is er het stigma van psychiatrisch patiënt, dat vanzelf uitkomt als je er zelf ook in bent gaan geloven. Of de marginale positie die de samenleving aan mensen met een psychiatrisch verleden toebedeelt. Of de weinig rooskleurige financiële situatie en de discriminatie op de arbeidsmarkt (zie ook: Deegan, 1993). Een psychiatrische opname grijpt diep in een mensenleven in. De effecten ervan zijn nog zo lang voelbaar dat het nooit echt tot het verleden gaat horen.

Emancipatie

Herstelverhalen zijn vooral van belang voor cliënten zelf. Zij zullen immers het herstelwerk moeten doen. Diegenen die zich dat realiseren, hebben denk ik een begin gemaakt met hun eigen herstel. Ik gun hun daarbij vooral het contact met lotgenoten die al een eind op weg zijn en als voorbeeld kunnen dienen. Aan zulke mensen dank ik het misschien wel het meest dat ik mijn verhaal over mijn eigen herstel kan vertellen.

Voor mij is herstel onlosmakelijk verbonden met emancipatie. Op dat gebied moet er nog veel gebeuren. Ik ben van mening dat cliënten elkaar veel meer dan nu het geval is kunnen helpen en ondersteunen in hun proces van herstel. Ik denk dat er veel valt te leren van de ervaringskennis die cliënten in de loop der jaren hebben opgebouwd. Cliënten zien te weinig de rol die zij zelf zouden kunnen spelen. Zij verwachten nog te veel van hulpverleners. Hulpverleners kunnen het herstelwerk niet voor hen doen. Dat is wat zij zelf moeten doen.

Hulpverleners en herstel

Herstelverhalen zijn verhalen van cliënten. Alleen zij kunnen ze uit eigen ervaring vertellen en schrijven. Toch moeten hulpverleners weten van de hoed en de rand. Zij kunnen veel doen om het herstelproces van cliënten te bevorderen (zie ook: Boevink en Wolf, 1997; Deegan, 1988; Van Weeghel, 1995).

Om cliënten te kunnen attenderen op hun herstelmogelijkheden, is het noodzakelijk dat hulpverleners hen in hun gewone leven kennen. Het leven van cliënten bestaat niet alleen in de momenten dat zij worden 'gezien' in de spreekkamer. Daarbuiten voltrekt zich hun herstel.

Het is belangrijk dat cliënten niet alle hoop op verbetering wordt ontnomen. Niemand weet met zekerheid hoe hun leven zal verlopen. Anno 1996 is zelfs met betrekking tot wat schizofrenie wordt genoemd, de overtuiging achterhaald dat het beloop ervan gekenmerkt wordt door achteruitgang en chroniciteit. Mensen met ernstige psychische problemen vormen een heterogene groep en hebben de meest uiteenlopende levensgeschiedenissen (zie: Van Weeghel, 1995). Het is belangrijk dat hulpverleners dit als uitgangspunt hanteren in het contact met cliënten, zodat zij hen kunnen zien zoals ze zijn en zodat zij hun verhalen werkelijk kunnen horen.

Hulpverleners moeten cliënten niet de hoop op betere tijden ontnemen. Dit wil niet zeggen dat men niet realistisch mag zijn. Maar dat is iets anders dan cliënten terugdringen in invaliditeit. Zij verdienen meer nuancering. Realisme is niet hetzelfde als doemdenken.

Hulpverleners dienen zich te realiseren dat herstelverhalen niet per se succesverhalen zijn. Herstel staat weliswaar voor groei en ontwikkeling, maar leidt niet automatisch tot voor anderen waarneembare vooruitgang en verbetering. Crises kunnen optreden of juist perioden van ogenschijnlijke apathie. Dan is het belangrijk dat iemand helpt de betekenis daarvan te vinden. Vooral als cliënten er zelf niet meer in geloven, is het belangrijk dat er iemand anders is die dat wel doet en hen het zicht op hun herstel terug kan geven.

Verbetering op het ene terrein wil niet automatisch zeggen dat het op andere terreinen ook goed gaat. Het scheelt als een hulpverlener daar rekening mee houdt. Herstelprocessen laten zich niet vangen in een constant stijgende lijn, maar kennen ook tijdelijk dalende lijnen. Hulpverleners moeten cliënten ook hun mindere tijden gunnen. Af en toe moeten cliënten op adem komen en consolideren wat ze bereikt hebben. Niemand houdt het vol als constant de vooruitgang wordt nagejaagd.

Hulpverleners zouden niet moeten vasthouden aan de zogenaamde behandelrelatie, maar een samenwerkingsrelatie moeten nastreven. Belangrijk daarbij is een gemeenschappelijk begrip van wat er gaande is. En 'gemeenschappelijk' betekent dan niet dat de cliënt voor-al mag delen in het begrip van de hulpverlener. 'Helpen de betekenis te vinden van wat er gebeurt' kan snel veranderen in 'het beter weten', zeker als de hulpverlener toch al zo wei-nig tijd heeft en diens caseload eigenlijk te groot is. Gemeenschappelijkheid impliceert een wederzijds horen en gehoord worden.

Herstel gaat in essentie over het gewone leven en daarin schuilt voor mij ook de kracht van het concept. Het biedt gebruikers van psychiatrische voorzieningen een handvat om zich-zelf te 'ontpsychiatriseren' en om wat er met hen gebeurt te zien als iets dat ook gewoon bij het leven hoort. Herstel is in mijn ogen onlosmakelijk verbonden met emancipatie van cliënten. Hulpverleners kunnen daaraan een waardevolle bijdrage leveren door cliënten als gelijkwaardige en waardevolle gesprekspartners te accepteren.

Ten slotte

Wellicht vragen sommigen zich af in hoeverre mijn verhaal ook het verhaal is van andere cliënten in de psychiatrie. Misschien vinden zij het te optimistisch om voor de cliënten die zij kennen op herstel te mogen hopen. Ik durf dat te betwisten. Ik denk dat herstelprinci-pes algemeen geldend zijn. Voor iedereen geldt dat er na zware tijden eerst moet worden bijgetankt en dat vertrouwen in eigen kunnen niet meteen weer vanzelfsprekend is. Ieder-een kan volgens mij proberen te begrijpen wat er in zijn leven gebeurt. En ik denk dat we uiteindelijk allemaal kunnen leren van onze eigen ervaringen. Misschien gaat dat bij de een wat langzamer en moeizamer dan bij de ander, maar onmogelijk is het niet.

Noten

1. Deze tekst is een bewerking van een lezing gehouden tijdens het eerste havee-congres op 30 en 31 augustus 1996 in Wales. Thema's waren zelfbeschadiging (SelfHarm), mis-bruik en mishandeling (Abuse) en stemmen horen (Voice hearing Experience).
2. De Amerikaanse ervaringsdeskundige Pat Deegan beschreef op indrukwekkende wijze het begrip 'recovery' (herstel) en gaf er bekendheid aan. Door haar werk opende zij mij de ogen voor mijn eigen herstelproces.

Literatuur

Antonovsky, A. (1987). *Unraveling the mystery of health. How people manage stress and stay well.* London: Jossey-Bass Publishers.

Boevink, W.A. & Wolf, J. (1997). Vom Ergebnis zum Input. Inhalt und Anwendbarkeit des Lebensqualitätkonzeptes. In: *Die Lebensqualität in der Psychiatrie. Deutsche und inter-nationale Perspektiven.* Heidelberg: Universität Heidelberg.

Deegan, P.E. (1988). Recovery: the lived experience of rehabilitation. *Psychosocial Reha-bilitation Journal,* 11(4),11-19.

Deegan, P. (1993). Recovering our sense of value after being labeled mentally ill. *Journal of Psychosocial Nursing,* 31(4), 7-11.

Dröes, J. (1995). *Ondersteunen rehabilitatieprogramma's de herstelprocessen van cliënten?* Lezing gehouden tijdens het congres 'Zorgvernieuwing in de GGZ' georganiseerd door het NcGv, Rotterdam.

Estroff, S.E. (1981). *Making it crazy. An ethnography of psychiatric clients in an american community.* Berkely: University of California Press.

Goffman, E. (1961). *Asylums*. New York: Penguin Books.

Henkelman, L. (1995). *Over rehabilitatie, mythes en de hoop op een betere wereld, te beginnen bij de Ggz in Utrecht*. Lezing gehouden tijdens het congres 'Rehabilitatie in de stad Utrecht' georganiseerd door de Rümke-groep, Riagg Stad Utrecht en de Stichting Beschermde Woonvormen Utrecht.

Hout, A.C. van den (1985). *Ontslagen psychiatrische patiënten, een longitudinaal onderzoek naar heropname*. Nijmegen: Instituut voor toegepaste sociologie.

Mooij, A.W.M. (1988). *De psychische realiteit: over psychiatrie als wetenschap*. Meppel: Boom.

Mosher, L.R., Menn, A.Z. & Matthews, S. (1975). Soteria. Evaluation of a home-based treatment for schizophrenics. *American Journal of Orthopsychiatry*, 45, 455-467.

Spaniol, L. & Koehler, M. (Red.) (1994). *The experience of recovery*. Boston: Boston University, Center for Psychiatric Rehabilitation.

Strauss, J.S. (1994). The person with schizophrenia as a person II: Approaches to the subjective and complex. *British Journal of Psychiatry*, 164(23), 103-107.

Strauss, J.S. e.a. (1985).The course of psychiatric disorder III: Longitudinal principles. *American Journal of Psychiatry*, 142(3), 289-296.

Thomas, P. (1995). *On the nature of professional barriers*. Lezing gehouden tijdens het congres 'Stemmen horen' in Maastricht.

Weeghel, J. van (1995). *Herstelwerkzaamheden. Arbeidsrehabilitatie van psychiatrische patiënten*. Amsterdam: SWP.

11. Van behandeling naar rehabilitatie: een persoonlijke ontwikkeling
Jos Dröes

De kritische vragen die cliënten formuleren aan het adres van hun hulpverleners en van de hulpverlening geven aanleiding tot zelfreflectie. Het verhaal van de hulpverlener komt in bepaalde opzichten naast dat van de cliënt te staan. Dat is op den duur voorwaarde voor het ontstaan van een echte dialoog. In dit hoofdstuk vertelt de auteur hoe hij zich als psychiater in de richting van rehabilitatie heeft ontwikkeld. De kern van zijn betoog is dat individuele rehabilitatie een vorm van individuele hulpverlening is die goed aansluit bij medisch psychiatrische behandeling, maar die deze behandeling tegelijkertijd in een nieuwe context plaatst. Door het gebruiken van een rehabilitatievisie komt behandeling in de context te staan van de levensgeschiedenis van de patiënt, wat leidt tot een nieuwe agenda van de behandelaar. Belangrijke trefwoorden in die nieuwe agenda zijn: attitude en bejegening, een gemeenschappelijke taal, de emancipatie van cliënten en maatschappelijke belangenbehartiging.

Inleiding

Dit is het verhaal van een persoonlijke ontwikkeling. Als psychiater ben ik opgeleid in het gebruiken van medisch-psychiatrische en psychotherapeutische uitgangspunten en behandeltechnieken. Maar in mijn werk met langdurig zorgafhankelijke patiënten ben ik geleidelijk aan gegroeid naar het gebruiken van rehabilitatie als uitgangspunt en techniek. Voor mijzelf is dit een tamelijk vanzelfsprekende ontwikkeling geweest. Toch blijkt het tegelijkertijd gebruiken van behandelings- en rehabilitatieprincipes in de praktijk nog wel eens spanningen op te leveren.

Om die spanningen te thematiseren behandel ik in deze bijdrage de redenen die mijzelf, als behandelaar, in toenemende mate tot het werken met rehabilitatie hebben aangezet. Ik hoop dat anderen met mijn ervaringen hun voordeel kunnen doen.

Wat is rehabilitatie, wat is behandeling?

Rehabilitatie betekent volgens de Van Dale (1984) 'herstel in eer en goede naam'. Zoals wij het woord gebruiken is het een Anglicisme, want in het Engels betekent rehabilitatie behalve 'eerherstel' ook 'revalidatie'. Rehabilitatie is dus de naam voor een benadering die eerherstel en revalidatie omvat. De missie van deze benadering wordt in verschillende scholen enigszins verschillend verwoord, maar in de door mij gebruikte Individuele Rehabilitatie Benadering (IRB) (Anthony e.a, 1992) luidt zij: 'mensen met psychiatrische beperkingen helpen beter te functioneren zodat ze met succes en naar tevredenheid kunnen wonen, werken, leren en sociale contacten hebben in de omgevingen van hun keuze met zo min mogelijk professionele hulp.'

Mijn keuze voor de IRB hangt, denk ik, samen met de individuele oriëntatie ervan. Die sluit goed aan bij de gerichtheid op individuele behandeling in mijn opleiding. Ook hangt mijn keuze, denk ik, samen met het feit dat de IRB een duidelijk hulpverlenend karakter heeft. Rehabilitatie is een proces waarin de cliënt zich bewust wordt van eigen wensen en doelen, en waarin hij werk maakt van het nastreven en bereiken van die doelen, en het vasthouden aan de resultaten. De hulpverlener helpt hem daarbij. Voor mij is rehabilitatie dus in de eerste plaats een individueel ondersteunen van cliënten, en dat sluit goed aan bij mijn professionele opleiding.

Behandelen is volgens Van Dale: hanteren (zoals in: "voorzichtig te behandelen"), het vereiste over iets zeggen (zoals in: "een onderwerp behandelen"), afdoen (zoals in: "die zaken worden door de chef behandeld") en iemand als geneesheer in zijn ziekte bijstaan (zoals in: "een patiënt behandelen"). Wij hebben het alleen over de laatste betekenis, al klinken de andere betekenissen wel eens mee.
Overigens is bijstaan een ruim begrip. Ik denk erbij aan het bevorderen van genezing, bestrijding van symptomen en vermindering van lijden.
Behandelen krijgt in de praktijk vorm als behandeling.
Volgens het woordenboek betekent behandeling: "geneeskundige verzorging". "Onder behandeling van dokter X zijn", betekent: X als geneesheer hebben. Ik vermeld dit omdat het duidelijk maakt dat bij het spreken over "behandeling" de "behandelaar" al zeer spoedig ter sprake komt.
"Behandeling" kan ook nog de betekenis hebben van "therapie", "geneeswijze". Dat is een "handelwijze die men toepast bij genezing van een ziekte of kwaal".
Uit deze verschillende definities destilleer ik de volgende missie van behandeling: "genezing van ziekte, bestrijding van symptomen en vermindering van lijden door het bijstaan van de persoon en het toepassen van geneeswijzen".

Wanneer men zo in het woordenboek naar de basisbegrippen rond het thema 'behandeling' zoekt, dan wordt men getroffen door de nadruk op het *bijstaan* van zieken. Nu vindt iedereen uiteindelijk wel dat het bijstaan heel belangrijk is, maar in onze cultuur, onze tijd, onze financieringssystematiek en ons professionele waardesysteem is het toepassen van geneeswijzen om de ziekte te bestrijden en te genezen populairder dat het bijstaan van mensen in hun ziekte. Actieve, moderne behandeling, die streeft naar het agressief aanpakken van verkeerde ontwikkelingen en moeilijke symptomen, die recidieven wil voorkomen en therapietrouw en coping wil bevorderen, dat is populair. Zo'n actieve opstelling vereist dat je je heel doelgericht gedraagt. Een van de manieren om dat te doen is dat je je beperkt tot het aanpakken van de symptomen of de ziekte en dus vooral niet van het leven of de persoon van de cliënt – dat is veel te breed en te vaag.
Persoonlijk werden 'bijstaan' en 'begeleiden' voor mij al gauw erg belangrijk. Er schuilt zoveel wanhoop onder een depressie en zoveel radeloosheid onder een psychose, dat ik het bieden van contact aan mijn patiënten, in acute ziekteperioden, maar nog meer op de langere termijn, al vroeg een belangrijk deel van het werk vond. Onvermijdelijk krijg je dan ook te maken met zingevingsvragen en andere 'normale' aspecten van het leven van de cliënt. Het steeds belangrijker worden van langetermijncontacten kwam me goed uit. Ik kan persoonlijk slecht tegen tijdsdruk, ik ben meer een stayer dan een sprinter.
Ik vertel deze dingen zo uitvoerig omdat ik denk dat een van de moeilijkheden van de discussie tussen behandeling en rehabilitatie gelegen is in het feit dat veel klinisch werkzame psychiaters *doeners* zijn, die graag doelgericht en op de korte termijn aan de gang gaan

met de ziekte. Hun opleiding, hun beroepsgenoten, hun werkomgeving, hun patiënten en hun financiers verwachten dat ook van hen. En zij kiezen voor een 'doe vak' omdat ze dat leuk vinden. Rehabilitatie vereist echter vooral heel veel geduld. Rehabilitatie vereist dat je je als ondersteuner aansluit bij waar de cliënt is, dat je niet harder gaat dan de cliënt zelf. Rehabilitatie vraagt om plezier in het langzame en het persoonlijke, dat je het contact met de cliënt minstens even belangrijk vindt als de andere resultaten van je benadering.

Waarom rehabilitatie?

In de vorige paragraaf zijn al een paar redenen genoemd waarom rehabilitatie voor mij een interessant terrein is gebleken. In deze paragraaf werk ik vier van die redenen uit. Ze hebben te maken met het krijgen van contact met cliënten, het ingaan op hun wensen en behoeften, de emancipatie of mondigheid van cliënten en het maatschappelijk nadeel dat zij ondervinden bij hun psychische handicaps.

Contact. Wanneer je probeert een normale, menselijke verstandhouding met je cliënten op te bouwen, dan merk je dat therapeutische en diagnostische denkmodellen het tot stand komen van die verstandhouding kunnen bemoeilijken. Volgens mij komt dat doordat er in de ziekteleer en in veel therapeutische denkmodellen betrekkelijk weinig plaats is voor de persoonlijke, subjectieve beleving van de patiënt en de persoonlijke, subjectieve interpretaties van die beleving. Wanneer een patiënt zijn of haar beleving erg overtuigend naar voren brengt, denk je 'wat moet ik daar nou mee, als arts'. Dit is een ervaring die in de literatuur herhaaldelijk is beschreven. De Amerikaanse psychiater John Strauss (1989; 1994), bijvoorbeeld, beschrijft hoe hij als onderzoeker werd getroffen door het feit dat cliënten bepaalde fasen in hun ziektegeschiedenis heel anders benoemden dan hij. De cliënt beschrijft een periode van eenzaamheid als "het slechtste halfjaar van mijn leven", terwijl de onderzoeker vindt dat het met het functioneren van de cliënt in die fase juist wel aardig gesteld was. Strauss schrijft dan dat wij "veel aspecten van de subjectieve beleving niet horen of buiten beschouwing laten".

Intussen is het soms wel erg moeilijk om subjectieve belevingen van andere mensen, ook van cliënten dus, echt serieus te nemen. Het vereist dikwijls een soort keerpunt om daaraan toe te komen. Een mooi voorbeeld is te lezen in het boek van Romme en Escher (1999) over stemmen horen. Romme beschrijft hoe hij een patiënt die stemmen hoorde in contact bracht met lotgenoten, omdat "een dergelijke ervaring een moeilijk in te leven ervaring is". De wederzijdse herkenning die hij in dit lotgenotencontact waarnam "overtuigden hem van de echtheid van de beleving".

De aandacht voor de subjectieve beleving zoals die uit de voorafgaande citaten naar voren komt, leidt nog niet vanzelf tot een rehabilitatieperspectief. Het leidt wel tot kennis van en ook tot een beter gebruik van ervaringsdeskundigheid en copinggedrag van cliënten. Een gelijkwaardiger verhouding tussen cliënt en behandelaar vloeit er bijna onmerkbaar uit voort.

Voor velen is de (h)erkenning van het belang van subjectieve elementen in het contact met de cliënt een eerste stap in de richting van een rehabilitatieperspectief.

Klachten en wensen. Een tweede reden om beter naar cliënten en hun persoonlijke ervaringen, wensen en behoeften te gaan luisteren, had in mijn geval te maken met hun gerechtvaardigde *klachten* over de toenmalige situatie in de intramurale psychiatrie. Ik begon als psychiater in het midden van de jaren zeventig te werken in een zeer verouderd en overvol psychiatrisch ziekenhuis. Ik kwam daar bijvoorbeeld geregeld mensen tegen die liever een eigen kamer hadden en die zich eigener beweging aanmeldden wanneer er weer eens ergens een ruimte vrijkwam. Het eenvoudigweg voorzien in zulke behoeften leek me gezonder, menselijker en effectiever dan het opvoeden van mensen tot 'gestichtssociaal gedrag', om eens een heel oude term te gebruiken.

In die tijd was het zogenaamde hospitalisatiesyndroom erg populair. Er was veel literatuur beschikbaar die aantoonde hoe invaliderend langdurige hospitalisatie kon zijn. Het Beschut Wonen-project van de voormalige Stichting Centrum St. Bavo in Noordwijkerhout was gericht op het voorkomen en bestrijden van het hospitalisatiesyndroom en was gebaseerd op de *wensen* van de bewonersgroep (Offerhaus, 1983). Tijdens de uitvoering van het project bleek de vervulling van deze wensen dikwijls een positieve uitwerking te hebben (Dröes, 1982). In de praktijk zag ik veel patiënten qua symptomatologie stabiliseren en functioneel verbeteren (Wennink, 1986).

Aandacht voor de normale wensen en behoeften van patiënten leidde dus in een flink aantal gevallen tot een beter zorgresultaat en (voeg ik nu toe) tot een beter inzicht in wat er nog ontbrak. Langzamerhand werd het beter luisteren naar de wensen en behoeften van cliënten een gewoonte van me, omdat ik vaak meemaakte dat ze gelijk hadden en er positieve ontwikkelingen uit voortvloeiden.

Emancipatie. Een derde punt dat me in de richting van rehabilitatie wees, was de noodzaak tot vergroting van de mondigheid van cliënten. Dit lag om te beginnen in het verlengde van het vorige punt: wanneer je cliënten wilt bevragen op hun eigen belevingen, wensen en behoeften, dan ligt het voor de hand om een mondige, actieve rol van die cliënten te bevorderen. Deze rol valt in de psychiatrie in veel gevallen moeilijk te onderscheiden van een behandeldoel als 'grotere weerbaarheid' of 'assertiviteit'. Maar behalve een hulpverleningsdoel is emancipatie ook een middel om de ontwikkeling van ik-sterkte of positief zelfgevoel te ondersteunen. Davidson en Strauss (1992) schrijven: "...het toekennen van een centrale rol aan de ontwikkeling van het zelfgevoel van de cliënt bevordert een actieve rol van de cliënt in de verbetering van zijn of haar eigen toestand."

In de opleiding tot psychiater had ik weinig kennis opgedaan over dit soort emancipatorische processen. Hoe je met emancipatorisch gedrag omgaat en hoe je emancipatie kunt ondersteunen heb ik pas via de rehabilitatie geleerd, en het voorzag bij mij in een langzamerhand gegroeide behoefte.

Maatschappelijk nadeel. Een laatste punt dat ertoe leidde dat ik me voor rehabilitatie ben gaan interesseren, een reden die door alle vorige elementen heen speelde, was en is het enorme maatschappelijk nadeel dat mensen met langdurige psychische handicaps ondervinden. Zij behoren tot degenen die het verst van de arbeidsmarkt afstaan, het minste geld hebben, het meest gediscrimineerd worden op uiterlijk en gedrag. Zij hebben een lage organisatiegraad, hun begeleiding heeft geen academische status en de politiek heeft weinig bij hen te winnen. Het individueel behandelen van psychiatrische problematiek lijkt soms bijna onzinnig of zelfs onethisch wanneer er niet tegelijkertijd actie wordt gevoerd om het maatschappelijk lot van patiënten te verbeteren. Ook dit is een element dat in de opleiding tot psychiater niet erg veel aandacht kreeg. Maar in mijn beroepsleven bleken de huisvestingsomstandigheden, de zak- en kleedgeldregelingen, de regeling van het huishoudbudget en de onmogelijkheid om betaald werk te vinden zeer bepalend voor wat er aan psychiatrische behandeling nodig en mogelijk was.

Nederlandse psychiaters en rehabilitatie

Welke Nederlandse psychiaters zijn er nu geïnteresseerd in rehabilitatie of rehabilitatie-verwante onderwerpen?

Deze vraag is nog niet zo gemakkelijk te beantwoorden. In hun overzicht *Psychiatrische Rehabilitatie in Nederland en Vlaanderen* noemen Schene en Henselmans (1999) nauwelijks psychiaters die over het onderwerp gepubliceerd hebben. Toch is er wel iets op dit gebied te melden.

Om te beginnen is een aantal collega's geïnteresseerd in rehabilitatieverwante gebieden, zoals vroege signalering en behandeling van psychosen (De Haan e.a., 1997), coping (Van de Bosch e.a., 1994), Slooff e.a. (1994), psycho-educatie (Van Meer, 1987) en cognitieve therapie bij psychose en stemmen horen (Romme en Escher, 1999; zie ook: Butenaerts e.a., 1999). Dit zijn vooral bijdragen die in de behandelsfeer liggen: het gaat als het ware om de vergroting van het aandeel van cliënten in het proces van behandeling door het op gang brengen van een actieve dialoog over ziektebeloop, symptomen en de omgang daarmee.

Een stapje verder liggen bijdragen van bijvoorbeeld Kaiser (1992) en Slooff (1994; zie ook de bijdrage in dit boek) over revalidatie. Bij revalidatie gaat het om het gebruik van technieken waarmee het mobiliseren en gebruiken van restfuncties beoogd wordt. Kaiser heeft vooral werk gemaakt van de realiteitswaarde van de eigen doelen van cliënten. Slooff e.a. (1994) hebben vooral de thema's 'stress-kwetsbaarheid' en 'vaardigheidsontwikkeling' uitgewerkt.

In deze bijdragen komen de eigen wensen, behoeften en doelen van cliënten al meer aan bod, zij het nog impliciet, zoals in de revalidatiemodulen van Slooff e.a., of met een vraagteken, zoals in het proefschrift van Kaiser.

Een centrale plaats voor de eigen wensen, behoeften en doelen van cliënten leidt ook tot veranderingen in het aanbod van zorg. Van wat oudere datum zijn de gedachten hierover van Offerhaus (1983) en Dröes (1982) en het pleidooi voor actieve resocialisatie van Van der Veen (1983). Rotteveel (1996) vraagt aandacht voor de gedoseerde uitdaging die rehabilitatieprogramma's zouden moeten bieden en Roest pleit voor een indeling van het zorgaanbod die een betere aansluiting op de individuele hulpvraag mogelijk maakt (Van Heugten en Roest, 1996; Van Heugten, Roest en Henkelman, 1996).

Nog een stap verder ligt de bijdrage van Petry en Nuy (1997), die het belang van het eigen levensverhaal van de cliënt en diens volwaardige plaats in de triade van hulpverlener, cliënten en familie benadrukken. Ontegenzeggelijk komt in deze benadering, evenals bij Dröes (2000), ook de notie van 'eerherstel' expliciet aan bod.

Samenvattend blijkt dat de meeste psychiaters die zich met het onderwerp rehabilitatie bezighouden, deze vorm van hulpverlening beschouwen als een verbreding van het behandelaanbod. Rehabilitatie is voor hen een aspect van behandeling in bredere zin. Daarbij gaat de meeste aandacht uit naar rehabilitatiegerichte behandelactiviteiten en naar de technische, revaliderende kant van rehabilitatie. Uit de aangehaalde literatuur blijkt de winst die er voor de psychiatrische behandelaar te behalen valt:

- Verbetering van de communicatie met de patiënt door diens ervaringen meer aan bod te laten komen.
- Verbetering van de motivatie tot actieve deelname van de patiënt aan zijn behandeling door de eigen behoeften, wensen en doelen serieus te nemen.
- Verbetering van het taakfunctioneren van patiënten door sterke kanten te gebruiken en zwakten te compenseren.
- Verbetering van het rolfunctioneren van patiënten door maatschappelijke integratie.

- Een beter inzicht in de basale functiestoornissen van cliënten en in eventueel compenserende vaardigheden en hulpbronnen.
- Vergroting van de ik-sterkte van cliënten door succeservaringen en een emancipatoire bejegening.

Hoewel ik in de praktijk veel collega's ken die de belangen van hun patiënten op gedreven wijze behartigen, is de psychiatrische beroepsgroep als geheel niet erg sterk in het vragen van aandacht voor de maatschappelijke achterstelling en de emancipatie van psychiatrische patiënten. Behalve in oude publicaties van Offerhaus (1983) en in het werk van Petry (1997) wordt daarover vanuit de psychiatrische hoek niet zo veel vernomen. De psychiater is toch vooral gericht op het verbeteren van zijn individuele behandelresultaten. En zoals ik al in de tweede paragraaf van dit artikel schreef: mijn keuze voor de Individuele Rehabilitatie Benadering had zeker te maken met deze, ook bij mij persoonlijk, aanwezige optiek.

Bestudering van de genoemde literatuur en het nadenken over mijn eigen ervaringen hebben mij geleerd dat psychiaters - en behandelaars in het algemeen - enthousiast kunnen worden voor rehabilitatie in zoverre als deze nieuwe zorgvorm voorziet in hun behoefte om behandeling adequater, effectiever en menselijker te maken via het gebruik van revaliderende technieken. De omslag naar de volgende fase, waarmee ik dit artikel nu zal afsluiten, kan volgens mij pas plaatsvinden nadat deze fase goed is doorlopen.

Rehabilitatie als verandering van paradigma

Langdurig praten en jarenlange contacten met patiënten en ex-patiënten hebben bij mij langzamerhand een verandering bewerkstelligd van de basale uitgangspunten waarmee ik naar psychiatrische problematiek kijk. De ervaring die daaraan ten grondslag ligt, is dat ik nog maar zelden patiënten heb meegemaakt die langs een door hun behandelaars bedachte weg van hun aandoeningen zijn afgekomen of een bevredigend leven hebben weten te organiseren. Zelfs interventies die op het moment dat ze gebeurden heel ingrijpend en effectief waren, bleken achteraf op zijn hoogst een goede bijdrage aan het eigen ontwikkelingsproces van de cliënt. Het begin van een nieuwe ontwikkeling. Of tijdwinst tot het weer beter ging. Over een dood punt heen gekomen. Enzovoort. Ik bagatelliseer die bijdragen niet, maar zie ze wel als heel beperkt. Wat er verder gebeurde, hoe het kwam dat het weer beter ging, wat er na het dode punt tot ontwikkeling kwam – daarop heeft de behandelaar dikwijls maar weinig invloed. Het levensverhaal, het herstelproces, de brede context van het volledige leven van de cliënt is dikwijls veel bepalender voor de gebeurtenissen dan het handelen van behandelaars of begeleiders. Het terugvinden van het levensverhaal, door Petry aangeduid met de term rehistorisering, heeft bij mij geleidelijk de diagnostiek en behandeling van ziekten als voornaamste optiek op psychiatrische problemen verdrongen.

Daaropvolgend moet evenwel meteen gezegd worden dat de ziekte, de geneeswijzen en het bijstaan van de zieke mens door deze paradigmaverandering nog veel belangrijker voor me geworden zijn dan ze al waren. Het gaat nu echter niet meer om de behandeling van een ziekte, maar om behandeling van *ziekteperioden*, om bijstand in een bepaald aspect van het leven, om bestrijding van hinderlijke functie-uitval, om verlichting van lijden van een bepaalde persoon. Het gaat, kortom, om behandeling van ziekte in een persoonlijke context.

Behandeling in perioden van ernstig lijden, van crisis en ontwikkelingsblokkade is erg belangrijk. Het gaat op die momenten om situaties waarin de patiënt en de mensen in zijn omgeving nog geen manieren hebben gevonden om zelf met de problemen om te gaan. Ze begrijpen even niet wat er allemaal gebeurt. Ze hebben nog geen zingeving bij de hand. Ze kunnen de problemen nog niet in een bepaald perspectief zien. En er dreigen soms ernstige ongelukken. Op die momenten, en die kunnen soms lang duren, is behandeling onze toevlucht. En voor een deel is dat blijvend. Sommige dingen worden nooit helemaal duidelijk, van sommige symptomen kom je er nooit achter wat ze eigenlijk betekenen en sommige verschijnselen gaan nooit over. Voor die zaken blijft behandeling ook op langere termijn nodig.

Maar dat neemt niet weg dat behandeling, het symptoom- of ziektebestrijdend handelen en de revalidatie, komt te staan tegen de achtergrond en in de context van het eigen levensverhaal van de cliënt.

In deze brede context komen de basale functiestoornissen van de cliënt dikwijls duidelijker aan het licht dan bij allerlei verfijnde diagnostiek. Je gaat zien dat een cliënt telkens in moeilijkheden komt bij bepaalde emotionele constellaties, in bepaalde werksituaties of in contact met bepaalde karakters. En juist in een bredere context kun je zulke inzichten dikwijls met cliënten delen. Ik ken veel cliënten die weten dat het verkeerd met ze gaat wanneer ze te eenzaam worden en ophouden de polikliniek te bezoeken. Maar een aantal van hen verbindt de terugval niet met het staken van de onderhoudsmedicatie. Voor hen is het echte symptoom van verslechtering: eenzaamheid, en de echte functiestoornis: een neiging om zich terug te trekken en contact te mijden. Ik geef ze geen ongelijk en dring intussen toch aan op het gebruik van de medicatie.

Wat betekent dit nu voor de praktijk van de psychiatrische behandelaar?
In de eerste plaats een verandering van *attitude en bejegening*. De patiënt wordt benaderd als een persoon met een geschiedenis waarin de psychische stoornis een grotere of kleinere rol speelt. Het is de patiënt duidelijk dat hij gewaardeerd wordt als persoon, dat de behandelaar verbinding zoekt met de persoonlijke ervaringen, verklaringen en zingevingen van zijn patiënt. De behandelaar laat in dit symmetrische contact ook iets van zichzelf zien, ook hij treedt de relatie binnen als persoon met een eigen geschiedenis, met sterke en zwakke kanten. Het is minder vanzelfsprekend dat de patiënt altijd onmiddellijk hulp krijgt voor de huidige verschijningsvorm van zijn problemen en meer vanzelfsprekend dat de behandelaar zich verdiept in de betekenis van de problemen in een bredere context. Het rehabilitatieproces is een manier om die bredere context handen en voeten te geven.
In de tweede plaats betekent de paradigmaverandering dat de behandelaar poogt een *gemeenschappelijke taal* met zijn patiënten te ontwikkelen. Belangrijke aanzetten hiertoe zijn gegeven door Strauss e.a. (1985). Strauss e.a. benoemen principes zoals 'het plafond' (een functioneringsniveau waar de patiënt telkens naartoe groeit, maar waar hij niet bovenuit weet te komen) of 'bergbeklimmen' (vooruitgang vindt afwisselend plaats op verschillende terreinen). Dit soort noties kunnen dienen om met de patiënt het beloop van zijn psychosociale realiteit te bespreken en de ziekteperioden daarin een plaats te geven.
In het verlengde van dit gesprek is meer aandacht voor de stabiele functiestoornissen en de compenserende vaardigheden van patiënten op zijn plaats.
In de derde plaats betekent de paradigmaverandering dat de behandelaar duurzaam en constructief moet omgaan met de *paradox van de emancipatie*. De krachtigste, meest geslaagde therapeutische interventies zijn die welke de patiënt achteraf ervaart als keerpunten die hij grotendeels zelf heeft weten te bewerkstelligen. De behandelaar moet dit

gezichtspunt positief kunnen waarderen, maar toch zijn eigen interpretaties van de gebeurtenissen blijven formuleren.

In de vierde plaats ten slotte betekent het werken vanuit rehabilitatie-uitgangspunten dat de psychiater een vorm moet vinden voor *maatschappelijke belangenbehartiging* ten behoeve van zijn patiënten. Niet in de eerste plaats op individueel niveau – dat zou de grenzen van de therapeutische relatie te veel oprekken en wordt door de beroepsethiek en de weten regelgeving dan ook terecht begrensd – maar wel op een algemener vlak. Dit is een thema dat in de nabije toekomst nadere uitwerking verdient.

Samenvatting

In dit artikel vertelt de auteur om welke redenen hij als psychiater geïnteresseerd is geraakt in de rehabilitatiebenadering. Er wordt een kort overzicht gegeven van wat er in Nederland op dit gebied vanuit de beroepsgroep der psychiaters is gepubliceerd. Rehabilitatie is op te vatten als een verbetering en verbreding van behandeling, maar heeft daarnaast ook maatschappelijke belangenbehartiging en individuele emancipatie als doelstelling. Uiteindelijk betekent dit een paradigmaverandering. Enkele consequenties voor de beroepsgroep der psychiaters worden aangegeven.

Literatuur

Anthony, W., Cohen, M. & Farkas, M. (1992). *Psychiatric Rehabilitation.* Boston: Center for Psychiatric Rehabilitation, Boston University.

Bosch, R.J. van den, Louwerens, J.W. & Slooff, C.J. (1994). *Behandelingsstrategieën bij schizofrenie.* Houten: Bohn Stafleu van Loghum.

Butenaerts, J.L.M.G., Romme, M.A.J. & Escher, A.D.M.A.C. (1999). Cognitieve therapie bij psychose en stemmenhoren. *Tijdschrift voor Psychiatrie,* 41(5), 277-286.

Dale, van (1984). *Nieuw Handwoordenboek der Nederlandse taal* (9e uitgave). Utrecht/ Antwerpen: Van Dale Lexicografie.

Davidson, L. & Strauss, J.S. (1992). Sense of Self in recovery from severe mental illness. *British Journal of medical Psychology,* 65, 131-145.

Dröes, J.T.P.M. (1982). Beschut Wonen, een intramurale beschermende woonvorm. *Maandblad voor Geestelijke volksgezondheid,* 37(11), 1174-1188.

Dröes, J.T.P.M. (2000). Methodische aspecten van de individuele rehabilitatiebenadering. In M. Nuy & J. Dröes (Red.), *De Individuele Rehabilitatie Benadering,* pp. 22-27. Amsterdam: Uitgeverij SWP.

Kaiser, L.H.W.M. (1992). *Bevorderen van de motivatie tot revalidatie.* Proefschrift, Rijksuniversiteit Utrecht.

Haan, L. de, Linszen, D. & Gorsira, R. (1997). Vroegtijdige intensieve interventie, sociaal functioneren, psychoserecidief en suïcide bij patiënten met recent ontstane schizofrenie en verwante stoornissen. *Tijdschrift voor Psychiatrie,* 39(1), 24-36.

Heugten, T. van & Roest, R. (1996) Geestelijke Gezondheidszorg van een andere orde 1. *Passage,* 3, 100-105.

Heugten, T. van, Roest , R. & Henkelman, L. (1996). Geestelijke Gezondheidszorg van een andere orde 2. *Passage,* 4, 165-170.

Meer, R. van (1987). *Leven met schizofrenie.* Amsterdam: Sijthoff.

Offerhaus, R. (1983). *Wachten op oneindig: de chronische patiënt in de psychiatrische inrichting.* Deventer: Van Loghum Slaterus.

Petry, D. & Nuy, M. (1997). *De ontmaskering. De terugkeer van het eigen gelaat van mensen met chronisch psychiatrische beperkingen.* Amsterdam: Uitgeverij SWP.

Romme, M.A.J. & Escher, A.D.M.A.C. (1999). *Omgaan met stemmenhoren.* Maastricht: Sectie Sociale Psychiatrie en Psychiatrische Epidemiologie, Universiteit van Maastricht.

Rotteveel, R. (1996). Gedoseerde uitdaging als middel tot herstel. *Passage,* 2, 81-85.

Schene, A.H. & Henselmans, H.W.J. (1999). Psychiatrische rehabilitatie in Nederland en Vlaanderen. *Maandblad voor Geestelijke volksgezondheid,* 7/8, 719-728.

Slooff, C.J. e.a. (1994). *Revalidatiemodulen voor mensen met een schizofrenie.* Assen: Psychiatrisch Centrum Licht en Kracht.

Strauss, J.S. e.a. (1985). The course of Psychiatric Disorder, III. Longitudinal Principles. *American Journal of Psychiatry,* 142(3), 289-296.

Strauss, J.S. (1989). Subjective experiences of schizofrenia: Toward a New Dynamic Psychiatry - II. *Schizophrenia Bulletin* 15(2), 179-187.

Strauss, J.S. (1994). The Person with schizophrenia as a person. II: Approaches to the Subjective and the Complex. *British Journal of Psychiatry,* 164 (suppl. 23), 103-107.

Veen, H. Van der (1983). Een pleidooi voor actieve resocialisatie. *Maandblad voor Geestelijke volksgezondheid,* 2, 125-134.

Wennink, J. (1986). *Het Beschut Wonen Effect.* Noordwijkerhout: Stichting Centrum St Bavo.

12. Rehabilitatie en herstel – het begin van een dialoog?

Een briefwisseling tussen Wilma Boevink en Jos Dröes

Na de persoonlijke bijdragen over herstel (hoofdstuk 10) en rehabilitatie (hoofdstuk 11) is in dit hoofdstuk de dialoog tussen deze perspectieven aan de orde. Het eigen verhaal van de cliënt, dikwijls aangeduid met de term 'herstel', verhoudt zich niet altijd even gemakkelijk tot rehabilitatie. Heeft 'herstel' rehabilitatie nog wel nodig? Is rehabilitatie meer dan een hulpverleningstechniek of niet?
Gelijksoortige vragen leven aan de kant van 'rehabilitatie'. Kan dat wel, herstel zonder hulpverlening? Een echt rehabilitatieproces is toch bijna hetzelfde als een herstelproces? Over deze en soortgelijke vragen gaat de hier gepubliceerde briefwisseling.
De briefwisseling is authentiek. De brieven zijn door de auteurs aan elkaar geschreven met de bedoeling ze voor te lezen op het lustrumcongres van de Stichting Rehabilitatie '92 dat op 22 november 2002 plaatsvond te Rotterdam. Om de begrijpelijkheid van de gedachtewisseling te vergroten heeft er enige redactie plaatsgevonden, met name op de volgorde van bepaalde fragmenten. Voor deze publicatie werden destijds op verzoek van de redactie van Passage een inleiding en een naschrift toegevoegd. Het naschrift is ten behoeve van deze uitgave geactualiseerd.

De briefwisseling

Rotterdam, 22 augustus 2002

Beste Wilma,

Een paar maanden geleden vroeg ik je of je samen met mij een presentatie wilde doen bij gelegenheid van het tienjarig bestaan van de Stichting op 22 november. Jij hebt toen tegen me gezegd dat je graag een bijdrage zou leveren. Vandaar dat ik je nu deze e-mail schrijf. Ik zei destijds al dat ik een bijzondere vorm van presenteren op het oog had en daarvan wil ik je nu uitleggen wat ik in gedachten heb.
Ik weet niet of het aan deze beginzinnen al af te lezen valt, maar ik stel me voor dat ik zojuist het begin van onze gemeenschappelijke presentatie heb opgeschreven. Ik stel me voor dat wij, ieder achter onze eigen microfoon, de briefwisseling voordragen die ik zojuist begonnen ben.

Het congresthema is 'partners in rehabilitatie' en ik zou onze presentatie willen wijden aan het partnerschap tussen cliënten en hulpverleners. Ik zou dat willen doen door het begrippenpaar rehabilitatie en herstel eens kritisch te bezien en met name de verbindingen tussen die twee begrippen te onderzoeken.

Mijn beginstelling is dat ik het meer en meer oneens ben met de opvatting dat 'herstel is wat cliënten zelf doen en rehabilitatie is wat hulpverleners doen om hen daarbij te helpen'. Als je het zo bekijkt, is rehabilitatie niet meer dan een hulpverleningsmethodiek, maar ik vind dat rehabilitatie een proces is dat in de eerste plaats door de cliënt zelf wordt doorgemaakt. Dus hoewel rehabilitatie een methodiek uit de hulpverlening is, is het tegelijk een proces dat van de cliënt moet zijn, anders is het geen rehabilitatie. Je zou hoogstens kunnen zeggen dat een cliënt dit proces in zijn of haar eigen woorden kan aanduiden; de cliënt zal niet zeggen: 'ik heb rehabilitatie gedaan', maar 'ik ben weer naar school gegaan' of 'ik ben verhuisd' of 'ik ben erachter gekomen dat mijn ervaringen ook door anderen gedeeld worden'. Maar de processen waar die cliënt dan naar verwijst - het kiezen, verkrijgen en behouden van een opleiding, een woonruimte of een rol als ervaringsdeskundige in een cursus - dat zijn rehabilitatieprocessen.

Kortom, ik vind dat rehabilitatie niet is wat de hulpverlener doet, maar wat de cliënt – geholpen door zijn hulpverlener – doet.

Tot zover mijn begin. Wat denk je ervan?

Met vriendelijke groeten,
Jos Dröes

Utrecht, 13 oktober 2002

Dag Jos,

Jij zegt dat rehabilitatie niet iets is wat de hulpverlener doet, maar wat de cliënt doet, geholpen door zijn hulpverlener. De belangrijkste zin uit je brief is volgens mij: "Dus hoewel rehabilitatie een methodiek uit de hulpverlening is, is het tegelijk een proces dat van de cliënt moet zijn, anders is het geen rehabilitatie". Als je het zo stelt, wordt er denk ik veel rehabilitatie genoemd, dat het in feite niet is. In de Volkskrant van 5 oktober jongstleden stond rehabilitatie zelfs omschreven als "terugplaatsing in de samenleving". Dat klinkt niet echt als een proces van cliënten, maar meer als een interventie van buitenaf, toegepast op objecten van zorg. Ik denk dat de praktijk vaak anders is dan jij misschien zou willen. De oorspronkelijke rehabilitatiebeweging in ons land lijkt steeds meer te worden gereduceerd tot de toepassing van methodieken door professionals. Rehabilitatie wordt vooral gezien als iets dat hulpverleners moeten leren en moeten toepassen in hun individuele contacten met cliënten. En volgens mij garandeert geen enkele van de rehabilitatiemethodieken een actieve inbreng van cliënten in dat contact en sturing door cliënten van hun eigen rehabilitatieproces. Het is ook de vraag of ruimte daarvoor een methodiekkwestie is. Het gaat daarbij meer om de attitude van professionals: cliënten zien als samenwerkingspartners en het eigen professionele handelen als ondersteuning van het proces van cliënten. Zelfs de IRB garandeert niet dat de toepasser ook daadwerkelijk in hart en nieren een ondersteuner wordt van het proces van de ander. De diverse rehabilitatiemethodieken in ons land dwingen niet of niet voldoende tot een dergelijke attitude.

Met methodieken van professionals is er altijd het risico dat er geen sprake is van een proces van een cliënt, vormgegeven en gestuurd door die persoon en met diens betekenisgeving. Met een methodiek loop je het risico dat het als een dwingend voorschrift wordt toegepast. Ik ben er vooralsnog niet van overtuigd dat het met rehabilitatiemethodieken zoveel anders gaat. Alleen al omdat cliënten in de langdurige zorg het niet gewend zijn of nooit gewend zijn geweest, om regisseur te zijn over het eigen leven en vormgever van welk proces daarin dan ook.

Ik baseer mijn twijfel over een zogenaamd 'partnerschap in rehabilitatie' op wat ik hoor onder cliënten, in de cliëntenbeweging en op hoe ik professionals er over hoor praten. Ik beschik niet over onderzoeksgegevens over de mate waarin cliënten zich door een rehabilitatiegerichte begeleiding eigenaren voelen van hun eigen rehabilitatieproces. Ik vraag me zelfs af of dat ooit al eens als uitkomstmaat is genomen in onderzoek naar rehabilitatie. Laten we wat er op individueel niveau tussen rehabilitatiewerker en cliënt gebeurt daarom even laten voor wat het is. Even leerzaam is wat er op collectief niveau gebeurt voor een antwoord op de vraag of cliënten en professionals partners in rehabilitatie zijn.

Veel zorginstellingen hebben de afgelopen jaren besloten tot de invoering van een rehabilitatiegerichte werkwijze. In de meeste gevallen is dat een aangelegenheid van professionals. Zij worden geïnformeerd over de betekenis en achterliggende opvattingen van rehabilitatie. Het zijn de professionals die dan getraind worden in een van de rehabilitatiemethodieken. Voor cliënten is zo'n informatietraject er meestal niet. GGz-instellingen rekenen kennisvermeerdering bij cliënten over rehabilitatie doorgaans niet tot hun takenpakket. Er zijn in ons land nog nauwelijks pogingen ondernomen om op het niveau van persoonlijke ervaringen uit te leggen wat rehabilitatie betekent, wat het onderscheid is met behandeling en wat rehabilitatiegericht werken precies inhoudt. Waaróm eigenlijk niet? Onder cliënten zijn het slechts enkelingen die doorstoten tot het congrescircuit en daar hun informatie halen, vaak ondanks allerlei ingewikkelde procedures om een korting op het entreegeld voor elkaar te krijgen. Ik vind het tekenend dat het recente recovery-congres in Boston weliswaar door veel Nederlanders is bezocht, maar dat het allen professionals waren. Duidt een en ander er niet op dat de rehabilitatiebeweging gaandeweg steeds meer een beweging van professionals is geworden en dat de verbinding met de cliëntenbeweging in de loop van de tijd steeds meer is veronachtzaamd? Zíjn we wel partners in rehabilitatie? Of is het aandeel van cliënten daarin teruggebracht tot participatie in het rehabilitatiegerichte aanbod van professionals?

Dag,
Wilma

(Natuurlijk lukt het niet helemaal om een duovoordracht te maken op basis van een natuurlijk verlopende mailcorrespondentie. De volgende brief is er voor de begrijpelijkheid later tussengevoegd, vandaar 'datum poststempel' als dagtekening.)

Rotterdam, datum poststempel

Hallo Wilma,

'Is de rehabilitatiebeweging een beweging van professionals geworden?', vraag jij je af. Nu, ik denk dat het anders zit. De rehabilitatiebeweging is volgens mij van het begin af aan een beweging van professionals geweest, zij het dat die professionals als een van hun eerste doelen hadden om echt aan de praat te komen met hun cliënten. En dat de hulpverleners hoopten dat die cliënten vervolgens in een proces terecht zouden komen – namelijk het rehabilitatieproces – waarin zij steeds meer, zoveel als mogelijk, zelf de verantwoordelijkheid en sturing van de gang van zaken ter hand zouden nemen. En achteraf, zo stelden we ons voor, zou een cliënt het hele proces zien als een ontwikkelingsproces van hem of haarzelf, waarbij hij of zij door een hulpverlener op bepaalde punten is geholpen, bijvoorbeeld om er aan te beginnen. Maar zoals je hoort is dit een vrij klassiek hulpverleningsverhaal met een goede afloop: het begint met een leidende rol van de hulpverlener en eindigt met steeds meer autonomie van de cliënt.

Dus misschien moet ik mijn beginstatement wel een beetje bijstellen: rehabilitatie is een proces dat uiteindelijk een proces van de cliënt is, maar waarin de hulpverlener wel een belangrijk aandeel kan hebben – meer dan alleen hulp. Soms ook het begin maken of het voortouw nemen. Altijd echter in de geest van de cliënt, aansluitend bij en voortdurend bijstellend volgens diens wensen en noden. Hoe langer ik erover nadenk: rehabilitatie is natuurlijk bedoeld als een gemeenschappelijk proces van de cliënt en diens helpers.

Intussen deel ik de zorgen die je uitspreekt. Soms worden dingen rehabilitatie genoemd die meer ingrepen van buitenaf zijn. Rehabilitatie wordt enkel gezien als een techniek voor professionals (daar dragen we door het geven van al die trainingen beslist aan bij). Geen enkele methodiek dwingt een attitude af die erop gericht is om het rehabilitatieproces echt van de cliënt zelf te laten zijn. Of cliënten zich de eigenaar van hun rehabilitatieproces gaan voelen is volgens mij inderdaad nooit echt onderzocht.

Je schrijft dat er op het collectieve niveau – dus in het beleid van instellingen – veel te weinig aandacht bestaat voor informatietrajecten voor cliënten, voor het uitleggen wat rehabilitatie nu echt betekent op het persoonlijke vlak, wat de verschillen zijn met andere vormen van zorg zoals behandeling. Je stipt ook aan dat instellingen vaak niet zoveel doen om hun cliënten te laten deelnemen aan werkbijeenkomsten en congressen over rehabilitatie en herstel. Kortom, cliënten krijgen nog maar weinig gelegenheid om echt mee te denken over deze onderwerpen.

Deze zorgen deel ik. Sterker nog, ik denk dat rehabilitatie geen lang leven beschoren is wanneer we deze kwesties niet oplossen.

Jos

Utrecht, 6 november 2002

Jos,

Je begon met kritiek op de slogan: herstellen is wat cliënten zelf doen en rehabilitatie is wat hulpverleners doen om hen daarbij te helpen. Je stelde verder dat die splitsing onterecht is. Je blijkt echter mijn zorgen over het aandeel van cliënten in rehabilitatie, individueel of collectief, in belangrijke mate te delen. Je maakt de toekomst van rehabilitatie zelfs afhankelijk van de mate waarin cliënten er een aandeel in kunnen nemen. Toch zit je vorige brief me erg dwars. Je zegt dat de rehabilitatiebeweging vanaf het begin een beweging van professionals is geweest. "Het begint met een leidende rol van de hulpverlener en eindigt met steeds meer autonomie van de cliënt", schrijf je. En als ik je goed begrijp, zijn jullie, professionals, er nu aan toe om van rehabilitatie iets gezamenlijks te maken, het te delen met cliënten. Nou, dát is fijn, maar in de cliëntenbeweging hebben we ondertussen niet stilgezeten. Voor ons, voor de cliëntenbeweging, is die opsplitsing tussen herstel en rehabilitatie erg belangrijk. Het versterkt ons bewustzijn. Onder de noemer recovery, herstel, eigenen

we ons onze subjectiviteit toe. We worden ons daarvan bewust, vertellen erover en geven het vorm in onze verhalen, verteld, geschreven en gepubliceerd. Ik ben dus voor de splitsing tussen herstel en rehabilitatie, omdat dit het collectief bewustzijn van cliënten versterkt. Daarmee hebben we zelf een woord, hoe ongelukkig gekozen misschien ook, dat ons tot eigen initiatieven inspireert en tot de ontwikkeling van een autonoom gedachtegoed. Voor cliënten in de GGz – individueel of collectief – komt het accent steeds meer te liggen op de eigen kracht in plaats van op het ageren tegen de macht van anderen of het reageren op hun agenda. Onze aandacht is verschoven van ziekte, symptomen en passiviteit, naar herstel, mogelijkheden en het hernemen van de regie over ons eigen leven. We proberen niet langer slechts te reageren op het aanbod van professionals, maar we nemen ook zelf initiatieven gekoppeld aan begrippen als herstel, empowerment en ervaringsdeskundigheid. Laat ik een paar aansprekende voorbeelden noemen. De Brabantse cursus *Herstellen doe je zelf*. Deze cursus, die samen met GGz-cliënten is ontwikkeld, stelt deelnemers in de gelegenheid om diverse rehabilitatiethema's te verkennen aan de hand van hun eigen ervaringen. In de SBWU - een RIBW in Utrecht en omgeving - hebben cliënten de afgelopen jaren samengewerkt aan herstel. Op grond van hun ervaringen en de uitwisseling daarvan, hebben ze ervaringskennis over herstel ontwikkeld en deze trachten over te brengen aan anderen in hun zorginstelling. Cliënten van de Gelderse Roos in Arnhem hebben een empowermentcursus voor en door cliënten ontwikkeld. Deze beoogt deelnemers hun eigen kracht en kwaliteiten te laten ontdekken, deze te versterken en in te zetten voor persoonlijke doelen. Inmiddels kent ons land ook twee echte opleidingen voor ervaringsdeskundigen: 'Werken met eigen ervaringen' in Rotterdam en de TOED-opleiding in Eindhoven en Amsterdam. In deze opleidingen wordt langs verschillende wegen gebouwd aan bewustwording bij de deelnemers van de waarde van hun ervaring, aan kennisontwikkeling op basis van die ervaringen en toepassing van die kennis.

Ongetwijfeld heeft de rehabilitatiebeweging in ons land bijgedragen aan de ruimte voor deze initiatieven van cliënten. Maar die initiatieven zijn er ook een reactie op. We zien onze eigenheid, onze ervaringen en onze kennis onvoldoende weerspiegeld in rehabilitatie en we kiezen daarom een eigen weg.

Misschien is het voor ons niet de vraag of we met de rehabilitatiebeweging mee willen doen nu professionals daar aan toe zijn. Misschien is voor ons wel de belangrijkste vraag: hebben we rehabilitatie nog wel nodig?

Dag,
Wilma

Rotterdam, 8 november 2002

Hallo Wilma,

Ik denk van wel. Volgens mij blijft het toch gewoon zo dat mensen die in ernstige moeilijkheden verkeren hulp nodig hebben en dat ze die specifieke hulp minder nodig hebben naarmate het beter met ze gaat of naarmate ze leren beter met de ontstane situatie om te gaan. Dus ook al kunnen er een heleboel zaken op een andere manier worden geregeld dan via de professionele hulpverlening, ik denk dat veel mensen die af en toe toch nodig blijven hebben.

De rehabilitatiebenadering heeft bovendien als voordeel dat ze zo'n beetje in alle fasen van een herstelproces bruikbaar is, ook wanneer het psychiatrische aspect helemaal niet meer zo op de voorgrond staat.

Als ik dit opschrijf denk ik weer: zou een goed rehabilitatieproces – ik weet wel dat de wereld er niet uitziet zoals ik zou willen, maar laten we nu even uitgaan van het ideaalbeeld – niet bijna hetzelfde zijn als een herstelproces?

Jos

Houten, 9 november 2002

Dag Jos,

Rehabilitatie en herstel hebben in beginsel met elkaar te maken, daarover zijn we het eens. Maar waar jij graag zou zien dat we van beide weer één woord maken, namelijk rehabilitatie, zie ik vooral de voordelen van dat woord herstel. Het maakt dat we onze eigen identiteit kunnen vormen - los van professionals - en ons eigen verhaal kunnen maken. Twee lijnen dus, die van elkaar moeten worden onderscheiden en heel goed naast elkaar kunnen bestaan. De vraag is of ze ook ergens weer samenkomen. Hoe moet het verder met de relatie tussen herstel en rehabilitatie? Moet er wel een relatie zijn?

Ik moet zeggen dat ik de afgelopen jaren in mijn enthousiasme over de ontwikkelingen in de cliëntenbeweging wel eens de belangstelling voor de wereld van professionals ben verloren. Terwijl de verbinding daarmee juist zo belangrijk is, alleen al om praktische redenen. Voor veel cliënten in de langdurige zorg zijn de enige gesprekspartners die binnen handbereik zijn de professionals om hen heen. Van de professionals moeten zij het hebben en met die professionals moeten zij het doen. Daar is jouw rehabilitatieverhaal hard nodig en daarin schuilt een verbindend element tussen rehabilitatie en herstel. Omgekeerd hebben professionals een echte inbreng van ons – de cliëntenbeweging – nodig om te voorkomen dat rehabilitatie wordt gereduceerd tot de zoveelste toepasbare methodiek van professionals.

Dus ja, ik zie het belang van de relatie tussen herstel en rehabilitatie, van een gezamenlijk verhaal van cliënt en hulpverlener. Als rehabilitatie het gezamenlijke verhaal moet zijn van cliënten en professionals, dan moeten beiden dat verhaal maken. Beiden moeten een evenredig aandeel hebben in dat gezamenlijke verhaal. Cliënten werken inmiddels aan een krachtig eigen verhaal, geïnspireerd op het begrip 'herstel'. Daarmee is er echter nog geen gezamenlijk verhaal.

Wilma

Rotterdam, 14 november 2002

Hallo Wilma,

Bedankt voor je brief. Ik ben natuurlijk blij dat je het belang wilt duidelijk krijgen van een blijvende verbondenheid van cliënten met het rehabilitatieconcept.

Je schreef: "Als rehabilitatie het gezamenlijke verhaal moet zijn van cliënten (hun proces van herstel) en professionals (hun pogingen om dat proces te ondersteunen), dan moeten beide partijen dat verhaal maken." Daarmee ben ik het van harte eens. Zolang het verhaal door de sterkste partij wordt gedicteerd, is er geen sprake van een gemeenschappelijk gemaakt verhaal. Maar hoe pakken we dat aan? Zoals we al hebben vastgesteld heeft de hulpverlening altijd de neiging om het verhaal toch naar zich toe te trekken, het te monopoliseren, ermee vandoor te gaan. Ik heb een paar suggesties voor oplossingen.

De eerste suggestie is dat we niet streven naar één verhaal, maar naar drie verhalen: een van de cliënt (diens herstelverhaal), een van de hulpverlener (diens persoonlijke hulpverleners-verhaal noem ik dat nu maar even) en een van de cliënt en de hulpverlener samen (hun rehabilitatieverhaal). Ik kom daarop via jouw opmerking dat cliënten de splitsing tussen rehabilitatie en herstel nodig hebben voor hun bewustwording, en om zich hun subjectiviteit toe te eigenen. Ik denk vaak dat hulpverleners ook een eigen verhaal nodig hebben, om precies dezelfde redenen. Dus om zich bewust te worden van hun ondersteunende rol en daarin ook hun subjectiviteit een plaats te geven. Subjectieve verhalen van hulpverleners zijn eigenlijk nog vrij schaars, althans op schrift. Maar in elke training die ik geef, vliegen ze me om de oren, dus ze zijn er wel. Ik kom ook op dit idee vanuit mijn eigen ervaring. Zoals je weet ben ik, in het kader van onze vroegere gesprekken over herstel en rehabilitatie, ooit mijn eigen wordingsgeschiedenis als hulpverlener gaan opschrijven. Ik had toen het gevoel dat zich tussen ons geen symmetrische verhouding kon ontwikkelen zolang jij wel achtereenvolgende versies van je herstelverhaal aan mij opstuurde, maar ik niet verder kwam dan op jouw verhalen te reageren. Het opschrijven van mijn eigen verhaal schiep in elk geval voor mijn gevoel al een betere verhouding. Ik vind het dus nog steeds wel een mooi evenwichtig idee dat hulpverleners en cliënten ieder hun eigen verhaal hebben en dat het rehabilitatieverhaal dan een gemeenschappelijk verhaal is.

De tweede suggestie is dat het gemeenschappelijke rehabilitatieverhaal vereist dat de cliënt en de hulpverlener samen een gemeenschappelijk idioom ontwikkelen om over hun proces te praten. Het gemeenschappelijke verhaal kan niet alleen in de taal van de hulpverlener of alleen in de taal van de cliënt gesteld zijn. Soms kun je nog wel vermoeden welke begrippen ooit door de cliënt en welke ooit door de hulpverlener zijn ingebracht, maar dat doet er niet meer toe zodra het een gemeenschappelijk verhaal is geworden. Zoiets als wanneer je met iemand samen een artikel schrijft.

Dus twee suggesties:
- Drie verhalen: het herstelverhaal van de cliënt, het persoonlijke verhaal van de hulp-verlener en het gemeenschappelijke rehabilitatieverhaal.
- Het gemeenschappelijke rehabilitatieverhaal vereist een gemeenschappelijk ontwik-keld woordgebruik, een gemeenschappelijke taal.

Wat vind je ervan?

Jos

Houten, 10 november 2002

Beste Jos,

Wanneer die hulpverleners hun verhalen gebruiken om hun eigen motieven beter te gaan begrijpen, is het een goed idee. Ze moeten er niet dominanter van worden dan ze al zijn, want dan raken we nog verder van huis. Misschien moeten we nu eindigen met een concreet voorstel voor hoe hulpverleners hun verhaal zouden kunnen maken en met een schets van de 'masterclass rehabilitatie' waarin we beide verhalen tot leven willen brengen?

Wilma

Rotterdam, 22 november 2002

Dag Wilma,

Het is natuurlijk tragisch dat, net nu we aan de oplossingen toekomen, onze spreektijd om is. Ik denk dat we de uitwerking beter kunnen opschuiven naar de nabije toekomst. Wat we kunnen afspreken is dat we voortaan in folders, brochures, trainingsactiviteiten, kenniscentra et cetera, drie lijnen, drie activiteiten, drie soorten producten onderscheiden:

- De herstellijn. Mijn rehabilitatieopleiding kan die ondersteunen en faciliteren, maar herstel is van cliënten.
- De hulpverlenerslijn. Ik ga een cursus opzetten voor hulpverleners waarin die zich leren bezinnen op hun eigen verhaal.
- De rehabilitatielijn. Daarin komen deze lijnen bij elkaar. Rehabilitatieopleidingen zullen in samenwerking met ervaringsdeskundigen en cliëntenorganisaties hun aanbod ingrijpend moeten veranderen om dit tot een echt gemeenschappelijke lijn te maken.

Het laatste woord is aan jou.

Utrecht, 22 november 2002

Beste Jos,

Dank je. Ik heb graag het laatste woord. Ik wil nog eens aanhalen wat je eerder in onze briefwisseling hebt gezegd dat 'rehabilitatie' geen lang leven is beschoren wanneer er geen gezamenlijk verhaal van cliënten en hulpverleners van wordt gemaakt. Ik draai inmiddels te lang mee om te denken dat met de plannen die je in je laatste brief schetste, alles ineens zal veranderen. Maar ik ben enthousiast genoeg om het te proberen.

Groet,
Wilma

Naschrift

Inmiddels zijn er diverse activiteiten ontwikkeld om de geschetste lijnen te vervolgen.

Een eerste stap langs de 'herstellijn' is het uitwerken van een 'studiedag herstel' voor cliënten en hun hulpverleners. Via deze studiedag kunnen zij gezamenlijk kennis maken met het begrip herstel.

Een tweede stap bouwt voort op een publicatie van de eerste auteur en andere schrijvers (Boevink e.a., 2002), getiteld *Samen werken aan herstel*. Dit boek bevat het verslag van een driejarig, cliëntgestuurd herstel- en rehabilitatietraject binnen de SBWU te Utrecht. Dit traject wordt inmiddels bij drie andere instellingen ook doorlopen, en gevolgd middels een effectonderzoek. Het effectonderzoek wordt gedaan door het Trimbos-instituut, dat herstel en empowerment van cliënten tot een van de speerpunten van beleid heeft gemaakt.

De derde stap is een vervolg van het oorspronkelijke SBWU-project. Dit is inmiddels in volle gang. Naast de voortzetting van de in het verleden opgestarte activiteiten is een belangrijk aspect van dit vervolg dat er manieren gezocht worden om ervaringsdeskundigen in het kader van hun functioneren in herstelprojecten aan betaalde banen te helpen.

De vierde stap is dat er hard wordt gewerkt aan de totstandkoming van een 'Docentengroep Herstel', bestaande uit ervaringsdeskundigen die de bovengenoemde activiteiten kunnen uitvoeren en/of begeleiden.

Intussen wordt er ook gewerkt aan de ontwikkeling van 'herstelondersteuning'. Dit is de werktitel van een traject waarin ondersteuners van herstelprocessen hun eigen subjectiviteit met betrekking tot rehabilitatie en herstel verkennen.

Literatuur

Boevink, W. e.a. (2002). *Samen werken aan herstel. Van ervaringen delen naar kennis overdragen.* Utrecht: Trimbos-instituut.

13. Rehabilitatie-effectonderzoek: een inventarisatie

Jos Dröes

Het doel van dit artikel is het inventariseren van typen rehabilitatie-effectonderzoek en het geven van een beschouwing over de sterke en zwakke punten van de huidige onderzoeks-literatuur.

Uit de inventarisatie komt naar voren dat effectonderzoek zich tot nu toe bezighoudt met de humanisering van het zorgaanbod, en met de doeltreffendheid van bepaalde programma's en van sociale vaardigheidstraining. Over andere interventies op individueel niveau, zoals hulpbronverbetering en bemiddeling, bestaat weinig gecontroleerd onderzoek. De thema's herstel, empowerment en hulp van lotgenoten ontbreken grotendeels in de bestaande onderzoeksliteratuur. Er zijn aanzetten te vinden tot nieuwe ontwikkelingen op dit gebied.

Inleiding

De laatste decennia is veel onderzoek gedaan naar de mogelijkheden om mensen met ernstige en langdurige psychiatrische beperkingen geïntegreerd te houden of terug te brengen in de samenleving (Barton 1999; Mueser e.a. 1997). Een samenvattende term om deze inspanningen aan te duiden is 'rehabilitatie'. Rehabilitatie is een praktisch, nog niet eenduidig gedefinieerd begrip (Kroon & Van Weeghel 1999). Een pragmatische omschrijving is die van Barton (1999): "Psychosociale rehabilitatie is een samenhangend geheel van psychosociale interventies, met name vaardigheidsontwikkeling, lotgenotenondersteuning, arbeidstoeleiding en -ondersteuning en hulpbronontwikkeling voor mensen met ernstige en langdurige psychiatrische beperkingen, gericht op hun empowerment, herstel en competentie."

Methode

Met behulp van PsycLit en Medline werden voor de jaren 1997 tot 2000 overzichtsartikelen met betrekking tot rehabilitatie-effectonderzoek opgespoord; andere publicaties werden gevonden via kruisreferenties, in de *Trimbosreeks* en door raadpleging van recente jaargangen van het *Tijdschrift voor Psychiatrie*, het *Maandblad Geestelijke volksgezondheid* en het tijdschrift *Passage*. De directe opbrengst van het zoeken met algemene trefwoorden als *rehabilitation outcome, empowerment* en *recovery* was beperkt. In de volgende paragraaf wordt op de achtergronden hiervan ingegaan.

Algemene problemen

Lezen over rehabilitatie is in de eerste plaats moeilijk wegens de onduidelijke definitie van het begrip (Kroon & Van Weeghel 1999). Wat is rehabilitatie eigenlijk? Omvat het begrip alleen psychosociale interventies zoals de definitie van Barton suggereert, of is het tegelijkertijd een vorm van behandeling, beleid of sociale actie? Veel concrete thema's uit de rehabilitatie zijn ook terug te vinden in andere vormen van hulpverlening. Veel rehabilitatie-interventies (het leren van vaardigheden, bemiddeling naar hulpbronnen) zijn ook bekend in de context van behandeling en begeleiding. Een thema als empowerment is ook bekend uit de managementliteratuur en uit geschriften over emancipatie, cliëntenparticipatie en lotgenotenondersteuning. Met andere woorden: het trefwoord 'rehabilitatie' volstaat niet wanneer men op dit gebied de vakliteratuur wil raadplegen.

Een tweede probleem is dat er in de rehabilitatie zeer veel verschillende soorten uitkomstmaten kunnen worden gehanteerd. Het kan gaan om objectiveerbare resultaten op verschillende levensgebieden (wonen, werken, leren, sociale contacten), maar ook om subjectieve, individuele resultaten als 'verbetering van het zelfvertrouwen en het identiteitsgevoel' van de betrokkene en om uitkomsten op het niveau van programma's en systemen (Blankertz & Cook 1998).

In de derde plaats speelt bij het onderzoeken van de resultaten van rehabilitatie, net als op andere gebieden in de psychiatrie, het probleem van de *missing link* tussen interventies en effecten (Brugha & Lindsay 1996). Dikwijls is wel bekend dat een bepaalde interventie een bepaald effect heeft, maar is onbekend hoe dat effect precies tot stand komt en wat precies het werkzame bestanddeel van de interventie is geweest. Dit is bij rehabilitatie-interventies een extra lastig probleem, omdat hun complexiteit en omgevingsafhankelijkheid meer in het oog lopen dan die van enkelvoudiger ingrepen, bijvoorbeeld het voorschrijven van medicijnen ter bestrijding van bepaalde symptomen. Het lezen over rehabilitatie-effectonderzoek wordt dus gehinderd door het ontbreken van een goede definitie, door de diversiteit van relevante uitkomstmaten en door de missing link tussen interventies en effecten van rehabilitatie.

Drie niveaus van complexiteit

Een handige manier om de literatuur enigermate te ordenen is het onderscheiden van drie niveaus van complexiteit: systeemniveau, programma- of projectniveau en individueel niveau. Het blijkt dat op deze drie niveaus verschillende soorten vragen gesteld worden, zodat de indeling in niveaus niet alleen een formele, maar ook een inhoudelijke clustering van publicaties oplevert. Deze drie clusters kunnen als volgt worden getypeerd: organisatie van een gehumaniseerd aanbod; doeltreffendheid van rehabilitatiestrategieën op programmaniveau; werkzaamheid van rehabilitatie-interventies op individueel niveau.

De drie clusters worden hierna in de bovenstaande volgorde besproken. Binnen elke cluster wordt gekeken naar typen onderzoeksvragen, naar wetenschappelijk goed onderbouwde antwoorden en naar de rehabilitatie-elementen die in de betreffende literatuur te vinden zijn.
Vervolgens worden de invloed van de patiënt op het rehabilitatieproces besproken en het onderzoek dat daarop gericht is.

Resultaten

Organisatie van een gehumaniseerd aanbod van geestelijke gezondheidszorg

Het onderwerp van deze groep publicaties is de organisatie van het aanbod van zorg, en van de effecten van dat aanbod op het individu en op de materiële en immateriële kosten voor de gemeenschap. Vragen die in dit kader gesteld worden zijn bijvoorbeeld: Is leven in de gemeenschap mogelijk voor mensen met ernstige en langdurige psychiatrische beperkingen? Heeft het voordelen? Zijn er nadelen?

Bekende onderzoeken op dit gebied zijn die van Stein e.a. (1975), van het TAPS-project (Knapp e.a. 1994; Leff & Trieman 2000; Trieman e.a. 1999) en van het Prism-project (Thornicroft e.a. 1998). Over het algemeen betreft het cohortonderzoeken waarbij aan langdurig zorgafhankelijke patiënten een alternatief voor verblijf in het algemeen psychiatrisch ziekenhuis wordt geboden. Deze onderzoeken leveren een consistent beeld op.

Ambulante begeleiding en behandeling zijn over het algemeen goedkoper dan intramurale zorg (Knapp e.a. 1994; Weisbrod e.a. 1980), symptomen en sociaal gedrag veranderen niet of nauwelijks ten gevolge van de veranderde verblijfssituatie, maar de patiënten zijn tevredener (Leff & Trieman 2000; Thornicroft e.a. 1998). Ook na langere tijd (5 jaar) blijven deze successen overeind (Leff & Trieman 2000; Trieman e.a. 1999). Helaas zijn er ook nadelen. Voor een grote groep is er gevaar voor vereenzaming en gemis aan dagactiviteiten (Leff & Trieman 2000; Thornicroft e.a. 1998). Er is een kleine groep die extreem veel zorg gebruikt en een deel van die groep heeft een min of meer intramurale setting nodig (Borgesius & Brunenberg 1999; McCrone e.a. 1998). Een enkeling (minder dan een procent) wordt zonder extra maatregelen dak- of thuisloos (Trieman e.a. 1999).

Hoewel in de titels van bovengenoemde publicaties woorden voorkomen als 'patiëntuitkomsten' of 'quality of life', handelen ze over de effecten van een veranderd aanbod: bijvoorbeeld een ziekenhuis dat gesloten wordt en vervangen wordt door ambulante en semimurale voorzieningen. In feite gaat het in deze publicaties om de globale effecten van humanisering, ambulantisering en individualisering van zorg op groepen langdurig zorgafhankelijke patiënten, doorgaans 'oude' chronici.

Doeltreffendheid van rehabilitatiestrategieën op programmaniveau

Het tweede cluster van publicaties gaat over de doeltreffendheid (*effectiveness*) van zorgprogramma's of -projecten. De vraag is hier of specifieke dienstverlening (dienstverlening op een bepaald gebied, dienstverlening met een omschreven uitkomst, of een goed beschreven combinatie van verschillende diensten voor een bepaalde doelgroep) een specifiek resultaat teweegbrengt. Omdat het gaat over de effecten van omschreven interventies op omschreven doelgroepen, is voor dit type vragen gerandomiseerd gecontroleerd onderzoek mogelijk. In deze paragraaf worden drie voorbeelden van zulk onderzoek besproken.

Ambulante begeleiding

De vraag is: welke effecten hebben verschillende vormen van ambulante begeleiding op het maatschappelijk functioneren van langdurig zorgafhankelijke patiënten?
Een antwoord is bijvoorbeeld: ambulante begeleiding leidt tot vermindering van het aantal opnames en opnamedagen (Holloway & Carson 1998; Mueser e.a. 1997). Soms (in ongeveer

de helft van de onderzoeken) worden ook positieve effecten gevonden op kwaliteit van leven en op het hebben van werk (Mueser e.a. 1997). Af en toe wordt een geringe verbetering van symptomatologie en sociaal functioneren gevonden. Cliënten zijn tevredener met ambulante begeleiding dan met standaardzorg of klinische zorg; bovendien blijven zij vaker in contact met de nazorg (Holloway & Carson 1998). Er is discussie over de vraag hoe intensief de ambulante begeleiding dient te zijn. Deze discussie wordt bemoeilijkt doordat de begeleidingscondities van de controlegroepen dikwijls niet goed in kaart zijn gebracht (Holloway & Carson 1998). Het lijkt erop dat intensief casemanagement tijdens kantooruren in een redelijk tot goed voorziene zorgregio geen bewijsbaar betere resultaten heeft dan 'gewone' ambulante nazorg, behalve voor cliënten die zowel goed reageren op geijkte vormen van behandeling als ertoe neigen het contact met de nazorg te verbreken (Holloway & Carson 1998).

Dubbele diagnoses
De vraag is: welke voordelen heeft een geïntegreerd behandel-rehabilitatieprogramma voor mensen met een dubbele diagnose?
Een antwoord is bijvoorbeeld: geïntegreerde behandeling van mensen met psychiatrische problematiek en verslavingsproblematiek heeft effect wanneer cliënten zelf in de loop van de behandeling keuzes kunnen maken, er tamelijk intensief gespecialiseerd casemanagement wordt gegeven en er een relatief lange periode van follow-up (minstens twee jaar) wordt aangehouden. Dan nemen de psychiatrische symptomen en het druggebruik af en de kans op stabiele huisvesting toe (Mueser e.a. 1997).

Arbeidstoeleiding
De vraag is: met welke toeleidingsmethodiek komen mensen met ernstige psychiatrische beperkingen het vaakst aan betaald werk? Mogelijke antwoorden zijn: mensen die betaald werk willen, zijn het vaakst gebaat bij snelle plaatsing gevolgd door *training on the job* (Drake e.a. 1999). Programma's die werken met lange voorbereidingstrajecten en niet-gesalarieerde oefensituaties, leiden eerder op tot beschut werk dan tot een betaalde baan (Drake e.a. 1999).

Een belangrijke conclusie die uit deze onderzoeken getrokken kan worden, is dat specifieke programma's of projecten specifieke uitkomsten teweegbrengen. Dit geldt in zodanige mate dat de uitkomsten op één terrein (wonen, dagbesteding, werken, leren, sociale contacten) doorgaans weinig impact hebben op andere terreinen (Mueser 1997). Een aanbeveling kan zijn dat teams die deskundig zijn op een bepaald terrein (bijvoorbeeld wonen), worden uitgebreid met experts op andere terreinen (bijvoorbeeld werken) (Blankertz & Robinson 1996; Drake 1999; Kroon 2000).
Een probleem bij de interpretatie van deze gegevens is dat de link tussen interventie en effect moeilijk te leggen is. Wát heeft er nu precies geholpen? Inzicht hierin zou verbeterd kunnen worden door meer aandacht te besteden aan de ervaringen met rol- en taakfunctioneren van individuele patiënten. Te verwachten is dat betrokkenen zelf dikwijls kunnen aangeven welke programma-elementen nu precies geholpen hebben.

Werkzaamheid van rehabilitatie-interventies op individueel niveau
De derde cluster van publicaties gaat over de werkzaamheid en doeltreffendheid van technieken op het individuele niveau. Zoals Vlaminck (1999a, 1999b) helder uiteengezet heeft, is het onderscheid tussen werkzaamheid (*efficacy*) en doeltreffendheid (*effectiveness*) van groot belang.

Bij de werkzaamheid gaat het erom of een bepaalde interventie onder gecontroleerde condities resultaat heeft, bij de doeltreffendheid gaat het erom of dat resultaat ook 'in het wild' houdbaar blijkt te zijn.

De belangrijkste technische rehabilitatie-interventies zijn vaardigheidstraining, praktische ondersteuning en bemiddeling. Wat is er aan onderzoek naar de werkzaamheid en de doeltreffendheid van interventies?

Sociale-vaardigheidstraining

Training van sociale vaardigheden en probleemoplossing is werkzaam bij opgenomen schizofreniepatiënten en is dat mogelijk ook bij ambulante patiënten (Mueser e.a. 1997; Tak e.a. 2000). Maar de vaardigheden komen slechts tot uiting in de leersituatie en niet of moeizaam in andere situaties: de doeltreffendheid van de training is dus maar matig zodra de patiënt verhuist. Er zijn evenwel aanwijzingen dat training in sociale vaardigheden bij niet-opgenomen patiënten hun sociaal functioneren kan verbeteren. Het lijkt erop dat 'training on the spot', speciaal gericht op de eisen die een bepaalde rol in een bepaalde omgeving stelt, het beste is (Mueser e.a. 1997; Shepherd 1990). Shepherd noemt dit 'a criterion-oriented approach to skills training'.

Praktische ondersteuning

Praktische ondersteuning is in de onderzoeksliteratuur een achtergebleven gebied. Mueser e.a. (1997) schrijven: "Ondanks de centrale positie van het concept "support" in "Supported Employment", zijn er weinig onderzoeken gedaan over langdurige ondersteuning in de werksituatie." Hulpbronnen (mensen, plaatsen, dingen en activiteiten die cliënten nodig hebben om hun rehabilitatiedoelen te bereiken) worden in de literatuur wel vaak beschreven (Dröes 2000), maar de rol van hulpbronnen als ondersteuning van individuele trajecten is niet goed wetenschappelijk onderzocht. Een uitzondering wordt gevormd door het dubbelblinde onderzoek van Harris e.a. (1999a, 1999b) over *befriending* (in Nederland zouden we zeggen: een maatjesproject) voor depressieve vrouwen in Londen. In de experimentele groep brengt de vriendin, voor degenen die dat uiteindelijk willen, vijfentwintig tot dertig procent meer remissie van de depressie.

Bemiddeling

Er is weinig literatuur over het begeleiden van cliënten naar hulpbronnen. Een zeldzaam voorbeeld (Long & Zlutnick 1996) beschrijft een stapsgewijze procedure voor casemanagers die hun cliënten eerst helpen bij het vinden van een huisgenoot en die vervolgens bemiddelen bij de zelfstandige huisvesting. Onderzoek naar bemiddelingspraktijken is dus wel mogelijk. Over bemiddeling op zichzelf is veel geschreven, maar onderzoek is er nauwelijks. Uit dit segment van de literatuur valt te concluderen dat de werkzaamheid van vaardigheidstrainingen beter onderzocht is dan de doeltreffendheid en dat over hulpbronnen en bemiddeling nauwelijks effectonderzoek bestaat.

Empowerment, herstel, lotgenotencontact

Terugkijkend naar de definitie van rehabilitatie in de inleiding van dit artikel wordt een aantal thema's in de literatuur over rehabilitatie-effectonderzoek gemist. Het gaat hierbij vooral over de effecten van de persoonlijke bijdrage van de patiënt: zijn eigen verhaal (herstel), zijn eigenmachtigheid in het contact met anderen (empowerment) en zijn persoonlijke, informele steunende contacten (lotgenotenondersteuning).

Ook Mueser e.a. (1997) hebben deze lacune vastgesteld. Zij schrijven: "(...) despite the emphasis within psychiatric rehabilitation on consumer choice and shared decision making, almost no research has been done in these areas." Toch zijn de begrippen uit de titel van deze
paragraaf in de literatuur niet onbekend. Er is een snelgroeiende literatuur over empowerment (Chamberlin 1997; Corrigan & Garman 1997; Geller e.a. 1998; Gilbert & Ugelstadt 1994; Salzer 1997), over herstel (Anthony 1993; Boevink 1997; Davidson & Strauss 1992; Deegan 1988; Gagne 1999; Young & Ensing 1999) en over lotgenotenondersteuning (Davidson e.a.1999; Janssen & Geelen 1996; Moxley & Mowbray 1997), maar die literatuur is anekdotisch, beschrijvend of inventariserend van aard. Er is ook geen verbinding van deze literatuur met de literatuur over 'harder' effectonderzoek. Omgekeerd komen in de literatuur over effectonderzoek de begrippen empowerment, herstel en lotgenotenondersteuning, of praktische uitwerkingen daarvan, niet of nauwelijks voor.

Het ontbreken van mededelingen over de persoonlijke bijdragen van patiënten aan interventie-effecten is een eigenaardige zaak. Hulpverlening is altijd een kwestie van samenwerking tussen ten minste twee partijen, maar wat wordt onderzocht is het effect van het handelen van een van de twee samenwerkende partijen (de hulpverlening) op het eindresultaat van de samenwerking. Waar is de andere partij? Welnu, de andere partij (de patiënt) komt uit de literatuur naar voren als consument, niet als partner. Er wordt gekeken hoe het met hem gaat. Hij wordt ondervraagd over zijn symptomen, zijn sociale status, zijn kwaliteit van leven (Boevink e.a. 1995; Drake e.a. 1999), zijn behoeften (Van Busschbach & Wiersma 2000; Macdonald & Sheldon 1997), zijn satisfactie (Van der Hijden e.a. 1998) of over de toename van zijn *self-efficacy* of *self-esteem* (Drake e.a. 1999). Dit zegt wel veel over zijn (patiënt)perspectief, maar weinig over zijn actieve inbreng. Voor een deel is deze situatie een gevolg van het feit dat de begrippen herstel, empowerment en lotgenotenondersteuning tamelijk nieuw zijn.

Natuurlijk kan er pas onderzoek gedaan worden na een fase van afbakening van de begrippen (zie ook Kroon & Van Weeghel 1999). Maar voor een ander deel komt het toch ook doordat hulpverlening wordt onderzocht als iets dat door hulpverleners aan patiënten wordt verstrekt, in plaats van als iets dat (op zijn minst ook en vaak) door hulpverleners en patiënten gezamenlijk vorm krijgt.
Deze lacune in het effectonderzoek is des te eigenaardiger, omdat er, zoals vermeld, voldoende anekdotische beschrijvingen zijn van het bestaan van die invloed. Het actieve aandeel van patiënten in de effecten van therapieën en programma's is dus wel kwalitatief beschreven, maar vindt in de literatuur over effectonderzoek nog nauwelijks een plaats.

Aanzetten tot rehabilitatiegericht onderzoek
Wanneer men vanuit deze gedachten in de literatuur zoekt naar manieren waarop er nu al af en toe geprobeerd wordt om een actieve rol van patiënten in effectonderzoek te betrekken, dan stuit men op de volgende thema's.

Invloed van patiënten op de selectie van de onderzoekspopulatie
Patiënten hebben een actieve rol in de samenstelling van een onderzoekspopulatie. In de eerder genoemde onderzoeken van Harris e.a. (1999a) en Drake e.a. (1999) wordt veel inzicht verschaft in de procedure die de uiteindelijk onderzochte patiënten hebben doorlopen voordat zij werkelijk aan het onderzoek gingen deelnemen. Dit geeft impliciet veel informatie over de motivatie en plaatst het uiteindelijke behandelresultaat in een context.

Een originele gedachte op dit punt is afkomstig van Drake e.a. (1994), die een *research-induction group* ontwierpen: een groepsactiviteit van waaruit het beginnen van een traject en de uitval onder potentiële deelnemers in de prerandomisatiefase kunnen worden beschreven.

Typering van de invloed van patiënten op de onderzochte praktijk.
Patiënten beïnvloeden de onderzochte praktijk. Een voorbeeld van het beschrijven van deze invloed is te vinden bij Van Busschbach & Wiersma (1999). In dit pilotonderzoek wordt veel aandacht besteed aan de doelen die patiënten zelf stellen, aan de verschuivingen daarin en aan de mate waarin de gestelde doelen werden bereikt. Aan andere onderzoeken op dit gebied wordt gewerkt (Oosterbaan, 1999; Swildens, 1998).

Aandacht voor subjectief als hoopgevend ervaren keuzen en gebeurtenissen.
Subjectieve veranderingen vormen een deel van het behandelresultaat. De invloed hiervan kan in kaart worden gebracht. Een voorbeeld hiervan is te vinden bij Harris e.a. (1999b). Deze auteurs beschrijven hoe het verkrijgen van een 'maatje' in een vriendendienstproject kan worden gezien als een vorm van *fresh start experiences*, dat wil zeggen nieuwe gebeurtenissen in het leven die weer perspectief bieden. Dit is een element dat ook in herstelverhalen van patiënten geregeld naar voren komt.

Conclusie

Patiënten worden in rehabilitatie-effectonderzoek beschouwd als ontvanger of consument van zorg. Vanuit een rehabilitatieparadigma zijn patiënten echter actieve partners in de zorg die significant bijdragen aan de effecten van hun rehabilitatieproces. Dit komt in de onderzoeksliteratuur nog weinig tot uiting.
De actieve rol van patiënten in de resultaten van hulpverlening kan wel degelijk worden onderzocht. Daartoe is het noodzakelijk dat de patiënt niet alleen wordt beschouwd als ontvanger of consument van zorg. Patiënten beïnvloeden de selectie van onderzoekspopulaties, de vormgeving van hulpverleningspraktijken en de aard van de hulpverleningsresultaten. Patiënten vervullen dus een actieve rol in de totstandkoming van de gemeten effecten van hulpverlening. Toepassing van het rehabilitatieparadigma op het gebied van effectonderzoek betekent dat deze actieve rol specifieker wordt geoperationaliseerd en meegewogen dan tot nu toe gebruikelijk was.

Literatuur

Anthony, W.A. (1993). Recovery from mental illness: The guiding vision of the mental health system in the 1990s. *Psychosocial Rehabilitation Journal*, 16, 11-23.

Barton, R. (1999). Psychosocial rehabilitation services in community support systems: A review of outcomes and policy recommendations. *Psychiatric Services*, 50, 525-534.

Blankertz, L. & Cook, J.A. (1998). Choosing and using outcome measures. *Psychiatric Rehabilitation Journal*, 22, 167-174.

Blankertz, L. & Robinson, S. (1996). Adding a vocational focus to mental health rehabilitation. *Psychiatric Services*, 47, 1216-1222.

Boevink, W.A. (1997). Over leven na de psychiatrie. *Maandblad Geestelijke volksgezondheid*, 52, 232-240.

Boevink, W.A. e.a. (1995). Kwaliteit van leven van langdurig van ambulante zorg afhankelijke psychiatrische patiënten; een conceptuele verkenning. *Tijdschrift voor Psychiatrie*, 37, 97-110.

Borgesius, E. & Brunenberg, W. (1999). *Behoefte aan asiel? Woon- en zorgbehoeften van 'achterblijvers' in de psychiatrie*. Utrecht: Trimbos-instituut.

Brugha, T.S. & Lindsay, F. (1996). Quality of mental health service care: The forgotten pathway from process to outcome. *Social Psychiatry and Psychiatric Epidemiology*, 31, 89-98.

Busschbach, J. van & Wiersma, D. (2000). *Behoefte, zorg en rehabilitatie in de chronische psychiatrie*. Groningen: Stichting GGz-Groningen.

Chamberlin, J. (1997). A working definition of empowerment. *Psychiatric Rehabilitation Journal*, 20, 43-46.

Corrigan, P.W. & Garman, A.N. (1997). Considerations for research on consumer empowerment and psychosocial interventions. *Psychiatric Services*, 48, 347-352.

Davidson, L. & Strauss, J.S. (1992). Sense of self in recovery from severe mental illness. *British Journal of Medical Psychology*, 65, 131-145.

Davidson, L. e.a. (1999). Peer support among individuals with severe mental illness: A review of the evidence. *Clinical Psychology: Science and Practice*, 6, 165-187.

Deegan, P.E. (1988). Recovery: The lived experience of rehabilitation. *Psychosocial Rehabilitation Journal*, 11, 11-19.

Drake, R.E., Becker, D.R. & Anthony, W.A. (1994). A research induction group for clients entering a mental health research project. *Hospital and Community Psychiatry*, 45, 487-489.

Drake, R.E. e.a. (1999). A randomized clinical trial of supported employment for inner-city patients with severe mental disorders. *Archives of General Psychiatry*, 56, 627-633.

Dröes, J.T.P.M. (2000). Wonen en rehabilitatie. In G. Pieters en M. van der Gaag (Red.), *Rehabilitatie. Cure and Care development*. Houten: Bohn Stafleu Van Loghum.

Gagne, C. (1999). *Herstel*. Voordracht Circuit Complexe en Langdurige Zorgvragen. Eindhoven: Stichting GGz-Eindhoven.

Geller, J.L. e.a. (1998). A national survey of 'consumer empowerment' at the state level. *Psychiatric Services*, 49, 498-503.

Gilbert, S. & Kugelstad, E. (1994). Patients' own contributions to long-term supportive psychotherapy in schizophrenic disorders. *British Journal of Psychiatry*, 164 (Suppl. 23), 84-88.

Harris, T., Brown, G.W. & Robinson, R. (1999a). Befriending as an intervention for chronic depression among women in an inner city. 1: Randomised controlled trial. *British Journal of Psychiatry*, 174, 219-224.

Harris, T., Brown, G.W. & Robinson, R. (1999b). Befriending as an intervention for chronic depression among women in an inner city. 2: Role of fresh-start experiences and baseline psychosocial factors in remission from depression. *British Journal of Psychiatry*, 174, 225-232.

Holloway, F. & Carson, J. (1998). Intensive case management for the severely mentally ill. *British Journal of Psychiatry*, 172, 19-22.

Hijden, E. van der e.a. (1998). Beschermd wonen, tevreden wonen? *Maandblad Geestelijke volksgezondheid*, 53, 265-276.

Janssen, M., & Geelen, K. (1996). Gedeelde smart, dubbele vreugd. Lotgenotencontact in de psychiatrie. *Ncgv-reeks*, 96-19. Utrecht: Trimbos-instituut.

Knapp, M. e.a. (1994). Service use and costs of home-based versus hospital-based care for people with serious mental illness. *British Journal of Psychiatry*, 165, 195-203.

Kroon, H. (2000). Casemanagement, zorgcoördinatie en bemoeizorg. Een tussenbalans in Nederland en lessen uit het buitenland. In M. Nuy (Red.), *Zorgcoördinatie, casemanagement en bemoeizorg.* Amsterdam: SWP.

Kroon, H. & Weeghel, J. van (1999). Wat is rehabilitatieonderzoek? Een conceptmap op Europese schaal. *Passage,* 8, 184-188.

Leff, J. & Trieman, N. (2000). Long-stay patients discharged from psychiatric hospitals. Social and clinical outcomes after five years in the community. The taps-project 46. *British Journal of Psychiatry,* 176, 217-223.

Long, S.L. & Zlutnick, S. (1996). Task analysis training of case managers to assist seriously mentally ill patients find roommates and housing. *Journal of Behavior Therapy and Experimental Psychiatry,* 27, 269-280.

Macdonald, G. & Sheldon, B. (1997). Community care services for the mentally ill: Consumers' views. *International Journal of Social Psychiatry,* 43, 35-55.

McCrone e.a. (1998). Utilisation and costs of community mental health services. Prism-Psychosis Study 5. *British Journal of Psychiatry,* 173, 391-398.

Moxley, D.P. & Mowbray, C.T. (1997). Consumers as providers: Forces and factors legitimizing role innovation in psychiatric rehabilitation. In C.T. Mowbray, e.a. (Eds.), *Consumers as providers in psychiatric rehabilitation.* Columbia: International Association of Psychosocial Rehabilitation Services.

Mueser, K.T., Drake, R.E. & Bond, G.R. (1997). Recent advances in psychiatric rehabilitation for patients with severe mental illness. *Harvard Review Psychiatry,* 5, 123-137.

Oosterbaan, H. (1999). *Het Centrum voor Ambulante Rehabilitatie. Verslag van onderzoek in het voortraject.* Capelle aan den IJssel: Bavo/RNO-groep, afdeling methoden en technieken.

Salzer, M.S. (1997). Consumer empowerment in mental health organizations: Concept, benefits, and impediments. *Administration and Policy in Mental Health,* 24, 425-434.

Shepherd, G. (1990). A criterion-oriented approach to skills training. *Psychosocial Rehabilitation Journal,* 13, 11-13.

Stein, L.I., Test, M.A. & Marx, A.J. (1975). Alternative to the Hospital: A Controlled Study. *American Journal of Psychiatry,* 132, 517-522.

Swildens, W. (1998). *De Individuele Rehabilitatiebenadering in de divisie Langdurige Zorg. Een voorstudie.* Utrecht: H.C. Rümkegroep, Divisie Langdurige Zorg.

Tak, C. e.a. (2000). Dertig jaar psychosociale interventies bij schizofrenie. *Tijdschrift voor Psychiatrie,* 42, 95-110.

Thornicroft, G. e.a. (1998). From efficacy to effectiveness in community mental health services. Prism Psychosis Study. 10. *British Journal of Psychiatry,* 173, 423-427.

Trieman, N., Leff, J. & Glover, G. (1999). Outcome of long stay psychiatric patients resettled in the community: Prospective cohort study. *British Medical Journal,* 319, 13-16.

Vlaminck, P. (1999a). Doorgaan met antipsychotica na de psychose? i. De officiële richtlijnen in de dagelijkse praktijk. *Maandblad Geestelijke volksgezondheid,* 54, 1290-1301.

Vlaminck, P. (1999b). Doorgaan met antipsychotica na de psychose? ii. De individuele indicatiestelling. *Maandblad Geestelijke volksgezondheid,* 54, 1302-1315.

Weisbrod, B.A., Test, M.A. & Stein, L.I. (1980). Alternative to mental hospital treatment. ii. Economic benefit cost analysis. *Archives of General Psychiatry,* 37, 400-405.

Young, S.L. & Ensing, D.S. (1999). Exploring recovery from the perspective of people with psychiatric disabilities. *Psychiatric Rehabilitation Journal,* 22, 219-231.

14. De cliënt is koning

Een onderzoek naar de ervaringen met de IRB op basis van
interviews met 35 cliënten van de Centra voor
Individuele Rehabilitatie en Educatie (CIRE) in Groningen
Jooske T. van Busschbach & Durk Wiersma

In dit hoofdstuk doen de auteurs verslag van het eerste Nederlandse onderzoek naar de bruikbaarheid en de resultaten van de Individuele Rehabilitatie Benadering. Een belangrijke conclusie is dat tijdens de begeleiding "een belangrijk deel van de (door cliënten, J.D.) gewenste veranderingen wordt gerealiseerd". Daarnaast wordt een aantal belangrijke vragen opgeworpen die inspireren tot verder onderzoek.

Inleiding

K. is een 22 jarige student die vijf weken opgenomen werd in verband met een psychose. Twee dagen voordat hij met ontslag gaat spreekt de psychiater hem aan. K. moet maar even langs het maatschappelijk werk want die zouden wellicht een uitkering kunnen regelen en had hij nog een kamer of trekt hij bij zijn ouders in? Twee maanden later volgt heropname na een suïcidepoging. In de tijd thuis heeft K. geen andere daginvulling gevonden dan bezoek aan de koffieshop. Hiervoor gebruikt hij geld van zijn ouders. Zijn studiebeurs is stopgezet en de formulieren voor de bijstandsuitkering zijn zoekgeraakt (voorbeeld C1).

Na een (her)opname van 6 maanden vanwege psychotische depressie en een ernstige eetstoornis is J., een vrouw van 26 die met haar zuster in een klein dorpje woont, naar huis teruggegaan. Zij volgt nog een assertiviteitscursus en therapie voor haar slikangst. J. durft niet terug naar haar oude werk als bejaardenverzorgster. Thuis wordt ze echter 'echt gek': de mensen in haar omgeving zijn erg bezorgd en weerhouden haar om dingen te ondernemen. Haar psycholoog raadt haar aan een contactadvertentie te plaatsen voor een partner, maar J. vindt dat zij daar nog niet aan toe is. Maar hoe ze haar leven verder in moet gaan vullen weet ze ook niet (voorbeeld C2).

Voor de 45 jarige H. is de tijd aangebroken dat zij 'nu echt iets van haar leven gaat maken'. H. heeft twintig jaar achter de rug met talloze opnamen en verblijf in therapeutische gemeenschappen. H. heeft de diagnose 'borderline-stoornis'. De laatste twee jaar heeft zij deelgenomen aan een dagbehandeling. Op dit moment zijn er nog laag frequente ambulante contacten op de RIAGG. H. woont bij haar vriendin die werk heeft en voor een inkomen zorgt (voorbeeld C3).

Rehabilitatie moet! In bovenstaande gevallen hebben cliënten uit de GGz zelf gevraagd om begeleiding bij het opnieuw opbouwen van een inhoudsvol maatschappelijk bestaan. In de reguliere GGz-contacten wordt wel ondersteuning geboden, advies gegeven en geluisterd. De behoefte aan een minder vrijblijvende begeleiding, gericht op weer controle krijgen over het eigen bestaan en inrichten van het eigen leven naar eigen wensen, is echter groot.

Het slechten van de barrières om (weer) te gaan deelnemen aan het maatschappelijk leven is voor mensen met een psychiatrisch verleden moeilijker dan voorstanders van integratie veelal veronderstellen. Substitutie van ziekenhuiszorg door ambulante zorg biedt geen garantie dat het mensen met ernstige en langdurige psychiatrische problemen zal lukken een adequaat zelfstandig leven op te bouwen, een rijk sociaal netwerk in stand te houden en een maatschappelijke positie te behouden of te (her)veroveren.

Het feit dat de GGz verantwoordelijkheid is gaan nemen voor rehabilitatie en ondersteuning bij maatschappelijke reïntegratie van haar cliënten leidt tot de vorming van een nieuwe beroepsgroep van speciaal opgeleide hulpverleners, een groot scala aan verschillende cursussen en centra voor deskundigheidsbevordering. Daarmee rijst tegelijkertijd de vraag naar de ervaringen van cliënten met rehabilitatie. In dit artikel doen we verslag van een onderzoek naar de ervaringen van 35 Groningse cliënten met de begeleiding door hulpverleners die opgeleid zijn volgens de principes van de Individuele Rehabilitatie Benadering (IRB) (Anthony, 1980; Farkas & Anthony, 1989; Dröes & Van Weeghel, 1994; Nuy & Dröes, 2002).

Onderzoeksopzet

CIRE

In 1995 werd door de Stichting GGz Groningen gekozen voor de IRB als uitgangspunt voor de begeleiding van patiënten in de langdurige zorg. Dit was mede geïnspireerd door een werkbezoek aan Rochester, waar goede ervaringen met deze ambulante vorm van rehabilitatie waren opgedaan. De rehabilitatie kreeg vorm in het Centrum voor Individuele Rehabilitatie en Educatie (CIRE) met negen medewerkers die het officiële scholingstraject voor de IRB aan het volgen waren. CIRE werd gehuisvest op twee locaties in de zogenaamde dienstencentra waar ook het dagactiviteitencentrum en bijvoorbeeld de tertiaire dagbehandeling waren ondergebracht. Het streven was dat via de CIRE-medewerkers de IRB ook binnen de andere geledingen van de Divisie Chronische Psychiatrie bekendheid zou krijgen. Om deze reden werd gekozen voor zoveel mogelijk medewerkers die parttime voor CIRE en parttime elders binnen de Stichting GGz werkzaam waren. Ook zijn zogenaamde ontwikkelingsgroepen opgezet waarin medewerkers vanuit alle geledingen kunnen kennismaken met aspecten van de methodiek. De afkorting CIRE is bewust gekozen: in de centra zijn de wensen van de cliënt het uitgangspunt bij de begeleiding.

Onderzoek bij CIRE

Bij de oprichting van CIRE waren er kritische geluiden van de mensen die verantwoordelijk zijn voor de zorg aan cliënten met langdurige psychiatrische problematiek. Zouden de centra wel degenen bereiken voor wie ze waren opgezet? Zouden niet weer dezelfde mensen die toch al goede zorg kregen het meeste profijt hebben van deze nieuwe dienstverlening? Mede om deze reden werd gekozen voor een kort beschrijvend onderzoek enkele maanden na de oprichting.

Teneinde enig zicht te krijgen op de uitkomsten van de begeleiding zijn CIRE-cliënten twee keer geïnterviewd: het eerste interview zo snel mogelijk na de start van de CIRE-begeleiding, en het tweede na afsluiting van het contact of na een jaar indien de begeleiding nog steeds plaatsvond. De hulpverleners van CIRE werden eenmalig geïnterviewd: over hun ervaringen in het algemeen en aanvullend - met goedkeuring van de betrokken cliënten - over inhoud en resultaat van die contacten. In onderzoeksverslagen (Busschbach & Wiersma, 1999; Wiersma & Busschbach, 2001; Busschbach & Wiersma, 2002) is verantwoording afgelegd voor de gehanteerde methode van onderzoek en wordt dieper dan in dit artikel mogelijk is, ingegaan op de specifieke ervaringen met CIRE in de praktijk.

Resultaten

De cliënten van CIRE

50% van de cliënten die van januari 1997 tot maart 1998 begonnen zijn aan de begeleiding vanuit CIRE wilde mee doen aan het onderzoek. In het totaal werden 35 cliënten tweemaal geïnterviewd. Vergelijken we de cliënten van CIRE met de totale groep mensen die langdurig in zorg was bij de GGZ (zie tabel 1) dan blijkt een aantal groepen cliënten oververtegenwoordigd, namelijk jongere cliënten, alleenstaanden en cliënten in ambulante zorg. Ondervertegenwoordigd was de groep mensen die al zeer lang (meer dan tien jaar) contacten binnen de GGz had en toen gebruik maakte van woonvoorzieningen.

Bij 60% van de onderzochte CIRE-cliënten is sprake van een diagnose in het schizofreniespectrum. Een veel kleiner deel van de cliënten kampt met chronische stemmingsstoornissen en persoonlijkheidsstoornissen (respectievelijk 17% en 14%). In dit opzicht is er een duidelijk verschil met de hele populatie in langdurige zorg die relatief meer cliënten met stemmingsstoornissen (26%) telt.

Tabel 1. Kenmerken van CIRE-cliënten in vergelijking met de populatie in langdurige zorg (LZ) in Noordoost- en Oost-Groningen, in percentages

	CIRE-cliënten N = 35	LZ-populatie N = 715	
20 - 29 jaar	26	8	
30 - 39 jaar	39	19	
40 - 49 jaar	26	18	
50 - 59 jaar	9	16	
60 jaar e.o.	-	39	
Wonend met partner	30	20	
In ouderlijk gezin	9	8	
Alleenwonend	49	10	
In GGZ-woonvorm	6	55	
Overig	6	8	
Regulier werk	-	3	
WSW-werk	3	5	
GGZ-werkproject	3	4	
Vrijwilligerswerk	9	2	
Volgt opleiding	3	2	
Pensioengerechtigd	-	17	

	CIRE-cliënten N = 35	LZ-populatie N = 715	
Psycho-organisch syndroom	-	12	
Schizofrenie	60	29	
Stemmingsstoornis	17	26	
Overige As I	6	15	
Persoonlijkheidsstoornis	14	14	
Geen psychiatrische diagnose	3	4	
Intramurale zorg			
- langverblijf APZ	-	27	
- opnameafdeling	9	4	
- beschermd wonen	-	23	
- begeleid wonen	5	5	
Semimurale zorg			
- thuiszorg	12	3	
- deeltijdbehandeling	5	5	
Extramurale zorg			
- ambulante contacten*	35	38	
- DAC*	14	-	
- geen zorg (naast CIRE)	23	-	
Eerste GGZ-contact			
-langer dan 10 jaar geleden	3	68	
- 5-10 jaar geleden	40	18	
- korter dan 5 jaar geleden	46	14	
-meer dan 5 opnamen	-	25	
-2-5 opnamen	46	32	
- 1 opname	49	31	
- geen opnamen i/h verleden	7	12	

* Alleen mensen voor wie deze contacten de meest intensieve vorm van zorg waren.

De begeleiding bij CIRE

In tabel 2 wordt een overzicht gegeven van de duur en de intensiteit van de begeleiding. Een jaar na het eerste interview bleek in ongeveer de helft (52%) van de gevallen het contact nog niet afgesloten. Wanneer we in deze gevallen voor de bepaling van de gemiddelde duur van de CIRE-begeleiding afgaan op de inschatting van de cliënt en de hulpverlener over hoeveel tijd nog nodig is, dan komen we op een gemiddelde duur van 15 maanden (sd=5.8; min. 3 en max. 30). De helft van de cliënten is langer dan een half jaar maar korter dan een jaar in begeleiding. De CIRE-begeleiding omvat in de totale begeleidingsperiode gemiddeld twintig contacten. De frequentie van contact is sterk afhankelijk van de fase waarin de begeleiding zich bevond en het tempo dat de cliënt het beste leek.

Tabel 2. Duur en intensiteit van de CIRE-begeleiding, in percentages (N=35)

Duur van de begeleiding		
< 6 maanden	14	
7 - 12 maanden	49	
13 - 18 maanden	17	
19 - 24 maanden	14	
> 2 jaar	6	
Intensiteit van de begeleiding		
< 10 contacten	11	
11- 20 contacten	57	
21 - 30 contacten	29	
> 30 contacten	3	

Opvallend is dat in 40% (14) van de gevallen cliënten en hulpverleners melding maakten van onderbrekingen in het contact. Meestal was er tijd nodig voor activiteiten elders, zij het wel in het kader van de CIRE-begeleiding, zoals een sollicitatietraining, psycho-educatie bij de eigen psychiater et cetera. Soms had de cliënt aangegeven dat er even pas op de plaats gemaakt moest worden. Cliënten namen na een dergelijke onderbreking steeds zelf weer contact op. Geen van hen zag af van verdere begeleiding.

De doelen

In tabel 3 is weergegeven welke doelen en veranderingen men wilde bereiken bij aanvang van de CIRE-begeleiding en welke men na een jaar nog had op het gebied van werk, dagbesteding, opleiding, sociale contacten, wonen en zelfverwerkelijking. De laatste doelstelling is toegevoegd omdat dit meermalen is genoemd, vaak in combinatie met andere doelen.

Tabel 3. Gestelde doelen bij aanvang en na 1 jaar CIRE-begeleiding in de ogen van de cliënt, in percentages (N = 35)

	Doelen bij aanmelding	Doelen na een jaar	
Werk	35	22	
Werk + Sociale contacten	9	-	
Werk + Wonen	11	3	
Werk + Zelfverwerkelijking	9	11	
Werk Totaal	63	37	
Dagbesteding	11	9	
Dagbesteding + Wonen	-	3	
Dagbesteding + Zelfverwerkelijking	3	3	
Dagbesteding Totaal	14	14	

	Doelen bij aanmelding	Doelen na een jaar	
Opleiding	3	9	
Opleiding + Sociale contacten	-	3	
Opleiding + Wonen	3	3	
Opleiding Totaal	*6*	*14*	
Wonen	3	9	
Wonen + werk	11	3	
Wonen + dagbesteding	-	3	
Wonen + opleiding	3	3	
Wonen Totaal	*17*	*17*	
Sociale Contacten	-	3	
Sociale Contacten + Werk	9	-	
Sociale Contacten + Opleiding	-	3	
Sociale contacten Totaal	*9*	*6*	
Zelfverwerkelijking	3	9	
Zelfverwerkelijking + Werk	9	-	
Zelfverwerkelijking + Dagbesteding	3	3	
Zelfverwerkelijking Totaal	*11*	*23*	

Kijken we eerst naar de doelstellingen waarmee mensen het CIRE-contact begonnen, dan valt op hoeveel nadruk werk- en dagbestedingsdoelen krijgen: ruim negentig procent van de geïnterviewden noemden werk, opleiding of andere dagactiviteiten als een van de doelstellingen. In 66% van de gevallen ging het daarbij echt om werk en in 17% van de gevallen om andere activiteiten. Slechts voor een enkeling was het vinden van een goede opleiding het doel. Wonen en sociale contacten worden ook vaak genoemd als gebieden waarop men iets wil bereiken, maar dit is vaak in combinatie met werk. Verandering in, of de opbouw van het netwerk van sociale contacten is bij niemand een doel op zichzelf: drie mensen noemen dit in combinatie met de wens om werk te vinden.

Het doel waaraan in het contact met CIRE gewerkt wordt, kan in de loop van de tijd veranderen. Slechts 45% van de cliënten geeft aan dat het doel waarmee men bij CIRE gestart is, ook het doel is waaraan men is blijven werken. In 18% van de gevallen zijn doelen weggevallen of vervangen door andere, in 36% van de gevallen zijn er doelen bijgekomen. Voorbeeld: Een cliënt stond onder druk van de sociale dienst om werk te zoeken en zocht daarvoor hulp bij CIRE. In het contact gaat het echter vooral om de vraag hoe hij zijn leven moet inrichten, nu hij voor het eerst psychotisch is geweest, met name wat betreft wonen. Daginvulling is nog wel belangrijk, werk vinden wordt op de lange baan geschoven (C29).

Sommige soorten doelen worden vaker bijgesteld dan andere. Mensen die werk als een van hun doelen hadden bij de start met CIRE, stelden dit doel vaker bij dan mensen die met andere doelen begonnen. Werkdoelen werden in 70% van de gevallen bijgesteld, bij wonen en sociale contacten was dit slechts 25%.

Doelrealisatie

Naar de mening van de cliënten zelf lukt het in veel gevallen (46%) met hulp van CIRE bepaalde doelen te realiseren. In nog eens 14% van de gevallen verwachtten cliënten volledige doelrealisatie op termijn. Bij 34% worden doelen gedeeltelijk gerealiseerd. In 6% van de gevallen (2 cliënten) vond men dat het doel niet is gehaald. Het oordeel van de hulpverleners komt in grote lijnen hiermee overeen. Waar er geen overeenstemming is, is de hulpverlener steeds iets negatiever. *Voorbeeld: Een cliënt heeft twee opnamen vanwege een psychose achter de rug. Zijn familie wil graag dat hij weer snel aan het werk gaat. Al snel na het eerste contact met CIRE vindt hij een baan bij een scheepswerf en stopt de begeleiding. De cliënt geeft aan zijn doel gerealiseerd te hebben. De hulpverlener aarzelt omdat de cliënt zelf had gezegd eerst rustig aan te willen doen en er twijfels zijn of hij het werk wel kan volhouden (C15).*

Ook wanneer we de doelen genoemd bij de start afzetten tegen de concreet gerealiseerde veranderingen dan is het beeld van cliënten iets positiever dan dat van de hulpverleners: bij 31% van de cliënten zijn de doelen volledig gerealiseerd, bij 51% gedeeltelijk gerealiseerd en/of werden veranderingen in gang gezet, bij 18% zijn er geen veranderingen. In de helft van de trajecten waarin geen beoogde veranderingen waren bewerkstelligd, was er voor de cliënt uiteindelijk wel een acceptabel eindresultaat. *Voorbeeld: 'Ik heb er nu vrede mee om hier te blijven wonen. Mijn relatie liep niet goed en ik wilde wat anders. Eigenlijk wilde ik alles veranderen, soms ook wilde ik weer opgenomen worden. Maar nu weet ik veel beter wat wil, ik ben minder impulsief geworden. Ik woon hier goed en ook wat betreft sociale contacten' (C10).*

Woonwensen bleken het best te realiseren: op een na werden deze, naar het oordeel van zowel cliënt, hulpverlener en onderzoeker helemaal gerealiseerd, soms ook met hulp van contacten buiten CIRE. Op het gebied van de sociale contacten bleek het het moeilijkst om resultaat te behalen: een kwart van de betrokkenen die op dit terrein iets wilde bereiken gaf aan dat er niets verbeterd was.

Kwaliteit van leven

In hoeverre draagt CIRE - direct of indirect via de bereikte doelen - bij aan de kwaliteit van het leven van de betrokkenen? Aan de betrokkenen is bij het eerste en tweede interview via de zogenaamde EuroQol (Brooks, 1996) gevraagd om met een cijfer tussen de 0 en de 100 aan te geven hoe zij over hun eigen leven en situatie oordeelden. Ongeveer een derde van de mensen geeft bij de start van de CIRE-contacten zijn eigen leven een onvoldoende, slechts 3 mensen (9%) gaven een score hoger dan 90. Na een jaar gaf het merendeel van de cliënten een nagenoeg gelijke score (zie tabel 4). 15% van de cliënten gaf een score meer dan 10 punten lager, terwijl 21% van de cliënten een score gaf meer dan 10 punten hoger. Er is geen significant verschil in de gemiddelde score voor en na de CIRE-begeleiding.

Tabel 4. Verandering in kwaliteit van leven en functioneren tussen eerste en tweede interview (N=35)

	1e interview		2e interview		verschil significant?
	m	s.d	m	s.d	
Subjectief welbevinden					
- EuroQol	68.5	(11.7)	69.8	(12.7)	n.s.
Functioneren					
- GAF-S	55.3	(8.5)	57.3	(9.5)	n.s.
- GAF-D	51.5	(8.7)	54.8	(8.4)	n.s.

Veranderingen in functioneren

Op basis van de interviewgegevens en informatie van de CIRE-hulpverlener zijn op beide interviewmomenten twee GAF-scores vastgesteld. Dit zijn scores tussen 0 en 100 op de schaal voor Global Assessment of Functioning: GAF-S voor symptomatologie en GAF-D voor beperkingen (disability). Voor onze cliëntengroep was de gemiddelde GAF-S bij het begin 55 en na een jaar 57. Bij 42% waren de symptomen in omvang afgenomen (meer dan 10 punten) en bij 26% toegenomen (meer dan 10 punten).

De GAF-D-scores lagen gemiddeld iets lager. Ook de GAF-D-score is na een jaar licht gestegen. Bij 32% is er een verbetering, bij 17% een verslechtering. Kortom, symptomatologie en functioneren fluctueren zoals bij dit soort chronische problematiek min of meer verwacht mag worden. Een sterke invloed van rehabilitatie hierop werd ook niet verwacht. Opvallend is wel dat de symptomen en de sociale beperkingen voor deze groep beter met elkaar in overeenstemming komen. De scores voor symptomatologie en functioneren ten tijde van het eerste gesprek correleren niet (r=0.24) maar na interventie van CIRE wel (r=0.52, p<0.01).

Veranderingen in zorgbehoefte

Onze veronderstelling was dat rehabilitatie mensen minder afhankelijk kan maken van zorg of dat anders in ieder geval de zorg beter afgestemd wordt op de behoefte. Met behulp van de Camberwell Assesment of Need (CAN; Slade e.a. 1999) is aan alle cliënten gevraagd op welke van 22 gebieden zij problemen ervaren en of men hiervoor zorg ontving. Voorafgaand aan het contact met CIRE liggen de lacunes in de zorg met name op het terrein van de dagelijkse bezigheden en sociale contacten (>25%). Niet verwonderlijk: juist omdat men een probleem ervaart en goede zorg ontbeert, heeft men voor rehabilitatie gekozen. Daarnaast zijn er relatief veel mensen die aangeven behoefte te hebben aan meer informatie over toestand en behandeling. In mindere mate zijn er onvervulde zorgbehoeften op het gebied van psychotische symptomen, suïcidegedachten, psychisch welbevinden en seksualiteit (>15%).

Na de CIRE-interventie was het aantal onvervulde zorgbehoeften op het gebied van de dagelijkse bezigheden, sociale contacten en informatie het meest gedaald. Dit ligt ook in de verwachting omdat CIRE zich juist richt op deze behoefte aan zorg. Opvallend is echter ook dat er na een jaar op sommige gebieden een of meer cliënten met een onvervulde zorgbehoefte bijkwamen. Soms duidt dit op een verslechtering van het functioneren. Maar ook andere verklaringen komen voor. Door veranderingen in de eigen situatie kan bepaalde zorg zijn weggevallen, bijvoorbeeld wanneer men zelfstandig is gaan wonen. Of iemand is zich bewuster geworden van bepaalde zorgbehoeften, bijvoorbeeld rond een cognitief probleem dat het zoeken naar werk bemoeilijkt. Kijken we naar de totale zorgbehoefte per individuele cliënt dan komt de invloed van CIRE beter voor het voetlicht: de gemiddelde behoefte aan zorg nam significant af, van gemiddeld 6.6 naar 4.7 (t=2.95). Het aantal onvervulde behoeften daalde ook licht.

Tevredenheid met de CIRE-begeleiding

Cliënten gaven met behulp van een standaardvragenlijst - de Verona Service Satisfaction Scale (VSSS; Ruggieri, 1993) - bij het eerste interview hun mening over de reguliere zorg. Bij het tweede interview werden dezelfde vragen gesteld over de zorg bij CIRE. Daarnaast zijn open vragen gesteld over hun ervaringen met de zorg bij CIRE, hun tevredenheid en kritiek.

In tabel 5 zijn de resultaten weergegeven van de vragen naar de begeleiding binnen CIRE en de vragen over de overige zorg binnen de GGZ.

Tabel 5. Tevredenheid van cliënten met de CIRE-begeleiding en de overige GGz, gemiddelde scores (N = 35)

	CIRE-begeleiding (2de interview)	Overige GGz (1ste interview)
Algemene tevredenheid	4.6**	3.9
Vaardigheden/gedrag hulpverlener	4.8**	4.0
Informatie	4.2	3.5
Doeltreffendheid	4.3	3.8
Aard interventies	4.3**	3.6
Betrokkenheid familie	niet relevant ***	4.0

* De antwoorden worden ingevuld op een 5-puntsschaal: Wat vindt u in het algemeen over...?: zeer goed (5), grotendeels voldoende (4), gemengd (3), grotendeels onvoldoende (2) en zeer slecht (1).
** statistisch significant verschil p < 0.01.
*** Meer dan 70% van de betrokkenen gaf aan de vragen naar de betrokkenheid van de familie niet relevant te vinden omdat men dit niet als een taak voor CIRE zag.

Cliënten bleken over het algemeen zeer tevreden over de door CIRE geboden zorg. Op een aantal aspecten werd de zorg bij CIRE ook als duidelijk beter dan andere vormen van zorg gewaardeerd (significant verschil, p<0.01) namelijk het algemene oordeel over de zorg, de vaardigheden en het gedrag van de hulpverlener, en de aard van de interventies.

Men is in het algemeen tevreden, maar uit open vragen blijkt waar knelpunten zitten. Bijvoorbeeld waar het de informatie over CIRE betreft. Voor sommigen leidt dit tot teleurstellingen: *'Ik had gehoopt dat ze me zouden helpen bij een baan maar het is meer spiegelend, jezelf leren kennen. Eigenlijk moet je het ook allemaal zelf doen'* (C32).
Er is ook kritiek op de doeltreffendheid van de aanpak (69% positief, 20% genuanceerd, 11% negatief). Men vindt de aanpak te weinig concreet en heeft het idee dat de begeleiders bij CIRE te optimistisch zijn over de mogelijkheden op de arbeidsmarkt. *'Ik ben gekomen om daadwerkelijk werk te vinden en niet om eindeloos over mijn persoon te praten'* (C7).
In zijn algemeenheid kan echter niet gezegd worden dat de aanpak van CIRE te weinig concreet is. De mensen die positief zijn geven ook antwoorden als: *'Hij doet allemaal bureaudingen voor me: een uitkering aanvragen, huisvesting en de sociale dienst bellen. Nu dat allemaal geregeld is, heb ik even de begeleiding gestopt en ga ik verder zelf uitzoeken wat ik wil'* (C1).

Binnen de algemeen positieve evaluatie van het contact binnen CIRE is het meest opvallend hoe gunstig cliënten spreken over de wijze van gespreksvoering. Ook degenen met kritiek op de doelmatigheid gaven - op één uitzondering na - aan wel een goed contact te hebben gehad. *'Het is heel ontspannen, weinig tijdsdruk. Het gaat spelenderwijs en er wordt je niets opgelegd want je bepaalt het zelf'* (C8). Vooral benadrukt men het feit dat men als een gelijkwaardige gesprekspartner werd bejegend: *'Bij CIRE ben ik geen patiënt'* (C2) *'CIRE is voor mij het begin van de maatschappij'* (C4); *'Hij kan zich veel beter inleven, want hij denkt vanuit mij. Psychiaters denken in een bepaalde lijn en dat gaat over mij. Hier is het meer gelijkwaardig als in een vriendschap. Maar dat geeft ook wel verplichtingen, ik voel me verantwoordelijk dat er ook wat gebeurt'* (C1).

Beschouwing

Lang niet alle bevindingen van het onderzoek kunnen in dit bestek aan de orde komen. Tot slot nog enkele opmerkingen ter nuancering van de besproken resultaten en aandachtspunten voor verder onderzoek.

Doelen worden gerealiseerd

Een belangrijke indicatie voor de effectiviteit van CIRE is het feit dat in 31% van de gevallen er bij een objectieve beoordeling sprake was van het volledig realiseren van de gestelde doelen. Echter, de doelen waarmee cliënten het contact met CIRE starten, zijn niet altijd de doelen die gerealiseerd worden. Dat medewerkers wat betreft de overige succespercentages wat negatiever oordelen, kan niet toegeschreven worden aan een verschil van mening over wat precies de doelen waren; hierover is men het in hoge mate eens. Wel kan het zo zijn dat hulpverleners strakker vasthouden aan het streven om het doel niet alleen zo optimaal en volledig mogelijk te realiseren, maar dat zij tevens beoordelen of er waarborgen zijn dat het doel ook behouden kan worden. Dit laatste perspectief is veel minder prominent aanwezig bij cliënten: een aantal wil wel contact houden met CIRE maar anderen beëindigen het contact na het vinden van de baan, de dagbesteding of de woning. Ook stelde de cliënt zijn doelen soms iets eerder bij dan de medewerkers. De medewerkers vroegen zich af of in de Nederlandse situatie wellicht de druk om te rehabiliteren niet erg laag is. In ieder geval is het bij verder onderzoek van belang om goed na te gaan hoe doelen verschuiven en hoe tevreden cliënten op de lange termijn zijn met datgene wat zij al dan niet gerealiseerd hebben.

Instabiel verloop van het functioneren van cliënten

Er is een duidelijke indicatie dat na het rehabilitatietraject mensen optimaler zijn gaan functioneren: de wijze waarop mensen functioneren, is meer in overeenstemming gekomen met de beperkingen die zij ondervinden van hun psychiatrische symptomen. In het rehabilitatiejaar is echter lang niet altijd sprake van een voortdurende verbetering van functioneren. Cliënten beschrijven hun traject soms als een proces waarin verschillende fasen van succes en 'passen op de plaats' elkaar afwisselen. CIRE-medewerkers houden hierbij sterk het tempo aan dat past bij de conditie van de cliënt. De indruk ontstaat dat de psychiatrische ziekte ook een zelfstandig verloop heeft, deels los van het rehabilitatieproces maar ook deels ermee samenhangend. Mensen komen op een moment dat het hen redelijk goed gaat. In deze stabiele situatie komt in de loop van de tijd verandering: ofwel omdat de ziekte zijn beloop heeft, ofwel omdat zaken die uit het zicht waren verdwenen, nu opeens wel aandacht gaan vragen. De verwachting van een opgaande lijn heeft - hoewel niet expliciet - de opzet van het onderzoek echter wel beïnvloed. We dachten verbeteringen of het uitblijven van verbeteringen te kunnen constateren door een vergelijking te maken van de situatie bij de start en na afloop van het proces. Beter was het geweest om ook veranderingen vast te stellen gedurende de periode bij CIRE en ook na die tijd, om zo meer zicht te krijgen op het echte verloop.

Nadruk ligt op de eigen inbreng van cliënten

Zowel voor cliënten als voor medewerkers is de grote nadruk op de eigen inbreng van de cliënt een vitaal kenmerk van de begeleiding bij CIRE. Eigen inbreng wil dan niet alleen maar zeggen dat de cliënt zelf ook stappen onderneemt of onderwerpen aandraagt. Het is de cliënt die de richting aangeeft, ook wanneer dit betekent dat steeds opnieuw een andere weg wordt ingeslagen. Medewerkers geven aan dat men zich daarbij wel verantwoordelijk voelt om het proces op gang te houden. Door het merendeel van de cliënten wordt deze aanpak erg gewaardeerd: men beschrijft hoe dit verschilt van de reguliere aanpak in de GGz. Cliënten uiten over dit sterke punt echter juist ook kritiek: men vindt dat men binnen CIRE te weinig richting geeft, wil meer concrete adviezen en verwijzingen, en vindt dat het zo allemaal te lang duurt.

Cliënten zijn tevreden

Vergelijken we de tevredenheid met CIRE met de tevredenheid over de reguliere zorg ten tijde van het begin van de CIRE-begeleiding, dan valt CIRE in positieve zin op. Bij deze conclusie lijken twee nuanceringen op zijn plaats. Bij de opzet van het onderzoek waren we afhankelijk van de bereidwilligheid van cliënten om mee te doen. Cliënten die al na een enkel gesprek bij CIRE wegbleven, zijn daardoor ook niet voor het onderzoek benaderd. Door tevredenheid van de wel geïnterviewde cliënten niet als absoluut te beoordelen, maar deze af te zetten tegenover het oordeel over de andere vormen van GGz, hopen we het probleem van de selectieve respons enigszins ondervangen te hebben. Het zou echter beter zijn geweest om een gerichte vergelijking te maken tussen CIRE-cliënten en cliënten die ook begeleiding gehad hebben bij het realiseren van doelen, maar dan door iemand van buiten CIRE, dus zonder de IRB-achtergrond.

Samenvatting en conclusie

Weinigen zullen twijfelen aan het nut en de noodzaak van rehabilitatie voor langdurig zorgafhankelijke psychiatrische patiënten. Discussie is wel mogelijk over de wijze waarop deze rehabilitatie vorm dient te krijgen alsook over de mate waarin verwacht mag worden dat rehabilitatie effectief is. Met dit onderzoek hebben we bouwstenen willen aandragen voor deze discussie. Beschreven is de praktijk binnen het rehabilitatieproject zoals dat binnen de GGz Groningen gestalte kreeg in de vorm van CIRE. Een beperkte groep cliënten kon daarbij worden gevolgd middels interviews. Gerapporteerd werd welke cliënten gebruik maken van CIRE, aan welke doelen wordt gewerkt, waartoe dit leidt en hoe tevreden cliënten over de contacten zijn na afloop.

Naar de mening van cliënten en van medewerkers voldoet de methodiek binnen CIRE als een adequaat middel om cliënten te ondersteunen in het proces van rehabilitatie en het invullen van de eigen toekomst. De conclusie van ons onderzoek onderbouwt dit oordeel verder: binnen CIRE wordt een belangrijk deel van de gewenste veranderingen gerealiseerd. Daarnaast heeft de interventie een licht positieve invloed op de zorgafhankelijkheid en draagt ze ook - binnen de beperkingen voortvloeiend uit de psychiatrische problematiek - bij aan het beter, en met meer voldoening functioneren van betrokkenen.

Literatuur

Anthony, W.A. (1980). *The principles of psychiatric rehabilitation.* Baltimore: University Park Press.

Brooks, R. & EuroQol Group (1996). EuroQol, the current state of play. *Health Policy, 37,* 53-72.

Busschbach, J.T. van, & Wiersma, D. (2000)(XX in de tekst staat 1999). *Behoeften, zorg en rehabilitatie in de chronische psychiatrie.* Groningen: Stichting GGz Groningen, Rijksuniversiteit Groningen.

Busschbach, J. van & Wiersma, D. (2002). Does rehabilitation meet the needs of care and improve the quality of life of patients with schizophrenia or other chronic mental disorders? *Community Mental Health Journal,* 38(1), 61-70.

Dröes, J. & Weeghel, J. van (1994). Perspectieven van psychiatrische rehabilitatie. *Maandblad Geestelijke volksgezondheid* 49(8), 795-810.

Farkas, M.D. & Anthony, W.A. (Eds.) (1989). *Psychiatric rehabilitation programs: putting theory into practice.* Baltimore: John Hopkins University Press.

Nuy, M. & Dröes, J. (Red.) (2002). *De individuele rehabilitatie benadering. Inleiding tot gedachtegoed, techniek en randvoorwaarden.* Amsterdam: SWP.

Ruggeri, M. & Dall'Agnola, R. (1993). The development and use of the Verona Expectations for Care Scale (VECS) and the Verona Service Satisfaction Scale (VSSS) for measuring expectations and satisfaction with community-based psychiatric services in patients, relatives and professionals. *Psychological Medicine,* 23, 511-523.

Slade, M., e.a. (1999). *CAN: Camberwell Assessment of Need.* London: Royal College of Psychiatrists.

Wiersma, D. & Busschbach, J. van (2001). Are needs and satisfaction of care associated with quality of life? An epidemiological survey among the severely mentally ill in the Netherlands. *European Archives Psychiatry and Clinical Neuroscience,* 251(5), 239-246.

15. Individuele rehabilitatie voor chronische psychiatrische patiënten: een open onderzoek

Wilma Swildens, Albert van Keijzerswaard, Tom van Wel,
Gerard de Valk & Marije Valenkamp

Dit onderzoek beoogt inzicht te geven in de toepassing en resultaten van de IRB voor patiënten en medewerkers. Het is een open onderzoek. 58 patiënten en hun begeleiders werden twee jaar gevolgd. In de voor- en nameting zijn de uitkomstmaten: het bereiken van de doelen van patiënten, hun dagelijks functioneren, ervaren autonomie, kwaliteit van leven en afstemming van zorgbehoefte en zorgaanbod. Vooral bij de patiënten die doelen op het gebied van wonen en werken wisten te bereiken, is het dagelijks functioneren en de kwaliteit van leven verbeterd. Een langer durende rehabilitatiebegeleiding blijkt in dit onderzoek voorspellend voor het bereiken van de rehabilitatiedoelen.

Inleiding

Het begrip rehabilitatie verwijst naar een brede verzameling ideeën en praktijken die het herstel en de maatschappelijke participatie van chronische psychiatrische patiënten beogen (Schene & Henselmans 1999; Van Weeghel 2000). In Nederland zijn diverse rehabilitatiemethodieken in omloop, waarvan de individuele rehabilitatiebenadering (IRB) een van de invloedrijkste is. Deze benadering is vanaf de jaren tachtig vanuit het Center for Psychiatric Rehabilitation in Boston ontwikkeld (Anthony e.a. 1982, 1990). Stichting Rehabilitatie '92 heeft alle IRB-modules vertaald en traint hulpverleners in de toepassing van IRB (Dröes 1992). De IRB behelst een gesprekstechniek die is opgebouwd uit drie fasen. Eerst wordt met de patiënt uitgezocht wat deze in de toekomst (over een half jaar tot twee jaar) concreet wil bereiken op een zelf gekozen rehabilitatieterrein: wonen, werk/dagbesteding, opleiding of sociale contacten. Begeleider en patiënt bespreken vervolgens wat nodig is aan vaardigheden en ondersteuning (hulpbronnen) om dit rehabilitatiedoel te bereiken. In een tweede fase plannen patiënt en begeleider de benodigde interventies om het doel dichterbij te brengen. De derde fase bestaat enerzijds uit het aanleren van vaardigheden, anderzijds uit hulpbroneninterventies (gericht op personen of voorzieningen die ondersteunend kunnen zijn). Het komt voor dat patiënten geen (reële) doelen formuleren. Dan wordt de zogenaamde doelvaardigheid (*readiness*) voor rehabilitatie nader bekeken. Uitkomst hiervan kan zijn om niet verder te gaan met de rehabilitatie, omdat de patiënt bijvoorbeeld geen verandering wenst. Het is ook mogelijk om doelvaardigheid te ontwikkelen, bijvoorbeeld door steun uit de omgeving te activeren. Een individueel rehabilitatietraject duurt gemiddeld anderhalf jaar. Het verhelderen van toekomstwensen en het stellen van een rehabilitatiedoel bijvoorbeeld, kost gemiddeld zes tot acht maanden.

Thans (begin 2002) werken 45 hulpverleningsinstellingen met de IRB: tien fusie-instellingen, vijf algemeen psychiatrische ziekenhuizen, vijftien regionale instellingen voor beschermende woonvormen, tien instellingen voor arbeidsrehabilitatie en begeleid leren, twee zelfhulporganisaties, twee sociale diensten en een instelling voor maatschappelijke opvang. Stichting Rehabilitatie '92 heeft ongeveer 10.000 medewerkers voorgelicht over de IRB en 5.000 medewerkers getraind in de toepassing ervan. Er zijn vooral verpleegkundigen, woonbegeleiders en trajectbegeleiders voor arbeid en dagbesteding getraind. Velen van hen passen onderdelen van de methode toe; circa 500 personen passen op dit moment de gehele methode toe (mededeling Stichting Rehabilitatie '92).

Onderzoek naar de resultaten van rehabilitatie – en specifieker de IRB – is nog weinig gedaan. Dröes concludeert in zijn overzicht (hoofdstuk 13 van dit boek) dat vooral de diversiteit aan relevante uitkomstmaten een obstakel vormt bij het doen van rehabilitatie-onderzoek. Beschikbare onderzoekspublicaties over de IRB melden positieve uitkomsten, zoals een kortere opnameduur van patiënten en zelfstandiger functioneren in woon- en werksituaties (Farkas & Anthony 1989). Deze onderzoeken zijn echter gedateerd en behelzen geen effectonderzoeken. We concluderen dat de IRB in het werkveld belangstelling krijgt, maar dat de praktijkervaring in Nederland nog beperkt is. Tevens is de wetenschappelijke basis van de IRB nog smal, wat nader onderzoek noodzakelijk maakt.

Ons onderzoek is uitgevoerd in Altrecht (de Langdurige zorgunits en het Regionaal Psychiatrisch Centrum (RPC) te Zeist) en bij de Regionale Instelling voor Arbeidsrehabilitatie en Dagbesteding (RIDA) in Utrecht. Deze instellingen passen de IRB vanaf 1995 toe. Er is onderzocht welke ervaringen patiënten en medewerkers met de IRB hebben opgedaan en tot welke uitkomsten dit heeft geleid.

Methode

Onderzoeksopzet

De open onderzoeksopzet is te typeren als een combinatie van implementatieonderzoek en programma-evaluatie (Donker & Derks 1993). Doel van implementatieonderzoek is inzicht geven in de mate waarin de interventie (de IRB) daadwerkelijk wordt toegepast en wat daarbij knelpunten zijn. Doel van programma-evaluatie is inzicht geven in de vraag of de beoogde resultaten met de interventie worden bereikt.

Op basis van literatuuronderzoek en voorgesprekken met hulpverleners en patiëntvertegenwoordigers zijn effectvariabelen geformuleerd. Daarbij is aandacht besteed aan mogelijke positieve en negatieve effecten van de IRB, bijvoorbeeld verbetering van de kwaliteit van leven of psychische terugval als gevolg van toenemende druk op patiënten. Voor het onderzoek, uitgevoerd in de periode 1998-2000, zijn 58 patiënten en hun begeleiders gevolgd. Het onderzoek bestaat uit een startmeting en een follow-upmeting na anderhalf jaar. Daarnaast is door middel van tussentijdse interviews en een zes maanden durend registratieonderzoek het rehabilitatieproces beschreven.

Onderzoeksgroep

Bij de start van het onderzoek waren dertig hulpverleners getraind in de IRB. Voor het onderzoek werden alle patiënten benaderd die in de eerste helft van 1998 met de getrainde hulpverleners aan rehabilitatiegesprekken begonnen of daarmee in het voorafgaande kwartaal gestart waren. Het betrof zowel patiënten die in IRB-termen doelvaardig waren, als patiënten die dit nog niet waren.

Bij de Langdurige zorgunits werden vijfenvijftig patiënten voor het onderzoek gevraagd. Tien van hen (18%) wilden niet meedoen, mede wegens eerdere onderzoekservaringen ('belastend' en 'je hoort er niets van terug'). Van de RIDA en het RPC deden zeventien patiënten mee, die ook langdurig in zorg waren.

Van de in totaal 62 patiënten deden er 57 zowel mee aan de startmeting als aan de followup-meting; twee patiënten verdwenen uit zicht, twee patiënten zegden hun medewerking aan het onderzoek tussentijds op en een patiënt kon door lichamelijke ziekte niet geïnterviewd worden. Zijn begeleider werd wel geïnterviewd en deze gegevens zijn betrokken in de analyses. De patiënten werden gemiddeld zeventien maanden gevolgd (inclusief patiënten die tussentijds uitvielen).

Tabel 1 toont de kenmerken van de onderzoeksgroep. Eenenzestig procent was man; de gemiddelde leeftijd was 43 jaar; vijfenvijftig procent had de diagnose schizofrenie. Bij aanvang was zestig procent opgenomen in het APZ. De meeste van hen verbleven er al langdurig en woonden in sociowoningen.

De patiëntengroep was niet representatief voor de hele populatie in de langdurige zorg. Vergeleken met patiënten in de intramurale langdurige zorg vertoonde de onderzoeksgroep minder beperkingen gemeten naar de Vragenlijst functioneringsniveau (Van Wel 1992, 2002): de onderzoeksgroep had gemiddeld veertien beperkingen (categorie 'weinig beperkingen'), de normgroep van intramurale patiënten gemiddeld 33,5 beperkingen (categorie 'gemiddelde beperkingen'). Onze onderzoeksgroep was vergeleken met algemene populaties van chronische psychiatrische patiënten (Kroon e.a. 1998) iets jonger en bevatte meer mannen.

Tabel 1. Kenmerken van patiënten in de IRB-onderzoeksgroep (n=62)

Geslacht	Mannen	61%
	Vrouwen	39%
Leeftijd	<20	2%
	20-30	20%
	30-40	27%
	40-50	32%
	50-60	10%
	>60	10%
Psychiatrische diagnose	Schizofrenie	55%
	Affectieve psychose	11%
	Overige niet organische psychose	3%
	Persoonlijkheidsstoornis	13%
	Neurotische/depressieve stoornis	13%
	Overige stoornissen	5%
Opnametijd in APZ	Geen opname	8%
	<1 jaar	14%
	1-2 jaar	6%
	2-5 jaar	15%
	>10 jaar	58%
Woonsituatie	APZ	60%
	RIBW	3%
	Eigen woning	37%

IRB=individuele rehabilitatiebenadering
APZ=algemeen psychiatrisch ziekenhuis
RIBW=regionale instelling voor beschermende woonvormen

Er deden zesentwintig rehabilitatiebegeleiders mee aan het onderzoek; dit waren overwegend verpleegkundigen (18) en verder maatschappelijk werkenden, psychologen en trajectbegeleiders. De medewerkers waren via training en werkbegeleiding voorbereid op het werken met de IRB, waarmee verreweg de meeste deelnemers (23) ten minste een half jaar praktijkervaring hadden.

Meetinstrumenten

Er zijn uitkomstmaten opgesteld voor de volgende gebieden: het verhelderen van wensen; het bereiken van rehabilitatiedoelen; maatschappelijke participatie; ervaren autonomie; functioneringsniveau; kwaliteit van leven; afstemming zorgbehoefte en zorgaanbod; waardering begeleiding. Tevens zijn er uitkomstmaten opgesteld voor het optreden van negatieve effecten: psychische terugval; werkbelasting van de medewerkers.

Verhelderen wensen

Bij de startmeting vroegen we aan patiënten en begeleiders in een semi-gestructureerd interview aan welk van de IRB-doelgebieden (wonen, werk/dagbesteding, opleiding, sociale contacten) zij wilden werken. Voor de start van de procesmeting werd bij begeleiders schriftelijk gecontroleerd of de eerder geformuleerde doelen nog van toepassing waren. Bij de followup-meting werd aan patiënten en begeleiders gevraagd of de wensen op de doelgebieden waren verhelderd ('ja', 'enigszins', 'niet', 'weet niet') en of de rehabilitatiebegeleiding hieraan had bijgedragen.

Bereiken van de rehabilitatiedoelen

Bij de follow-up vroegen we patiënten en begeleiders aan de hand van een semi-gestructureerde vragenlijst of de doelen 'geheel', 'gedeeltelijk' of 'niet' waren gehaald. De onderzoekers gaven op basis van de verkregen informatie een definitieve beoordeling. Een doel werd als 'geheel gerealiseerd' beschouwd als de patiënt bijvoorbeeld de gewenste betaalde baan kreeg, als 'gedeeltelijk gerealiseerd' als hij een werkervaringsbaan kreeg in de gewenste sector en als (nog) 'niet gerealiseerd' als hij geen betaald werk noch een voor hem bevredigend alternatief kreeg.

Maatschappelijke participatie

Door middel van semi-gestructureerde interviews met patiënten en begeleiders werden veranderingen op de doelterreinen van de rehabilitatie, zoals zelfstandig gaan wonen of werk krijgen, beschreven.

Ervaren autonomie

Aan patiënten werden vragen op twee van de drie dimensies van de autonomieschaal (Bekker 1993) gesteld: 'zelfbewustzijn' en 'vermogen tot hanteren van nieuwe situaties'. Het betrof een zelfbeoordelingslijst van het Likert-type (7-puntsschaal).

Functioneringsniveau

Veranderingen werden onderzocht met de voornoemde Vragenlijst functioneringsniveau' gebaseerd op een observatieschaal met een bereik van 2 ('altijd') tot 0 ('nooit'). De vragenlijst kent 7 subschalen: (1) basale zelfredzaamheid; (2) interne sociale integratie; (3) potentiële sociale vaardigheden; (4) externe contacten met personen van buiten de instelling/leefeenheid zonder er zelf te komen; (5) buiten de instelling/leefeenheid komen; (6) vreedzaam in de omgang; (7) mediagebruik. Uit factoranalytisch onderzoek bleek dat de subschalen deel uitmaakten van de schaal 'functioneringsniveau' met een goede interne validiteit en hoge betrouwbaarheid (Cronbach's α = 0,88).

Kwaliteit van leven

Veranderingen op dit gebied werden bij de startmeting en de followup-meting bij patiënten gemeten met een kwaliteit-van-levenvragenlijst (Kroon 1996). Deze zelfbeoordelingslijst kent elf onderdelen, waarvan acht de huidige situatie op specifieke levensgebieden betreffen (bijvoorbeeld woonsituatie, lichamelijke gezondheid, hulpverlening). De andere drie vragen betreffen de tevredenheid over het leven in het algemeen (op dat moment, het jaar daarvoor, een jaar later). Aan patiënten werd gevraagd op elk onderdeel hun tevredenheid in een rapportcijfer (van 1 tot 10) uit te drukken.

Afstemming zorgbehoefte en zorgaanbod

We gebruikten de Camberwell Assesment of Needs (CAN), bestaande uit een zelfbeoordelingslijst voor patiënten en een gespiegelde observatielijst voor hulpverleners (Phelan e.a. 1995). Dit instrument bracht de zorgbehoeften van patiënten op tweeëntwintig levensgebieden in kaart, waarbij de behoeften naar een voorbeeld van Van Busschbach & Wiersma (1999) in vier dimensies waren ingedeeld. Dit betrof de volgende levensgebieden en dimensies: huishouding, voeding en zelfzorg (dimensie ADL-behoeften); de gebieden lichamelijke gezondheid, psychotische symptomen, informatie over de behandeling, psychisch onwelbevinden, veiligheid voor de persoon zelf, veiligheid voor anderen, alcohol, drugs (dimensie GGz-behoeften); de gebieden huisvesting, dagelijkse bezigheden, sociale contacten, intimiteit (rehabilitatiebehoeften); de gebieden onderwijs, telefoon, vervoer, geld, uitkeringen (voorzieningenbehoefte). De zorgbehoeften konden worden gescoord als 1 (geen probleem), 2 (beperkt probleem) of 3 (ernstig probleem).

Waardering begeleiding

Patiënten en begeleiders werden over de waardering voor de begeleiding geïnterviewd tijdens de startmeting, de followupmeeting en de procesmeting aan de hand van semigestructureerde vragenlijsten. Om de onderlinge band en de doel- en taakgerichtheid van de relatie te meten werd bij aanvang van het onderzoek de Werkalliantievragenlijst afgenomen (Horvath & Greenberg 1989; Vervaecke & Vertommen 1996). Zowel de patiënten als de begeleiders beoordeelden hun werkrelatie op een Likert-type 7-puntsschaal.

Psychische terugval

Psychische terugval als gevolg van stress bij het werken aan rehabilitatiedoelen werd onderzocht door interviews met patiënten en begeleiders. Verder vulden de begeleiders drie keer in 1998 en 1999 de Global Assessment of Functioning scale (gaf, bereik 0-100) in. Ook werd informatie verzameld over het vóórkomen van decompensaties.

Werkbelasting

Naar een eventuele toename van de werkbelasting van medewerkers door de IRB werd in interviews gevraagd. Voorts werd bij de startmeting (medewerkers hadden ten minste een half jaar IRB-ervaring) de Maslach Burn-out Inventory afgenomen (MBI-nl, Schaufeli & Van Dierendonk 1995), een zelfbeoordelingslijst voor gezondheidswerkers (Likert-type 5-puntsschaal).

Statistische analyse

De verschillen tussen startmeting en followupmeting op de gestandaardiseerde vragenlijsten zijn met gepaarde t-toetsen onderzocht. Vervolgens is onderzocht welke factoren samenhangen met achtereenvolgens: verandering in functioneren (Vragenlijst functioneringsniveau); verandering in kwaliteit van leven (Kwaliteit-van-leven-vragenlijst); het bereiken van de doelen (1 = geheel, 2 = gedeeltelijk, 3 = niet).

Eerst zijn op basis van bivariate analyses (t-toetsen, X^2-toetsen) samenhangen gezocht tussen elk van deze drie genoemde afhankelijke variabelen en een reeks van onafhankelijke variabelen (onder meer variabelen met betrekking tot persoonskenmerken, psychiatrische diagnose, zorgbehoeften/zorgsituatie, opnameduur, functioneringsniveau, autonomie, waardering kwaliteit van leven, waardering werkrelatie, doelgebied rehabilitatie, duur rehabilitatie, trainingsniveau/ervaring rehabilitatiewerker). Vervolgens zijn de variabelen die significant samenhingen met de afhankelijke variabele opgenomen in multipele regressieanalyses.

Resultaten

Toepassing IRB

Door hun langdurige GGz-contacten waren de meeste patiënten bij de start al bekend met hun rehabilitatiebegeleider. De begeleiders combineerden hun activiteiten als rehabilitatiebegeleider gewoonlijk met andere vormen van hulpverlening aan de betrokken patiënt: als persoonlijk begeleider, behandelaar of maatschappelijk werker. De samenwerking richtte zich meestal op het doelterrein wonen (55%) en op de werk/dagbesteding (34%). De wensen op deze gebieden werden geconcretiseerd met de patiënten en er werd hulp geboden bij het realiseren ervan.

Hoewel veel patiënten wensen hadden op het gebied van sociale contacten, bleken ze hierin weinig begeleiding te krijgen. Volgens de CAN had bij de start 58% van de patiënten zorgbehoeften op dit gebied. Bij 30% werd geheel niet in deze behoeften voorzien. Toch kozen niet meer dan 3 patiënten (5%) met hun begeleiders 'sociale contacten' als doelterrein. Volgens de begeleiders kwam dit doordat de IRB hen weinig handvatten bood om patiënten op dit terrein te begeleiden.

Bij het merendeel van de patiënten (91%) werd op grond van zogenaamde doelvaardigheidsbeoordeling vastgesteld dat ze toe waren aan het stellen van een rehabilitatiedoel. Driekwart van de patiënten kreeg hulp bij het stellen van een rehabilitatiedoel. Bij 47% van de patiënten vond een beoordeling plaats van de (te leren) vaardigheden en benodigde hulpbronnen; bij 35% werd gewerkt aan vaardigheidsontwikkeling en ondersteuning geboden bij het realiseren van hulpbronnen.

De begeleiding duurde bij de meeste patiënten (59%) langer dan anderhalf jaar. Bij 61% werden ten minste 20 rehabilitatiegesprekken geregistreerd en 41% had meer dan 30 gesprekken. Uit de registratie van de rehabilitatiecontacten bleek dat gemiddeld 1,3 uur per patiënt per maand aan IRB was besteed.

Rehabilitatiegesprekken werden regelmatig enige tijd gestopt. De redenen varieerden van psychische terugval tot het moeten wachten op een woning. Begeleiders waren geneigd het IRB-traject na zo'n onderbreking niet te vervolgen. Verder dreigde aandacht voor rehabilitatie snel ondergesneeuwd te raken door ander dagelijks werk. Het onderzoek stimuleerde sommige begeleiders om het traject weer op te pakken.

Effecten voor patiënten en begeleiders
In tabel 2 (op pagina 159) staan de resultaten van de toepassing van de IRB voor de patiënten vermeld.

Verhelderen toekomstwensen
Ongeveer evenveel patiënten (79%) als begeleiders (81%) vonden dat er sprake was van toegenomen inzicht in de rehabilitatiedoelen. Niet alle patiënten vonden overigens dat de rehabilitatiebegeleiding hen op dit punt verder hielp; van de genoemde 79% vond 17% dat andere factoren zoals 'op eigen kracht iets leren' belangrijker waren en 62% vond wel dat de IRB positief bijdroeg aan hun inzicht in wensen en doelen.

Bereiken van de rehabilitatiedoelen
De oordelen hierover van patiënten, begeleiders en onderzoekers kwamen in 84% van de gevallen overeen. In overige gevallen ging het meestal om de vraag of de doelen gedeeltelijk of geheel waren bereikt. Volgens het (meest kritische) oordeel van de onderzoekers bereikte 41% van de patiënten de doelen en bereikte 16% de doelen gedeeltelijk. Het laatste hield bijvoorbeeld in dat een patiënt niet de gewenste betaalde baan kreeg, maar een werkervaringsplaats in de gewenste werksoort.

Maatschappelijke participatie
Het bereiken van de rehabilitatiedoelen werd concreet zichtbaar doordat 21% van de patiënten zelfstandig was gaan wonen en 12% betaald werk kreeg. Eén patiënt was bij de followupmeting teruggekeerd vanuit een zelfstandige woonsituatie naar het APZ. Omdat leren en sociale contacten nauwelijks als doelgebied werden gekozen, werden op deze gebieden voor de hele onderzoeksgroep weinig veranderingen gemeten.

Verandering autonomie
Gemiddeld waren er geen veranderingen in de door patiënten ervaren autonomie. In de interviews vertelden sommige patiënten dat het werken aan rehabilitatie bijdroeg aan het vertrouwen in eigen kunnen, maar ook dat de (gewenste) veranderingen nieuwe onzekerheden met zich meebrachten. Sommigen vroegen zich bijvoorbeeld af of het alleen wonen wel zou lukken of hadden het gevoel dat de uitkomst erg afhankelijk was van andermans steun.

Functioneringsniveau
We vonden een verbetering in het functioneringsniveau ($p = 0,02$),
vooral bij de dimensie 'externe contacten', met items als 'regelmatig bezoek ontvangen' en 'brieven krijgen'. Als voorspellende variabelen voor verbetering in het functioneren kwam uit multipele regressieanalyse naar voren: het vermogen tot nieuwe situaties hanteren (dimensie autonomielijst) ($p < 0,01$), een kortere opnameduur ($p < 0,001$) en een beter functioneringsniveau bij de start ($p = 0,03$). De verklaarde variantie was 50%.

Kwaliteit van leven
Voor de hele groep cliënten (57) vonden wij geen veranderingen in de kwaliteit van leven. Wel was er een significant verschil tussen de subgroep patiënten die de doelen (groten-

deels) bereikte en de subgroep die deze niet bereikte (p = 0,01). Bij de groep die het doel (grotendeels) bereikte, verbeterde in rapportcijfers uitgedrukt de gemiddelde kwaliteit van leven van 6,9 naar 7,2; bij de groep die het doel niet bereikte, daalde deze van 6,7 naar 6,4. Het bereiken van de doelen bleek uit multipele regressieanalyse 1 van de 3 voorspellende factoren voor verbetering van de kwaliteit van leven (p = 0,01). De andere voorspellers waren een betere kwaliteit van leven bij de startmeting (p < 0,01) en betere potentiële sociale vaardigheden (p =0,01) (34% verklaarde variantie).

Afstemming zorgvraag en -aanbod

Het gemiddeld aantal zorgbehoeften op de rehabilitatiedoelgebieden (wonen, werken/dagbesteding, leren en sociale contacten) nam significant af volgens het oordeel van zowel de patiënten als begeleiders. Deze bevindingen kwamen overeen met uitkomsten uit eerder onderzoek (Van Busschbach & Wiersma 1999). Op de andere zorgdimensies van de CAN (ADL-behoeften, GGz-behoeften en behoefte aan voorzieningen) deden zich geen verbeteringen voor.

Waardering begeleiding

Gezien de positieve uitkomsten van werken aan rehabilitatiedoelen, zou men mogen verwachten dat de geboden begeleiding positief werd geëvalueerd. Dit was inderdaad het geval. Bij de start van het onderzoek waren de patiënten en de begeleiders, gemeten naar de Werkalliantievragenlijst, al zeer tevreden met de begeleiding. De tevredenheid van de patiënten over de contractdimensie (taak- en doelgerichtheid werkrelatie) lag iets boven die van een groep psychotherapiepatiënten uit onderzoek van Vervaeke & Vertommen (1996). Terugkijkend zei drieëntachtig procent van de patiënten tevreden te zijn over de begeleider. Vijfenzeventig procent was tevreden over de gespreksvoering. Eenderde had meer begeleidingstijd gewenst.

Psychische terugval

Psychische terugval kwam voor bij acht patiënten in het jaar voorafgaand aan de followup. Dit werd door patiënten en begeleiders niet beschouwd als een gevolg van de rehabilitatiegesprekken. In deze gevallen werden de rehabilitatiegesprekken tijdelijk gestopt. De GAF-score van de onderzoeksgroep schommelde tijdens het onderzoek gemiddeld rond 60, een score voor 'matig ernstige problemen'. Op basis van interviews met cliënten vermoeden we dat de GAF door een aantal begeleiders weinig adequaat is ingevuld. Extra instructie aan begeleiders en validiteitchecks waren wenselijk geweest (Moos e.a. 2002). In de verdere analyses is de GAF niet betrokken.

Werkbelasting

Werkbelasting als gevolg van de IRB werd door de medewerkers niet als een probleem ervaren. Uit de scores op de Maslach Burn-out Inventory bleek dat werken met de IRB niet gepaard ging met hoge werkdruk. De score van de medewerkers op 'emotionele uitputting' was vergelijkbaar met het gemiddelde voor gezondheidswerkers (gem. 11,4; SD 7,1 versus normgroep gem.15,1; SD 8,1; n=25, (niet in tabel).

Tabel 2. Resultaten voor patiënten van de toepassing van de Individuele Rehabilitatiebenadering (IRB)

Uitkomstmaten	Resultaten (n)*	Gemiddelde (SD)
Inzicht in de toekomstwensen (semi-gestructureerd interview)	Toename inzicht bij 79% van de patiënten (58)	
Bereiken van rehabilitatiedoel (semi-gestructureerd vragenlijst)	41% heeft doel bereikt 16% heeft doel gedeeltelijk bereikt (57)	
Maatschappelijke participatie (semi-gestructureerd interview)	21% gaat zelfstandig wonen 12% gaat betaald werken (58)	
Ervaring autonomie (zelfbeoordelingslijst: Likert-type)	Geen veranderingen in 'zelfbewustzijn' (57) Geen veranderingen in 'nieuwe situaties hanteren' (57)	T1 4,7(0,8);T2 4,7(0,9) T1 3,7(0,9);T2 3,7(0,9)
Functioneren (vragenlijst functioneringsniveau)	Afname van de beperkingen (49)	T1 14(7,7);T2 12,1(8,9)
Kwaliteit van leven (zelfbeoordelingslijst: Kwaliteit-van-leven-vragenlijst)	Verbetering voor patiënten die hun doelen bereiken (24) Verslechtering voor patiënten die hun doelen niet bereiken (25)	T1 6,9(1,1);T2 7,2(1,0) T1 6,7(1,2);T2 6,4(1,3)
Afstemming Zorgvraag en Zorgbehoefte (vragenlijst: CAN)	Afname rehabilitatiezorgbehoeften volgens patiënten (57) Afname rehabilitatiezorgbehoeften volgens begeleiders (57)	T1 2,3(1,3);T2 1,5(1,1) T1 2,4(1,3);T2 1,9(1,6)
Waardering begeleider (interview; Werkalliantievragenlijst)	83% is tevreden over de begeleiding (57) positieve scores over werkalliantie bij startmeting door patiënten (56) positieve scores over werkalliantie bij startmeting door begeleiders (56)	T1 0,8(0,9) T1 0,8(0,9)
Psychische terugval (interview; registratie; GAF)	8 patiënten decompenseerden (geen verband met IRB) GAF-gemiddelde bij 3 meetmomenten (57) 60(14,2)	

* Omdat niet alle patiënten/begeleiders alle interviews/vragenlijsten (volledig) beantwoord hebben, varieert de n.
T1 = startmeting CAN = Camberwell Assessment of Needs
T2 = followupmeting GAF = Global Assessment of Functioning
SD = standaarddeviatie

Voorspellers van succes

Welke patiënten profiteerden van de individuele rehabilitatie? Degenen die hun doelen bereikten waren significant vaker mensen waarmee volgens hun begeleiders doel- en taakgericht werd samengewerkt (contractdimensie van de Werkalliantievragenlijst; r = 0,37; p

= 0,01), met een grotere basale zelfredzaamheid (Vragenlijst functioneringsniveau; r = 0,30, p = 0,02) en die relatief langer (vooral vanaf langer dan een jaar) begeleid werden (r = 0,31, p = 0,02). Er waren geen andere patiëntkenmerken (zoals geslacht, leeftijd, opnameduur, diagnose) of begeleidingsfactoren (zoals de gevolgde IRB-modules of de ervaring van de begeleiders of hun persoonlijke competentie) die het al dan niet bereiken van de doelen voorspelden. Ook het type doel (gericht op wonen of werk) maakte geen verschil. Naast de bivariate analyses werd een multipele regressieanalyse uitgevoerd. Hierbij kwam de langere duur van de rehabilitatiebegeleiding als enige voorspeller naar voren: naarmate patiënten langer begeleid werden, bereikten ze vaker hun rehabilitatiedoel (verklaarde variantie 10%, p = 0,03).

Conclusie en discussie

Rehabilitatiemethodieken moeten eraan bijdragen dat chronisch psychiatrische patiënten conform hun wensen en vermogens in de samenleving functioneren. Het is dan ook bemoedigend dat dit onderzoek naar de toepassing van de IRB bij deze groep patiënten overwegend positieve resultaten heeft getoond.

Het blijkt dat getrainde verpleegkundigen, trajectbegeleiders en andere hulpverleners deze rehabilitatiebenadering naar behoren kunnen uitvoeren. Zowel patiënten als hun begeleiders oordelen positief over de geboden IRB-begeleiding. Patiënten hebben het gevoel dat er serieus en diepgaand op hun toekomstwensen wordt ingegaan. Bovendien weten de meeste patiënten hun doelen geheel of gedeeltelijk te bereiken. Hoewel patiënten hierdoor geen grotere autonomie ervaren, worden hun zorgbehoeften, in het bijzonder op de rehabilitatieterreinen, kleiner. Tevens zijn er bescheiden verbeteringen in het dagelijks functioneren en de maatschappelijke participatie. Negatieve neveneffecten, in de zin van een toename van psychische decompensaties bij patiënten of een toename van de ervaren werkbelasting bij begeleiders, zijn niet gevonden. Patiënten die hun doelen bereiken, ervaren een verbetering in hun kwaliteit van leven ten opzichte van de groep die de doelen niet haalt.

Onze onderzoeksgroep blijkt niet geheel representatief voor de gevarieerde populatie van langdurig zorgafhankelijke patiënten in de GGz. De patiënten in ons onderzoek zijn gemiddeld iets jonger en hebben een hoger niveau van functioneren. Enige veranderingsbereidheid is een impliciete voorwaarde voor deelname. De IRB-begeleiding draagt ertoe bij dat deze patiënten niet alleen beter inzicht in hun doelen krijgen, maar deze ook kunnen verwezenlijken. Het onderzoek laat ook zien dat de IRB op sommige punten een betere uitwerking verdient. Hulpverleners vragen om betere handvatten voor het rehabilitatieterrein 'sociale contacten'. Ook wordt de gesprekstechniek nogal eens als te gedetailleerd ervaren, waardoor begeleiders het zicht op het gehele proces dreigen te verliezen.

Verder blijft de gemiddelde tijdsinvestering in de individuele rehabilitatietrajecten bescheiden. Een derde van de deelnemende patiënten vindt de begeleidingstijd te kort. Dat is begrijpelijk, omdat zij in een sector van de GGz verblijven die maar weinig begeleidingstijd te bieden heeft (Van Wijngaarden e.a. 2001). Mogelijk zou een grotere tijdsinvestering tot nog betere uitkomsten leiden.

Een interessante uitkomst in dit verband is dat juist een langere duur van rehabilitatietrajecten bijdraagt aan het bereiken van de rehabilitatiedoelen. Deze bevinding sluit aan op die van eerdere overzichtsonderzoeken, waaruit blijkt dat langer durende rehabilitatie-interventies effectiever zijn dan kortstondige interventies (Mueser e.a. 1997). Overigens gaat de individuele rehabilitatie gepaard met een geringe verbetering in het algemene functioneren van patiënten. Dit komt overeen met bevindingen uit eerdere onderzoeken naar rehabilitatiestrategieën met betrekking tot casemanagement, woonbegeleiding en arbeidsrehabilitatie (Pieters & Van der Gaag 2000).

Het onderzoek heeft inzicht gegeven in de voorwaarden voor succesvolle implementatie van de individuele rehabilitatie in een reguliere zorgpraktijk. Van begeleiders wordt een systematische werkwijze verlangd, evenals het vermogen om over langere tijd (tot anderhalf jaar) trajecten te plannen en begeleiden. Tevens vereist de IRB dat de begeleiding wordt toegespitst op één of twee doelterreinen. Een aantal begeleiders kan zo'n langdurig en toegespitst rehabilitatietraject niet goed met andere hulpverleningstaken combineren. Het gebruik van de IRB krijgt betere kansen wanneer op de afdelingen ervaren werkbegeleiders en gemotiveerde leidinggevenden aanwezig zijn.

Van belang is dat het werken volgens de IRB wordt afgestemd met de andere zorg en behandeling die patiënten ontvangen. Daartoe moet rehabilitatie een duidelijke plaats in de zorgprogramma's krijgen. In dat verband is in de zorgregio Midden-Westelijk Utrecht een module rehabilitatie ontworpen die in elk stoornisgericht zorgprogramma is opgenomen.

Dit onderzoek naar de IRB omvat geen gecontroleerd effectonderzoek. Dergelijk onderzoek ligt niet onmiddellijk voor de hand bij complexe praktijken die nog volop in ontwikkeling zijn. Een probleem bij de huidige opzet is dat niet hard gemaakt kan worden dat geobserveerde veranderingen toegeschreven kunnen worden aan de onderzochte interventie. Daarvoor is onder meer een controlegroep nodig. We denken dat voortbouwend op deze en andere open onderzoeken (Van Busschbach & Wiersma 1999) de tijd rijp is om in Nederland gecontroleerde effectonderzoeken naar individuele rehabilitatie uit te voeren.

De auteurs danken A. Schene en J. van Weeghel voor hun adviezen.

Naschrift van de redactie: Inmiddels is een gecontroleerd effectonderzoek in volle gang. De eerste resultaten worden begin 2005 verwacht.

Literatuur

Anthony, W.A., Cohen, M. & Farkas, M. (1982). A psychiatric rehabilitation treatment program: can I recognize one if I see one? *Community Mental Health Journal*, 18, 83-95.

Anthony, W.A., Cohen, M.,& Farkas, M. (1990). *Psychiatric rehabilitation.* Boston: Boston University.

Bekker, M. (1993). The development of an autonomy scale based on recent insights into gender identity. *European Journal of Personality*, 7, 177-194.

Busschbach, J. van & Wiersma, D. (1999). *Behoefte, zorg en rehabilitatie in de chronische psychiatrie.* Groningen: Disciplinegroep psychiatrie Rijksuniversiteit Groningen.

Donker, M. & Derks, J. (Red.). (1993). *Rekenschap. Evaluatie-onderzoek in Nederland, de stand van zaken.* Utrecht: Nederlands centrum Geestelijke volksgezondheid.

Dröes, J. (2001). Rehabilitatie-effectonderzoek: een inventarisatie. *Tijdschrift voor Psychiatrie*, 43, 621-629.

Dröes, J. (1992). *Een opleidingsprogramma voor rehabilitatie.* Rotterdam: Stichting Rehabilitatie '92.

Farkas, M. & Anthony, W.A. (Eds.) (1989). *Psychiatric rehabilitation programs: putting theory into practice.* Baltimore: John Hopkins University press.

Horvath, A., & Greenburg, L. (1989). Development and validation of the working alliance inventory. *Journal of Counseling Psychology,* 36, 223-233.

Kroon, H. e.a. (1998). Epidemiologisch onderzoek naar chronisch psychiatrische patiënten in Nederland: conclusies uit regionale prevalentiestudies. *Tijdschrift voor psychiatrie,* 40, 199-211.

Kroon, H. (1996). *Groeiende zorg; ontwikkeling van casemanagement in de zorg voor chronisch psychiatrische patiënten.* Utrecht: Nederlands centrum Geestelijke volksgezondheid.

Mueser, K.T., Drake, R.E. & Bond, G.R. (1997). Recent advances in psychiatric rehabilitation for patients with severe mental illness. *Harvard Review of Psychiatry,* 5, 123-137.

Moos, R.H., Nichol, A.C. & Moos, B.S. (2002). Global Assessment of Functioning ratings and the allocation and outcomes of mental health services. *Psychiatric Services,* 53, 730-737.

Pieters, G. & Gaag, M. van der (Red.). (2000). *Rehabilitatiestrategieën bij schizofrenie en langdurig zorgafhankelijke patiënten.* Houten: Bohn Stafleu Van Loghum.

Phelan, M. e.a. (1995). The Camberwell Assesment of Needs: the validity and reliability of an instrument to assess the needs of people with severe mental illness. *British Journal of Psychiatry,* 167, 589-595.

Schaufeli, W. & Dierendonk, D. van (1995). *Maslach Burn-out Inventory, Nederlandse versie (mbi-nl).* Utrecht: Universiteit Utrecht.

Schene, A. & Henselmans, H. (1999). Psychiatrische rehabilitatie in Nederland en Vlaanderen. *Maandblad Geestelijke volksgezondheid,* 54, 719-728.

Swildens, W., Keijzerswaard, A. van & Valenkamp, M. (2001). *Rehabilitatie: hoe langer, hoe beter. Onderzoek naar individuele rehabilitatie in de psychiatrie.* Amsterdam: SWP.

Vervaeke, G. & Vertommen, H. (1996). De werkalliantievragenlijst (wav). *Gedragstherapie,* 29, 139-144.

Weeghel, J. van (2000). Rehabilitatie vanaf 2000. In M. Nuy (Red.), *Rehabilitatie, een oriëntatie en een beschrijving van drie benaderingswijzen* (pp. 78-86). Utrecht: SWP.

Wel, T. van (1992). *Chroniciteit in beweging. Een longitudinaal onderzoek naar het funktioneringsniveau van bewoners van verblijfsafdelingen.* Den Dolder: Willem Arntsz Hoeve.

Wel, T. van (2002). *Rehabilitatie door het woonmilieu. Een longitudinaal onderzoek naar de relatie tussen de mate van normalisatie van het woonmilieu en de activiteiten en participatie van chronisch psychiatrische cliënten.* Proefschrift. Den Dolder: Altrecht.

Wijngaarden, B. van, Bransen, M.E.M. & Wennink, H.J. (2001). *Een keten van lege zondagen. Tekorten in de zorg voor langdurig zorgafhankelijke patiënten in het APZ.* Utrecht: Trimbos-instituut.

Epiloog
Rehabilitatie en behandeling:
ruimte voor en ondersteuning van herstel
Jos Dröes

Herstel is vanaf de tweede helft van de jaren negentig een leidend principe in de rehabilitatieliteratuur geworden (Anthony, hoofdstuk 2 van dit boek; Van Heugten en Roest, hoofdstuk 3; Boevink, hoofdstuk 10; Boevink en Dröes, hoofdstuk 12; Boevink e.a., 2002). In principe is alle hulpverlening gericht op het herstel van de cliënt. In de praktijk is daarvoor een goede afstemming tussen rehabilitatie en behandeling van belang. In dit boek zijn rehabilitatie, behandeling en herstel en de relaties daartussen besproken. In deze epiloog vatten we samen hoe deze processen elkaar kunnen versterken en hoe ze elkaar kunnen tegenwerken. De belangrijkste conclusie is dat rehabilitatie ruimte schept voor herstel en ondersteunend is voor herstelprocessen. De belangrijkste vraag voor de toekomst is: hoe om te gaan met situaties waarin herstel en rehabilitatie elkaar dreigen tegen te werken.

Behandeling, rehabilitatie en herstel

Als uitgangspunt voor deze beschouwing is het van nut om de begrippen behandeling, rehabilitatie en herstel te omschrijven. Wat is rehabilitatie, wat is behandeling en wat is herstel? Behandeling en rehabilitatie zijn praktische, doelgerichte vormen van (hulpverleners)actie, en daarom beschrijf ik die twee in de vorm van hun missie. Herstel is bij uitstek een proces en is niet gericht op een goed gedefinieerd eindproduct. Daarom neem ik voor de beschrijving van herstel de procesomschrijving van Cheryl Gagne (2004) als uitgangspunt.

De missie van psychiatrische rehabilitatie luidt:
"mensen met psychiatrische beperkingen helpen beter te functioneren, zodat zij met succes en naar tevredenheid kunnen wonen, werken, leren en sociale contacten onderhouden in de omgevingen van hun keuze met zo min mogelijk professionele hulp" (Anthony e.a., 2002).

Belangrijk in deze missie is de rol van de cliënt in het individuele proces. Het gaat bij individuele rehabilitatie om het nastreven van eigen doelen van de cliënt en een zo zelfstandig mogelijk leven naar *eigen* tevredenheid. Rehabilitatie is een proces van een cliënt met diens hulpverlener, in die volgorde. Daarnaast is de doelstelling van belang: het gaat om herstel van persoonlijke en maatschappelijke rollen. Cliënten worden aangeduid als mensen met psychiatrische beperkingen. Rehabilitatie beoogt mensen te helpen bij hun rolherstel. Het middel dat daarbij gebruikt wordt is kortweg te benoemen als persoonlijke (traject)begeleiding.

De missie van behandeling luidt:
"genezing van ziekte, bestrijding van symptomen en vermindering van lijden door het bijstaan van de persoon en het toepassen van geneeswijzen" (Dröes, 2000; hoofdstuk 11).

Belangrijk in deze missie is de centrale rol van het bestrijden van ziekte en lijden, waaronder ook recidiefpreventie en rouwverwerking gerekend worden (zie Slooff en Luijten, hoofdstuk 6 van dit boek). Het gaat hierbij niet om rolherstel of om persoonlijke ondersteuning daarbij; het gaat erom dat ziekte en lijden worden teruggedrongen. In de praktijk is de rol van de hulpverlener, de behandelaar, centraal. De patiënt wendt zich tot hem omdat hij zelf de behandeling van zijn ziekte of de symptomen ervan niet aan kan. De behandelaar heeft technieken en geneeswijzen in huis die een professionele achtergrond vragen. Behandeling beoogt ziekten te genezen en lijden te verlichten. De middelen die daarbij gebruikt worden heten 'geneeswijzen' en 'ondersteuning'.

De beschrijving van het herstelproces luidt:
Herstel is het zeer persoonlijke proces van verandering van iemands zienswijzen, overtuigingen, doelen en waarden terwijl hij/zij over de rampzalige gevolgen van een psychiatrische aandoening heen groeit (naar Gagne, 2004).

Belangrijk aan deze beschrijving is dat 'herstellen' een persoonlijk, in essentie subjectief proces is. Het is geheel en al het proces van de cliënt zelf en niet, zoals rehabilitatie en behandeling, een gemeenschappelijke onderneming van cliënt en hulpverlener. Anderen kunnen er natuurlijk belangrijk in zijn: in de eerste plaats mensen uit het persoonlijke netwerk van cliënten, maar soms ook hulpverleners. Het herstelproces blijft echter een proces van de cliënt zelf, en van niemand anders.
Herstel is niet hetzelfde als genezing. Iemand kan symptomen, restverschijnselen, functiestoornissen en handicaps hebben, en niettemin bezig zijn meer greep op zijn situatie te krijgen, meer hoop op de toekomst te bevechten, minder dominantie van de ziekte te bewerkstelligen. Zo iemand is aan het herstellen. De middelen die hij gebruikt zijn velerlei, maar zelfhulp en lotgenotencontact nemen een belangrijke plaats in zoals beschreven door Boevink e.a. (2002).

In figuur 1 zijn de kernpunten van herstel behandeling en rehabilitatie samengevat.

Figuur 1. Kernpunten van herstel, behandeling en rehabilitatie

	Behandeling	**Herstel**	**Rehabilitatie**
Proces van	Behandelaar en cliënt	Cliënt en persoonlijk netwerk	Cliënt en rehabilitatie-ondersteuner
Doel	Vermindering van symptomen en lijden	Over de gevolgen van ziekte heen groeien	Verbetering rolfunctioneren
Middelen	Geneeswijzen, bijstaan	Zelfhulp, lotgenotencontact	Rehabilitatie-(traject)begeleiding

Laten we de plaats van de drie processen illustreren aan de hand van een praktisch voorbeeld.

Voorbeeld
Mevrouw Jansen heeft een depressie.
Behandeling is datgene wat haar hulpverleners doen om de depressie te verdrijven. Het geven van antidepressiva en psychotherapie maken daar allebei deel van uit.
Rehabilitatie gaat over de ondersteuning van mevrouw Jansen bij het oppakken van oude en nieuwe rollen. Mevrouw herneemt de rol van ouder in haar gezin en vervult een nieuwe rol als lid van de tennisvereniging. Herstel is het subjectieve proces van mevrouw Jansen waarin zij zich ontworstelt aan de depressie. Zij moet leren leven met een snellere vermoeibaarheid dan vroeger, met medicatiegebruik en met de mogelijkheid van een terugval. Tenslotte zal zij manieren zoeken om eroverheen te groeien, wat in de literatuur 'het leven voorbij de stoornis' wordt genoemd.

Je zou zeggen dat de drie processen van behandeling, rehabilitatie en herstel elkaar op een natuurlijke manier aanvullen en dat is ook zo, maar toch hebben de begrippen rehabilitatie, behandeling en herstel dikwijls een 'uneasy alliance'. Over spanningen tussen rehabilitatie en behandeling is geschreven door Bachrach (1992). Over die tussen rehabilitatie en herstel door Fisher en Chamberlin (2004) en Boevink en Dröes (2003). Spanningen tussen behandeling en herstel worden bijvoorbeeld besproken in de geschriften van de Amerikaanse psychiater Strauss (Davidson en Strauss, 1992).
Uit de literatuur blijkt dat de drie processen elkaar kunnen versterken, maar dat ze elkaar ook dwars kunnen zitten. De drie processen interacteren kortom met elkaar. In de volgende paragrafen bespreken we deze interacties aan de hand van het model in figuur 2:

Figuur 2. Wederzijdse beïnvloeding van herstel, behandeling en rehabilitatie

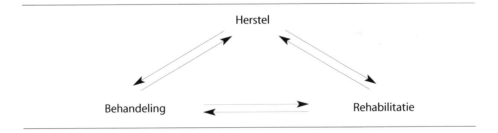

Rehabilitatie en behandeling

Wederzijdse versterking

Rehabilitatie en behandeling versterken elkaar meestal. Het zijn allebei vormen van hulpverlening, in tegenstelling tot herstel dat het subjectieve proces van de cliënt als kern heeft.
Voor verreweg de meeste problemen geldt dat er zowel behandeling als ondersteuning bij nodig zijn. Logisch. Sommige ingrepen bij ziekte zijn gericht op het onder de duim krijgen of houden van de ziekte. Denk bijvoorbeeld aan het toedienen van medicijnen. Die ingrepen gebeuren door professionals in overleg met de patiënt en heten behandeling. Andere op herstel gerichte activiteiten worden door de patiënt zelf ondernomen. Denk bijvoorbeeld aan het weer iemand opbellen wanneer de zieke zich wat beter voelt. Als hij daar hulp bij nodig heeft noemen we dat ondersteuning, of hulp of begeleiding. Wanneer die ondersteuning gaat over

de verbetering van je persoonlijk of maatschappelijk rolfunctioneren – dus over weer gaan werken, over het weer zelfstandig gaan wonen of over het weer gaan functioneren als ouder, huisgenoot of buurman – dan noemen we die begeleiding rehabilitatie.

Rehabilitatie en behandeling werken dus meestal in dezelfde richting. Wanneer het goed gaat is er sprake van een positieve spiraal: rehabilitatie inspireert de behandeling, behandeling versterkt de rehabilitatie.

Vanouds heerst de idee dat eerst behandeling van de ziekte plaatsvindt en dat er daarna pas rehabilitatie mogelijk is. Tegenwoordig denken we dat het ook andersom kan. Soms volgt behandeling op rehabilitatie. Soms worden mensen gevoeliger voor behandeling wanneer ze naast hun rol van patiënt in de behandeling nog andere rollen te vervullen hebben, bijvoorbeeld die van broer, huurder, werknemer of leerling.

Kortom, als het goed is maakt behandeling ruimte voor rehabilitatie en zorgt rehabilitatie voor gerichtere, betere en minder behandeling.

Spanningen

Wanneer gaat het mis?

Spanningen tussen rehabilitatie en behandeling ontstaan wanneer de hulpverleners, de rehabilitatiewerker en de behandelaar dus, het niet eens zijn over de manier waarop zij hun cliënt tegemoet zullen treden. Een voorbeeld: de cliënt wil zijn medicatie staken en weer thuis gaan wonen; de behandelaar vindt dit onverstandig en denkt dat er dan veel kans is op een terugval. De rehabilitatiewerker denkt dat ook, maar beschouwt het zelf staken van de medicatie als een leerproces waarin de cliënt begeleid kan worden. Spanning tussen rehabilitatie en behandeling betekent dat de behandelaar en de rehabilitatiewerker het er niet over eens zijn wat ze tegen de cliënt zullen zeggen. De een wil zeggen 'doe het niet' en de ander 'probeer het maar'. Het probleem is niet dat er verschillende opvattingen bestaan, maar dat de hulpverleners niet tot een gemeenschappelijke opstelling komen. Wat hen daarvan weerhoudt is dat ze verschillende uitgangspunten hanteren: de een ziet de bestrijding van ziekte en de ander de ondersteuning van de persoon als de centrale opgave van de hulpverlening. Als het uit de hand loopt gaan de onderlinge machtsverhoudingen bepalen welk standpunt het 'officiële' standpunt wordt – meestal het standpunt van de behandelaar.

Oplossingsrichting

Hoe is een verschil van mening tussen hulpverleners over de te volgen strategie op te lossen? Daarvoor zijn de volgende tips te geven.

1. De voornaamste tip is dat hulpverleners hun interventies afstemmen op het herstelproces van de cliënt. Wat verstandig is om te doen wordt uiteindelijk bepaald door de fase van het herstelproces waarin de cliënt verkeert. Behandeling en rehabilitatie krijgen pas een logisch verband met elkaar wanneer je ze betrekt op het herstelproces van de cliënt (Van Heugten, Roest en Henkelman; hoofdstuk 3 van dit boek).
2. Hulpverleners hebben respect voor elkaars positie en deskundigheid. Veel ruzies over het te volgen beleid zijn competentiekwesties waarbij de ene partij (vaak de behandelaar) de andere (vaak de rehabilitatiewerker) niet serieus neemt. Bij verschil van mening dient men principieel te onderhandelen, niet positioneel (Dröes, 2004; Fisher e.a., 1987).
3. Hulpverleners oefenen in het verdragen van de aanwezigheid van verschillende meningen. Ten onrechte heerst de idee dat een behandelteam altijd als een blok moet optreden. In het gewone leven is het echter heel gewoon dat verschillende mensen in de omgeving verschillende standpunten hebben. Ten aanzien van de wensen van cliënten is dat ook

zo. Wanneer dat openlijk kan worden gezegd, kan de cliënt geholpen worden door degenen die zijn of haar initiatief steunen, en kunnen anderen die meer reserves hebben de ontwikkelingen kritisch maar welwillend volgen. Alleen bij bepaalde persoonlijkheidsstoornissen kan dit een onwenselijke tactiek zijn, als een cliënt bijvoorbeeld het creëren van verschillende standpunten als overlevingsstrategie gebruikt.

Samenvattend: wanneer rehabilitatie en behandeling op gespannen voet met elkaar komen kan het herstelbegrip uitkomst bieden, naast het verdragen van verschillende standpunten en het tonen van wederzijds respect. Het herstelbegrip als referentiekader houdt dit laatste feitelijk in. Herstel is eigenlijk de zin van zowel behandeling als rehabilitatie.

Behandeling en herstel

Wederzijdse versterking

Vanouds is het ideaal van elke behandelaar dat een goede behandeling vanzelf leidt tot herstel van de persoon. En soms gebeurt dat ook. Behandeling en herstel werken dan in dezelfde richting.
Behandeling en herstel kunnen elkaar ook wederzijds versterken in andere omstandigheden dan die van het direct op een behandeling volgend herstel. Wanneer een behandeling aanslaat krijgt de patiënt of cliënt meer ruimte. Zijn leven wordt minder gedomineerd door symptomen en lijden, waardoor er ruimte ontstaat om weer aan andere dingen te kunnen denken. En aan de andere kant: naarmate een cliënt meer herstelt kan hij de beschikbare behandelmogelijkheden ook beter benutten. Hij weet beter wat hij wil, stelt duidelijker vragen en is veel beter in staat om met zijn behandelaar samen te werken. Er kan een positieve spiraal ontstaan, waarbij meer herstel leidt tot betere en op den duur ook tot minder behandeling.

Spanningen

Waar kan het misgaan?
Ook hier kan het misgaan bij verschillen van mening, in dit geval tussen de behandelaar en de cliënt (Dröes, 2004). De cliënt wil bijvoorbeeld zijn medicatie staken en de behandelaar vindt dat onverstandig. De behandelaar vindt dat hij terugval moet voorkomen en dat een herhaling of het voortduren van de psychose betekent dat de behandeling mislukt is. De patiënt wil uitproberen of hij de medicatie nu echt nodig heeft, denkt meer in termen van crisisperioden dan in termen van terugval en vindt dat een te rigoureuze vermijding van eventuele terugval hem belemmert in zijn herstelproces, zijn ontwikkelings- en leerproces waarin crisismomenten en leerervaringen nu eenmaal thuishoren.
Net als in het geval van de spanningen tussen rehabilitatie en behandeling loopt de spanning snel op wanneer de vraag op de voorgrond komt te staan: wie van ons voert de regie, wie is de baas? Maar in dit geval is het probleem essentiëler: het gaat hierbij om problemen over de zelfbeschikking van de ene partij, de cliënt en over de deskundigenstatus van de andere partij, de behandelaar. 'Wie is de baas' is bij conflicten tussen herstel en behandeling dus een elementaire vraag.

Oplossingsrichting

Wanneer zo'n conflict over de regie de verhoudingen tussen cliënt en behandelaar te veel gaat beheersen, kan het gebruik van rehabilitatie uitkomst bieden. Bij rehabilitatie gaat het immers om het helpen van een cliënt bij het nastreven van diens eigen doelen, onder een gemeenschappelijke regie van cliënt en hulpverlener. Maar behalve die gezamenlijke regie brengt rehabilitatie ook een aantal andere thema's aan de orde waar behandeling zich meestal niet zo mee bemoeit: het werken aan praktische doelen op de gebieden van wonen, werken, leren of sociale contacten.

Wat betekent zo'n veranderde discussie voor het stoppen van de medicatie? Dat stoppen komt nu in een andere context te staan. De vraag kan bijvoorbeeld worden of de cliënt het stoppen met medicatie beter nu kan uitproberen of er beter mee kan wachten tot een tijdje na de verhuizing. Of: hoe een crisisplan geregeld kan worden voor het geval het niet goed gaat. In elk geval een andere startpositie dan 'jij wilt dat en ik wil dat niet'.

Samenvattend: wanneer behandeling en herstel met elkaar op gespannen voet raken kan het gebruik van de rehabilitatie een oplossingsrichting zijn. Rehabilitatie voorziet in een breder perspectief en gaat uit van een gezamenlijke regie. Daarom kan rehabilitatie eventuele conflicten over de regie van wat er gebeurt aanzienlijk verzachten.

Rehabilitatie en herstel

Wederzijdse versterking

Rehabilitatie en herstel ondersteunen elkaar meestal. Aan de ene kant ondernemen mensen in het kader van hun herstelproces van alles, zoals verhuizen naar een zelfstandiger woonvorm, weer naar school gaan of een andere, minder veeleisende baan zoeken. Bij het verkennen, kiezen, verkrijgen en behouden van zulke gewenste resultaten komen de rehabilitatietechniek en de deskundigheid van de casemanager, de jobcoach en het begeleid-leren-project goed van pas. Op die manier ontstaat er een positieve spiraal: herstel inspireert en geslaagde rehabilitatieprocessen versterken het herstel.

Aan de andere kant geeft het langdurig werken met rehabilitatieprincipes de ruimte aan cliënten om op den duur met hun eigen verhaal te komen. Als je weer op school zit, en de ergste dip is achter de rug, dan komt er vaak pas ruimte voor terugblik en bezinning, voor herstel. In het eigen verhaal dat dan vorm krijgt, staan doorgaans hele andere dingen centraal dan in de klassieke rehabilitatietrajecten; het gaat over het herwinnen van zelfrespect, het verwerken van ziekte-episoden, het vinden van zin en betekenis. Rehabilitatie maakt dus, door de voortdurende nadruk op de eigen wensen, doelen en behoeften van cliënten, ruimte voor herstel.

Spanningen

Wanneer gaan rehabilitatie en herstel elkaar dwarszitten?

Er zijn twee veel voorkomende spanningsbronnen tussen rehabilitatie en herstel.

De eerste is dat een rehabilitatietraject van de cliënt niet (meer) in overeenstemming is met diens herstelproces. Herstelprocessen kunnen interfereren met in het verleden zorgvuldig gestelde rehabilitatiedoelen en met de begeleidingsbehoefte van de cliënt. Het zorgvuldig gestelde doel (zelfstandig gaan wonen) verliest bijvoorbeeld ineens zijn belang doordat de herstellende cliënt een nieuwe levenspartner ontmoet. Of de cliënt wil in het kader van het herwinnen van zijn autonomie even geen hulp meer, ook geen rehabilitatiebegeleiding: 'van nu af aan ga ik het zelf doen'. Alle hulpverleners hebben meegemaakt dat het daarna goed ging, maar ook dat het daarna verkeerd afliep. Het prognostische oordeel van hulpverleners is echter niet erg betrouwbaar. In dit soort gevallen is de (impliciete) vraag die de cliënt zichzelf stelt: kan ik dit alleen (of met hulp uit mijn persoonlijke netwerk), of heb ik er professionele hulp bij nodig?

Dit zijn voorbeelden van herstelprocessen die met eerder ingezette rehabilitatietrajecten kunnen interfereren.

De tweede veel voorkomende spanningsbron is dat de cliënt of diens hulpverlener het gevoel heeft dat het herstelproces hem of haar een andere of zelfs verkeerde kant op leidt, eerder naar het verlies van bepaalde sociale rollen dan naar het herwinnen daarvan. Wat doe je in dat geval, als cliënt en als rehabilitatiewerker? Is het staken van die medicatie een teken van herstel? Of zal het onafwendbaar leiden tot een terugval? Is de woede die de cliënt laat zien een teken dat hij eindelijk in contact komt met zijn eigen emoties? Of is het een destructief symptoom van zijn ziekte?

Problemen tussen rehabilitatie en herstel gaan dus over rehabilitatietrajecten die niet passen bij het herstelproces van de cliënt, over de vraag of en zo ja wat voor professionele hulp nodig is en over herstelprocessen die naar resultaten voeren waar we vraagtekens bij hebben, die wellicht geen echt 'herstel' impliceren.

Oplossingsrichting

Ik ben ervan overtuigd dat het oplossen van dit soort conflicten de volgende stap is in de ontwikkelingen die ons van behandeling naar rehabilitatie en van rehabilitatie naar herstel gevoerd hebben. Ik denk ook dat we aan die oplossingen nog niet toe zijn. Mijn voorzichtige suggestie is dat er bij problemen tussen herstel en rehabilitatie dikwijls een nuttige inbreng geleverd zou kunnen worden door een advies vanuit de behandeling. Het kan dan gaan om de diagnosticerende rol, de behandelende rol en om de ondersteunende rol de behandelaar. Het gaat dan om een advies van een behandelaar met een brede, bezonken en bescheiden kijk op behandeling.

Voorbeelden van vragen waarbij een goede behandelaar iets te melden kan hebben, vind ik: wat zijn de voor- en nadelen van het verder gaan zonder professionele hulp; is het herstel waarmee ik me bezig houd of houd ik mezelf voor de gek; wat vindt u ervan als ik bepaalde relaties of doelstellingen loslaat in het kader van een nieuw perspectief?

Het beantwoorden van dit soort vragen stelt eisen aan de behandelaar op het gebied van attitude (McCrory, hoofdstuk 4 van dit boek), kennis (Boevink, hoofdstuk 10; Henkens en Luijten, hoofdstuk 5) en vaardigheden (Dröes, hoofdstuk 9) ten aanzien van rehabilitatie en herstel.

Samenvattend suggereer ik dat bij conflicten tussen een rehabilitatieproces en het proces van herstel nuttig advies kan worden verkregen van een behandelaar die thuis is in de gedachtewereld van rehabilitatie en herstel.

Rehabilitatie - ruimte voor en ondersteuning van herstel

In figuur 3 (op de volgende pagina) staan de versterking, spanningen en oplossingen tussen rehabilitatie, behandeling en herstel samengevat. Wanneer er problemen ontstaan tussen twee van de drie begrippen is het handig om het derde begrip te gebruiken bij het zoeken van een oplossing. Dit geldt met name over problemen tussen herstel en behandeling (waarbij rehabilitatie goede diensten kan bewijzen) en tussen behandeling en rehabilitatie (waarbij het herstelbegrip de problemen kan helpen oplossen). Alleen in het geval van spanningen tussen herstel en rehabilitatie is de oplossing nog niet helemaal bevredigend. Vanuit behandeling zou in sommige gevallen wel geadviseerd kunnen worden, maar dat vereist een bepaalde, lang niet altijd aanwezige attitude van behandelaars. Daarnaast kunnen er ook problemen op dit gebied optreden die niets met behandeling te maken hebben.

Figuur 3. Wederzijdse beïnvloeding van rehabilitatie, behandeling en herstel

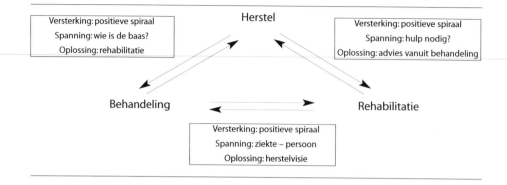

Intussen blijkt uit de bespreking van verhoudingen tussen behandeling, rehabilitatie en herstel dat rehabilitatie op drie manieren herstel kan bevorderen.

1. Direct. Rehabilitatie bevordert herstel doordat het wensen en doelen helpt verwezenlijken die cliënten in het kader van hun herstelproces hebben. Bovendien leidt het consequent vragen naar wat mensen zelf eigenlijk willen op den duur tot zoveel ruimte dat het eigen verhaal boven water komt. Werken met rehabilitatie maakt dus ook ruimte voor herstel.
2. Door bemiddeling tussen behandeling en herstel. Rehabilitatie kan conflicten tussen herstel en behandeling hanteerbaarder maken. Bij rehabilitatie wordt de regie gevoerd door de cliënt en de hulpverlener samen, in die volgorde. Rehabilitatie brengt ook een aantal thema's in waardoor behandelproblemen minder geïsoleerd kunnen worden bekeken, meer als onderdeel van het leven.
3. Door herstel als verbindende visie te gebruiken. Rehabilitatie kan, wanneer er een conflict is tussen rehabilitatie en behandeling, erop aandringen dat herstel als overstijgende visie wordt gebruikt. Door dat te doen wordt herstel versterkt.

Aandachtspunten voor verdere ontwikkeling

Welke aandachtspunten zien we nu voor de nabije toekomst? Zoals in de vorige paragrafen duidelijk is geworden, is het van belang om de synergie tussen behandeling en rehabilitatie enerzijds, en tussen behandeling en herstel anderzijds te versterken. Het is met name belangrijk dat behandelaars voldoende geïnteresseerd raken in het leveren van hun bijdragen aan de rehabilitatie en het herstel van hun patiënten of cliënten. Voor veel behandelaars is dit een flinke verandering. Het betekent dat zij naast symptomen en lijden ook de psychosociale ontwikkeling en de subjectieve herstelprocessen van hun patiënten als object van zorg moeten gaan beschouwen. Het betekent dat zij zich niet alleen bezig kunnen houden met de zieke en de ziekte, maar dat zij ook aandacht dienen te besteden aan de omgeving en de sociale positie van hun patiënten.

Een tweede punt van aandacht is het thematiseren van conflicten tussen rehabilitatie- en herstelprocessen. Gaat het eigenlijk om innerlijke conflicten van cliënten? Kunnen herstelondersteuning en rehabilitatie elkaar op een gegeven moment uitsluiten? Of betekent spanning tussen herstel en rehabilitatie per definitie dat de rehabilitatie tekortschiet in haar gerichtheid op de doelen en wensen van de cliënt? Nauw verbonden met deze vraag is de behoefte om het herstelproces beter in kaart te brengen en onderzoekbaar te maken. In de eerste plaats vraagt dit natuurlijk om kwalitatief en kwantitatief onderzoek naar het herstelproces zelf, en naar de bevorderende en belemmerende factoren daarbij. Een andere manier om het herstelbegrip uit te werken, met name in relatie tot de zorg, is de inbreng van cliënten in het formuleren van vraagstellingen, effectmaten en onderzoeksdesigns te vergroten.

Samenvatting

Rehabilitatie kan op verschillende manieren ruimte maken voor herstel en herstel ondersteunen. Maar het denken over rehabilitatie als herstelondersteuning maakt ook duidelijk dat de verbinding met behandeling hierin niet gemist kan worden. Rehabilitatie is iets anders dan behandeling, in de herstelondersteuning raken deze hulpverleningsvormen echter verweven. Rehabilitatie, behandeling en herstel kunnen elkaar zowel bevorderen als dwarszitten. Bij conflicten tussen twee processen biedt gebruik van het derde proces een oplossingsrichting. Voor de nabije toekomst zijn de betrokkenheid van behandelaren, de verhouding tussen rehabilitatie en herstel, en wetenschappelijk onderzoek naar de bevorderende en belemmerende factoren van herstel belangrijke thema's.

Literatuur

Anthony, W.A. e.a. (2002). Psychiatric Rehabilitation. Center for Psychiatric Rehabilitation, Boston, USA.

McCrory, D.J. (2003). Rehabilitatie, het bondgenootschap. In M.Nuy & J.Dröes (Red.) De Individuele Rehabilitatie Benadering (pp.13-21). Amsterdam: Uitgeverij SWP.

Davidson, L. & Strauss, J.S. (1992). Sense of self in recovery from severe mental illness. British Journal of Medical Psychology, 65, 131-145.

Bachrach, L.L. (1992). Psychosocial Rehabilitation and Psychiatry in the Care of Long-Term Patients. American Journal of Psychiatry, 149,1455-1463.

Boevink, W. (1997). Over leven na de psychiatrie. Maandblad Geestelijke volksgezondheid, 52(3), 232-241.

Boevink, W. e.a. (2002). Samen werken aan herstel. Utrecht: Trimbos-instituut/SBWU.

Boevink, W. & Dröes, J. (2003). Rehabilitatie en herstel - het begin van een dialoog? Passage, 12(1) 4-12.

Dröes, J.T.P.M. (2000). Van behandeling naar rehabilitatie, een persoonlijke ontwikkeling. Passage, 9(4), 214-222.

Dröes, J. (2004). Rehabilitatie of behandeling? Herstel als uitgangspunt. In A. Kaasenbrood, T. Kuipers & B. van der Werf (Red.), Dilemma's in de psychiatrische praktijk (pp. 55-65). Houten: Bohn Stafleu van Loghum.

Fisher, R., Ury, W. & Patton, B. (1987). Excellent onderhandelen. Utrecht: Veen.

Fisher, D.B. & Chamberlin, J. (2004). Ongepubliceerd.

Gagne, C. (2004). Rehabilitatie: een weg naar herstel. Presentatie Hanze Hogeschool Groningen, 14 juni 2004.

Heugten, T. van, Roest, R. & Henkelman, L. (2003). Geestelijke gezondheidszorg van een andere orde II. In M. Nuy & J. Dröes (Red.), De Individuele Rehabilitatie Benadering (pp. 76-82). Amsterdam: Uitgeverij SWP.

Slooff, C. & Luijten, E. (2000). Behandeling, revalidatie en rehabilitatie van mensen met schizofrenie en aanverwante psychosen. Passage, 9(4),196-204.

Verantwoording

De cursief gedrukte teksten aan het begin van de hoofdstukken zijn geschreven door de redacteur, soms met gebruikmaking van de inleiding bij de oorspronkelijke publicatie van het betreffende artikel.

De inleiding 'Individuele rehabilitatie, behandeling en herstel: de contouren van een nieuw tijdperk in de geestelijke gezondheidszorg' is een originele bijdrage.

'Perspectieven van psychiatrische rehabilitatie' door Jos Dröes en Jaap van Weeghel werd oorspronkelijk gepubliceerd in het Maandblad Geestelijke volksgezondheid, 1994, 8, 795-810.

'Herstellen van psychiatrische aandoeningen: de richtinggevende visie voor de geestelijke gezondheidszorg in de jaren negentig' door William Anthony verscheen oorspronkelijk onder de titel 'Recovery from Mental Illness: The Guiding Vision of the Mental Health Service System in the 1990's' in Psychosocial Rehabilitation Journal, 1993, 16(4),11-23. De vertaling van Cees Witsenburg is speciaal voor deze uitgave vervaardigd.

'Geestelijke gezondheidszorg van een andere orde, een pleidooi voor een indeling van zorg op basis van de "herstelgeoriënteerde" visie van Anthony' door Ton van Heugten, Remy Roest en Lourens Henkelman verscheen oorspronkelijk als deel 2 van een gelijknamig artikel in Passage, 1996, 5(3, 4) en in de eerste (2000) en tweede druk (2003) van M. Nuy & J. Dröes (Red.), De Individuele Rehabilitatie Benadering, Inleiding tot gedachtegoed, techniek en randvoorwaarden. Amsterdam: Uitgeverij SWP. Het naschrift van de auteurs werd ten behoeve van deze uitgave geactualiseerd.

'Rehabilitatie, het bondgenootschap' door D.J.McCrory werd oorspronkelijk gepubliceerd in Journal of Vocational Rehabilitation, 1991, 1(3), 58-66. In de vertaling van Marius Nuy werd het eerder opgenomen in Passage, 1998, 7(1) en in de eerste (2000) en tweede druk (2003) van M. Nuy & J. Dröes (Red.), De Individuele Rehabilitatie Benadering, Inleiding tot gedachtegoed, techniek en randvoorwaarden. Amsterdam: Uitgeverij SWP.

'De Individuele Rehabilitatie Benadering, een uiteenzetting van het technische aan de hand van casuïstiek' door Hanneke Henkens en Els Luijten is eerder verschenen onder de titel 'De Individuele Rehabilitatie Benadering, een uiteenzetting van het technische en een beschouwing omtrent enkele nuances' in de eerste (2000) en tweede druk (2003) van M. Nuy & J. Dröes (Red.), De Individuele Rehabilitatie Benadering, Inleiding tot gedachtegoed, techniek en randvoorwaarden. Amsterdam: Uitgeverij SWP.

'Rehabilitatiegericht omgaan met psychiatrische problematiek' door Jos Dröes is een originele bijdrage. Het is een bewerking van delen van de training 'Rehabilitatie en omgaan met psychiatrische problematiek' van de Stichting Rehabilitatie '92 te Rotterdam.

'Behandeling, revalidatie en rehabilitatie van mensen met schizofrenie en aanverwante psychosen' door Cees Slooff en Els Luijten is eerder gepubliceerd in *Passage* 2000, 9(4), 196-204.

'Mensen met psychiatrische beperkingen helpen beter te functioneren' door Jos Dröes is overgenomen uit *Passage*, 2004, 13(3), 16-23.

'Indicatiestelling, verwijzing en ondersteuning: de rol van de psychiater in de individuele rehabilitatie' door Jos Dröes is een originele bijdrage.

'Over leven na de psychiatrie' door Wilma Boevink is eerder gepubliceerd in het *Maandblad Geestelijke volksgezondheid,* 1997, 3(3), 232-240.

'Van behandeling naar rehabilitatie: een persoonlijke ontwikkeling' door Jos Dröes is overgenomen uit *Passage,* 2000, 9(4), 214-222.

'Rehabilitatie en herstel – het begin van een dialoog? Een briefwisseling tussen Wilma Boevink en Jos Dröes' is eerder gepubliceerd in *Passage,* 2003, 12(1), 4-12. Het naschrift werd ten behoeve van deze uitgave geactualiseerd.

'Rehabilitatie-effectonderzoek: een inventarisatie' door Jos Dröes verscheen oorspronkelijk in *Tijdschrift voor Psychiatrie,* 2001, 9, 621-630.

'De cliënt is koning. Een onderzoek naar de ervaringen met de IRB op basis van interviews met 35 cliënten van de Centra voor Individuele Rehabilitatie en Educatie (CIRE) in Groningen' door J.T. van Busschbach en D. Wiersma is een originele bijdrage.

'Individuele rehabilitatie voor chronische psychiatrische patiënten: een open onderzoek' door Wilma Swildens, Albert van Keijzerswaard, Tom van Wel, Gerard de Valk en Marije Valenkamp is eerder gepubliceerd in *Tijdschrift voor Psychiatrie,* 2003, 1, 15-26.

De epiloog 'Rehabilitatie en behandeling: ruimte voor en ondersteuning van herstel' van Jos Dröes is een originele bijdrage.

Over de auteurs

Dr. William A. Anthony, Ph.D., is directeur van het *Center for Psychiatric Rehabilitation at Boston University.*

Drs. Wilma Boevink is als wetenschappelijk medewerker en ervaringsdeskundige in de GGz verbonden aan het Trimbos-instituut en als hoofddocent Herstel aan Stichting Rehabilitatie '92 te Rotterdam.

Dr. Jooske T. van Busschbach is als wetenschappelijk hoofdmedewerker verbonden aan het Rob Giel Onderzoeksinstituut van de RUG te Groningen.

Dr. Jos Dröes is als psychiater werkzaam bij de Bavo-RNO groep en als hoofdopleider bij Stichting Rehabilitatie '92 te Rotterdam.

Drs. Hanneke Henkens is werkzaam als rehabilitatiedeskundige bij de GgzE te Eindhoven en als docent bij Stichting Rehabilitatie '92 te Rotterdam.

Dr. Lourens Henkelman is als wetenschappelijk medewerker verbonden aan het Trimbos-instituut te Utrecht.

Drs. Ton van Heugten is werkzaam als GZ psycholoog-psychotherapeut, behandelaar Beschut Wonen, GGZ Oostbrabant, locatie Huize Padua.

Drs. Albert van Keijzerswaard is werkzaam als stafmedewerker en coördinator Rehabilitatie bij Altrecht, divisie stad Utrecht.

Drs. Els Luijten is als GZ-psycholoog verbonden aan het Psychosencluster van GGZ Drenthe, locatie Assen en als hoofddocent bij Stichting Rehabilitatie '92 te Rotterdam.

Dr. Dennis J. McCrory is psychiater te Boston, Massachusetts.

Drs. Remy Roest is als psychiater verbonden aan het St. Anna Ziekenhuis te Geldrop en als docent aan Stichting Rehabilitatie '92 te Rotterdam.

Dr. Cees Slooff is werkzaam als psychiater bij het Psychosencluster van GGZ Drenthe, locatie Assen. Hij is voorts als Universitair Hoofddocent verbonden aan de RUG.

Dr. Wilma Swildens is stafmedewerker Onderzoek & Ontwikkeling bij Altrecht, divisie Stad Utrecht.

Dr. Tom van Wel, GZ-psycholoog en socioloog, is als beleidspsycholoog verbonden aan het Jovo-huis voor jongvolwassenen met een psychotische stoornis, van Altrecht te Utrecht, en docent bij Stichting Rehabilitatie '92 te Rotterdam.

Drs. Gerard de Valk is stafmedewerker Zorg, Organisatie en Kwaliteit bij Altrecht, divisie stad, Utrecht.

Drs. Marije Valenkamp is onderzoeker bij het Trimbos-instituut te Utrecht.

Dr. Dirk Wiersma is als hoogleraar epidemiologie verbonden aan het Rob Giel Onderzoeksinstituut en aan de Rijksuniversiteit Groningen.

Drs. Cees Witsenburg (C.A.G.S. van Boston University) is rehabilitatiedeskundige en methodiekontwikkelaar voor de Bavo-RNO Groep en Stichting Rehabilitatie '92 te Rotterdam.

Dr. Jaap van Weeghel is Centrumvoorzitter van het centrum Behandeling, Zorg en Reïntegratie in het Trimbos-instituut.

Colofon

Individuele rehabilitatie, behandeling en herstel
van mensen met psychiatrische problematiek
Onder redactie van Dr. Jos Dröes

ISBN
90 6665 614 X

NUR
875

Vormgeving omslag
WAT-Ontwerpers, Utrecht

Uitgever
Dennis H. van Santen

Voor informatie over overige uitgaven van Uitgeverij SWP:
Postbus 257, 1000 AG Amsterdam
Telefoon: (020) 330 72 00
Fax: (020) 330 80 40
E-mail: swp@swpbook.com
Internet: www.swpbook.com